UN HOMME
COMME UN AUTRE

GEORGES SIMENON

UN HOMME
COMME UN AUTRE

PRESSES DE LA CITÉ
PARIS

Le 18 septembre 1972 qui, si je me souviens bien, était un dimanche, je suis descendu comme d'habitude dans mon bureau. C'était dans un but bien déterminé : j'étais décidé à écrire l'enveloppe jaune sur laquelle je note l'identité des personnages d'un nouveau roman. Ce roman-là, qui devait s'intituler *Oscar,* était un des plus durs, dans mon esprit, que j'aie écrits. Il y avait quatre mois et peut-être davantage que je le portais en moi.

Je comptais y mettre toute mon expérience humaine et c'est pourquoi j'avais hésité si longtemps à le commencer. Je suis remonté dans mon appartement en proie à une grande satisfaction, un véritable soulagement. Enfin, ça y était !

Or, le 19, c'est-à-dire le lendemain, je prenais brusquement, sans déchirement, sans idées dramatiques, la décision de mettre en vente la maison d'Épalinges que j'avais bâtie dix ans auparavant.

Pourquoi ? D'abord, ce n'était pas la première fois que, d'une heure à l'autre, je prenais une décision de ce genre. Avant Épalinges, j'ai eu vingt-neuf maisons, dans différents pays, et le processus a été à peu près le même pour chacune d'elles. Tout à coup, je me sentais étranger entre des murs qui, la veille, m'étaient encore familiers et qui constituaient en quelque sorte un refuge.

Or, ces murs-là, je cessais de les reconnaître. Je me demandais en quoi ce décor s'harmonisait avec ma vie propre et je n'avais de cesse que de m'en aller, pour ne pas dire de m'enfuir.

Le lendemain de cette décision, le 20 septembre, j'appelais le directeur de la principale agence de vente d'immeubles, à Lausanne, et je lui annonçais que la maison était en vente et qu'il pouvait s'en occuper immédiatement.

Par la même occasion, je lui demandais s'il avait, en ville, un appartement à vendre. Nous en avons visité deux qui ne convenaient pas. Ils étaient l'un et l'autre en faux-semblant, c'est-à-dire conçus pour des gens qui attachent plus d'importance à l'aspect ou à la valeur commerciale des choses qu'à leur utilité.

Le 26 septembre, je trouvais, dans une tour, deux appartements que l'on pouvait relier entre eux et qui, ainsi, formeraient une demeure confortable.

Comme toujours, j'ai passé un mois de véritable griserie. Il s'agissait de bâtir le nid. Je courais les magasins, un mètre de menuisier à la main. J'achetais à gauche, j'achetais à droite, évitant tout ce qui pouvait être du trompe-l'œil. Pendant le même temps, des artisans perçaient une porte.

J'avais fixé la date du 27 pour emménager. Le 27 octobre, donc, j'emménageais.

Il y avait encore, à cette époque-là, ma machine à écrire sur l'espèce d'établi auquel je travaille. Il y avait aussi l'enveloppe jaune qui constituait le plan d'*Oscar*.

Or, à mesure que les jours passaient, l'une et l'autre me devenaient étrangères. A quel moment exactement ai-je pris une autre décision, celle de ne plus écrire de romans, je ne pourrais le préciser, mais cela a été dans les semaines qui suivirent et la décision a été prise avec la même rapidité, la même absence d'hésitation que pour celle de quitter Épalinges.

Contrairement à ce que beaucoup de gens ont imaginé, cela a été pour moi un immense soulagement. Tout à coup, j'ai eu l'impression de me sentir moi-même. Je retrouvais des sensations que j'avais à seize ans lorsque j'écrivais mon premier roman et que je me promenais dans les rues de Liège, le nez en l'air, les mains dans les poches. Les gens avaient changé. Le décor aussi. Et jusqu'aux arbres et aux pelouses. Tout cela avait perdu son aspect de décor. Ce n'était plus matière à une histoire, à un roman, à une étude plus ou moins poussée de quelques hommes.

Je n'avais plus besoin de me mettre instinctivement dans la peau de ceux que je rencontrais. J'étais dans la mienne, pour la première fois peut-être depuis cinquante ans.

J'exultais. J'étais délivré. Je le suis encore. Tout a changé pour moi en l'espace de quelques jours, de quelques heures. Je ne me rendais pas compte à quel point, auparavant, j'avais été l'esclave de mes personnages et de leur habitat. Cela devait se passer dans mon subconscient car je n' « observais » qui que ce soit ni quoi que ce soit avec l'idée d'une utilisation possible. Sans doute mon cerveau, trop entraîné, le faisait-il pour moi.

Cette fonction-là pouvait être coupée, puisqu'elle n'aurait plus abouti à rien.

Je suis moi-même, enfin! Ecrirai-je encore? Je n'en sais rien. Peut-être, de temps en temps, éprouverai-je le besoin de raconter de vive voix des histoires, d'évoquer des pans de passé sans avoir l'esprit que ces textes seront lus un jour par des inconnus.

Un petit enregistreur a remplacé sur mon établi ma machine à écrire. Il est beaucoup moins impressionnant et, comme je n'avais jamais dicté jusqu'ici, c'est plutôt pour moi un jouet qu'un instrument de travail.

Il est dix heures et demie du matin, 2 mars.

Tout à l'heure, j'ai eu une courte crise de vertige. C'est déjà oublié. Il est étonnant de constater à quel point l'homme est apte à oublier ses douleurs et ses angoisses. On dirait qu'il reprend la vie au point où il l'avait laissée.

L'appartement éclate de soleil. Il entre par toutes les fenêtres à la fois, dirait-on, ce qui est impossible puisqu'il y a deux fenêtres à l'est, deux autres à l'ouest. Toutes les portes sont ouvertes. J'entends des bruits familiers et je sais par ces bruits ce que chacun fait et dans quelle pièce il se trouve. Cela me rappelle les jours de congé, dans mon enfance, lorsque, assis dans le jardin, j'entendais ma mère aller et venir, montant des seaux de charbon dans les chambres des étudiants, faisant les lits et le ménage.

Je retrouve la vie familiale, paisible, d'un véritable appartement. Mon bureau n'est plus un bureau. Le salon n'est plus un salon. La salle à manger est une vraie salle à manger où nous sommes quatre à table à chaque repas. Et Iole, qui s'est révélée une cuisinière étonnante, se lève entre les plats pour aller chercher la suite.

En somme, n'est-ce pas la vie dont je rêvais et a-t-il fallu que j'atteigne soixante-dix ans pour la connaître enfin?

Ce matin, Teresa a vu deux cigognes qui se dirigeaient vers l'est. Il paraît que c'est la promesse du printemps. Je le souhaite, car ce sera une autre saison à savourer.

Le mois de février a été plus mouvementé, comme je m'y attendais, mais en fin de compte, toute la maisonnée a eu assez de fermeté, y compris Aitken qui est restée à Épalinges et qui y restera jusqu'à ce que la maison soit vendue, pour préserver notre intimité.

Mais cela viendra en son temps.

De mes fenêtres, on découvre cinq terrains de football, des terrains de tennis, d'athlétisme, piscine et, tout le long du lac, un parc que l'on appelle joliment le parc des enfants. Le jour précédent, je me suis contenté de les regarder de loin. Les joueurs s'entraînaient, le soir, aux lumières. Les propriétaires de bateaux astiquaient leurs embarcations qui, aujourd'hui dimanche, voguent sur le lac.

Un vrai dimanche, avec cloches et rues à peu près désertes. Ce matin, j'ai marché jusqu'en bordure de ce domaine qui me paraissait encore interdit à cause de la distance.

Cet après-midi, je n'ai pas résisté. Je suis allé jusqu'au bout et j'ai vu les joueurs de près, les promeneurs tenant des enfants par la main tout comme au temps de mon enfance. Je suis rentré à peine fatigué. Ce que c'est merveilleux de pouvoir se servir de son corps!

Que je l'aie voulu ou non, le mois de février a été marqué pour moi par mon soixante-dixième anniversaire.

Hier soir, j'ai soudain découvert que le mois de mars comptait un autre anniversaire. En effet, à je ne sais plus quelle date de ce mois, j'aurai cinquante ans de mariage. Pas avec la même femme. D'ailleurs, ces deux mariages n'ont guère été des succès. Après vingt-deux ans j'ai divorcé d'avec ma première femme.

Et il y a neuf ans maintenant que je suis séparé de la seconde.

Je n'ai pas fait de troisième essai.

Hier nous sommes allés jusqu'à la Vallée des Enfants. C'est un délicieux parc entre deux·collines. Il y a entre autres une vaste roseraie qui, l'été, est splendide. L'une des collines est le cimetière. Il y en a deux, en réalité : celui des morts qui sont enterrés, celui des incinérés. On a le choix. Pour moi, je choisis l'incinération, le plus tard possible. Il y avait une semaine presque que je désirais passer par cet endroit. Je m'en approchais tous les jours un peu. J'allongeais mes promenades à mesure que je me sentais plus fort. La convalescence est une chose merveilleuse.

Et aujourd'hui, en longeant le lac, nous sommes allés très loin, jusqu'au terrain de camping. Tout cela paraît simple et sans importance. Cela en a beaucoup cependant pour quelqu'un qui a espéré pendant plusieurs mois de se trouver un jour valide.

Ce matin, j'ai passé une heure chez mon avocat. Cet après-midi, une heure chez mon banquier. Pour les mêmes raisons. J'essaie de défendre de mon mieux l'héritage de mes enfants.

Mon Dieu! Ce que le mot amour, mis à certaine sauce, peut devenir cynique!

Je viens de parcourir tous les articles de journaux. J'ai un peu la même impression qu'il y a plus de dix ans quand je griffonnais des notes dans des cahiers, notes qui sont devenues *Quand j'étais vieux*.

A l'occasion de mes soixante-dix ans et de ma décision de ne plus écrire de romans, des milliers d'articles sont parus, la plupart très amicaux, plus que je ne l'aurais espéré, tant en France que dans les autres pays. Pourquoi, dès lors, cette gêne? Et pourquoi vais-je en arrêter la lecture?

Il est normal que les journalistes cherchent une explication à ma décision. Il est normal aussi qu'ils cherchent à découvrir le mécanisme, si je puis dire, de ma création littéraire. Ils vont jusqu'à établir des diagnostics médicaux, ce qui est normal aussi. Je ne leur reproche donc rien. Je les remercie de l'attention qu'ils veulent bien me consacrer.

Malheureusement, je ne veux pas trop me connaître et la lecture de ces articles m'incline à me poser des questions.

J'ai envie de vivre sans réfléchir à ce que je fais, à ce que je suis.

Plus de dix mille lettres de lecteurs sont émouvantes aussi. Comme on a parlé de mes vertiges, j'ai reçu un grand nombre de recettes pour les supprimer. Impossible de les essayer toutes, bien entendu.

Allons, bon! Effaçons les soixante-dix ans, les coups de téléphone, les lettres. Restons bien calme dans la vie que j'ai choisie et qui m'enchante tous les jours davantage.

Hier soir avant de m'endormir j'ai vécu une fois de plus, ou revécu, mon arrivée, à dix-neuf ans, à la gare du Nord, à Paris, par un matin de décembre pluvieux et froid. A cause de cette image-là, je déteste la gare du Nord. Rien que de la revoir de loin me donne le cafard.

Est-ce bien moi qui ai décidé de vivre à Paris ? Parfois, je me le demande et je pense maintenant que non. J'ai déjà parlé du rêve de mes quinze ans, le rêve de vivre à un premier étage, dans une rue populeuse, d'où je regarderais la foule des ménagères autour des petites charrettes des marchandes de quatre-saisons. En somme, j'étais peut-être fait pour la vie provinciale.

N'est-il pas possible d'y écrire une œuvre ? Le cas, par exemple, de Faulkner prouve le contraire. C'est ma fiancée d'alors, qui est devenue ma première femme et qui était peintre, qui m'a mis comme condition à notre mariage que nous vivions à Paris.

Elle avait sur le mariage des idées assez originales. Elle aurait aimé que nous ayons deux appartements séparés, assez loin l'un de l'autre, nous rencontrant de temps en temps. En outre, elle exigeait que je promette de ne pas lui faire d'enfant. J'ai tenu le coup pendant près de vingt ans, malgré mon amour pour les enfants, qui est chez moi comme un besoin.

Ce n'est pas tout à fait de cela que je voulais parler. Cette question-là en a entraîné une autre. Est-ce que j'étais ambitieux ?

On pourrait le croire, si l'on pense à la vie que j'ai menée. Évidemment, assez jeune, j'ai eu un bateau, une voiture, j'ai voyagé aux quatre coins du monde dans les meilleurs paquebots et je ne suis descendu que dans les palaces.

13

Lorsque Maigret a commencé à être connu dans les différents pays qui l'ont traduit les premiers, je me suis installé dans un petit château près de La Rochelle, après une halte de quelques mois au Cap-d'Antibes.

Toute ma vie s'est déroulée comme si j'avais besoin, autour de moi, d'un certain luxe, d'une certaine atmosphère.

Depuis que j'ai quitté Épalinges, dernière étape de cette époque, je me rends compte que je n'ai pas suivi mes vrais goûts, ma vraie destinée. Tout ce qui, dans la vie de mon appartement de Lausanne, me rappelle mon enfance, me donne une satisfaction que je n'ai jamais eue dans mes différentes maisons. Je déteste l'anonymat des palaces, leur faux luxe, le service trop empressé, les mains tendues au départ.

J'aime au contraire la table ovale des familles, en petit comité, les bruits divers d'un appartement qui permettent de savoir où se trouve chacun et ce qu'il fait, bref de suivre les pulsations de l'habitat.

Et dire qu'il m'a fallu soixante-dix ans pour faire une découverte aussi élémentaire!

J'ai retourné la cassette parce qu'il ne restait plus beaucoup à enregistrer de l'autre côté et que je ne désirais pas être pris de court.

Il se passe une chose curieuse. Je m'étais promis de ne plus écrire. Je n'écris plus en professionnel, si je puis dire. Mais, dès qu'un souvenir me vient à l'esprit, j'éprouve le même besoin urgent que lorsqu'un roman était mûr et que je me jetais sur ma machine.

Ce n'est plus à la machine que j'écris. Je dicte dans un enregistreur. Mais pourquoi cette nécessité d'extérioriser tout de suite ce que je pense et ce que je ressens alors que ces notes ne dépasseront probablement pas le cercle de la famille?

Je suppose qu'il en est de même pour tout le monde. Pour ma part, en tout cas, mes souvenirs d'enfance sont invariablement ensoleillés. C'est le cas, par exemple, du dimanche et du lundi de Pâques.

C'était l'occasion de changer complètement de vêtements. Ceux qui avaient servi une année pour aller à l'école disparaissaient. Ceux qui avaient servi le dimanche devenaient les vêtements de tous les jours et on étrennait fièrement des vêtements neufs ainsi qu'un chapeau de paille que mon grand-père donnait à chacun de ses petits-enfants. Il était chapelier et nous avions de véritables panamas, ce qui est, je pense, le seul luxe que j'aie connu pendant mon enfance.

Liège est une ville pluvieuse. Or, toutes les Pâques dont je me souviens étaient tièdes et ensoleillées puisque je ne mettais ni veston ni pardessus et que j'arborais fièrement mon chapeau de paille neuf.

Comme tous les Liégeois nous nous rendions à pied à un village, situé à trois ou quatre kilomètres de Liège, où existent un Calvaire et une chapelle plus ou moins miraculeuse. Dans mes souvenirs, ce n'est que vers quatre ou cinq heures de l'après-midi qu'il y avait un orage et que nous cherchions un abri.

Un autre détail. Une ferme avait installé des tables et des bancs dans un pré. On y servait du café, des sodas et de la tarte au riz. Nous les regardions par-dessus la haie, ainsi que les gens attablés, et nous buvions l'eau ou le café léger qui était dans notre gourde.

Ce n'est pas seulement mon enfance mais mon adolescence qui, dans ma mémoire, est ensoleillée. A seize ans, j'entrais à la *Gazette de Liège*. Je n'avais jamais lu un journal car, à cette époque, c'était un privilège réservé au chef de famille. Je n'ai jamais vu ma mère lire le journal non plus. Elle se contentait d'en découper le feuilleton et elle cousait ensemble toutes ces bandes de papier.

Pourquoi ai-je pensé au journalisme? Probablement à cause de Rouletabille, qui était reporter dans les romans de Gaston Leroux.

Toujours est-il que j'ai vécu pendant trois ans et demi une des périodes les plus exaltantes de ma vie. J'avais pu, enfin, me payer un vélo, avec mes premières mensualités. Avant cela, j'allais au collège à pied et cela représentait une demi-heure de marche. Tous mes amis avaient des vélos. Moi pas.

Enfin, j'en avais un et j'essayais toutes les acrobaties possibles.

Au début, mon rôle était extrêmement modeste. Je devais téléphoner deux fois par jour dans les six commissariats de police de Liège pour m'assurer qu'il n'y avait pas eu de faits divers importants. Le matin à onze heures, avec mes confrères des autres journaux, j'allais au Commissariat Central où le secrétaire nous lisait les rapports journaliers.

Je quittais les locaux de la *Gazette* un peu en avance. Selon la saison, j'achetais un petit sac de bonbons secs ou une demi-livre de cerises que je mettais dans mes poches et j'allais me promener dans une des cours médiévales du palais de justice. Ces cours étaient pour moi un véritable paradis et je respirais le parfum des buissons et des arbres.

Il a dû y avoir près de deux cents matins de pluie où je ne m'y rendis pas. Il y a eu des automnes, des hivers, de la bise, de la neige. Tout cela est effacé dans ma mémoire où il ne reste que le soleil et la verdure.

J'étais à peine de quelques mois à la *Gazette* que je proposais au rédacteur en chef d'écrire un billet quotidien. Il n'y croyait pas trop. En outre, je n'étais pas loin d'être, à la rédaction, une sorte de mécréant.

Je suis né catholique. J'ai assisté à la messe du dimanche jusqu'à l'âge de treize ou quatorze ans mais ensuite j'ai cessé, et de croire, et de pratiquer. *La Gazette*, au contraire, était à la fois le journal le plus catholique et le plus conservateur de Liège. On pouvait se demander ce que je faisais là-dedans et parfois je me le demandais moi-même. Pourquoi cette indulgence du rédacteur en chef vis-à-vis d'un gamin de seize ans et demi qui allait écrire ses articles dans des boîtes de nuit?

Toujours est-il que j'obtins l'autorisation d'écrire le billet quotidien. J'en ai écrit pendant trois ans.

Comme je parlais surtout de la vie liégeoise, des événements plus ou moins politiques de la cité, comme aussi j'étais assez catégorique dans mes opinions, j'ai acquis bientôt une sorte de petite célébrité. Si l'on peut dire! Toujours est-il que mon père lui-même lisait ces modestes papiers et que le soir il m'en parlait à table.

Vers l'âge de dix-sept ans, ou plutôt quelques mois avant l'âge de dix-sept ans, je me mis à écrire un roman, *Au Pont des Arches*, qui est le pont principal de Liège et le plus ancien. Ce roman ne parut pas chez un éditeur, bien entendu. C'est un imprimeur qui se chargea de l'éditer à compte d'auteur après avoir réuni deux ou trois cents souscriptions qui assuraient la rentabilité de son travail.

Ce n'est pas le livre, bien maigre, dont je me souviens. C'est la table, ou plutôt le guéridon en acajou sur lequel je remplissais des pages d'une toute fine écriture.

Un de mes amis d'alors, qui avait gardé le manuscrit, ce que j'avais oublié, me l'a gentiment envoyé il y a quelques années. J'ai été stupéfait de m'apercevoir qu'après si longtemps mon écriture n'avait nullement changé, qu'elle était restée aussi petite, aussi mince et aussi nette.

J'aurais aimé retrouver un jour le guéridon d'acajou, le seul meuble à peu près beau de la maison. Lorsque, beaucoup plus tard, je suis retourné à Liège, il n'était plus chez ma mère, qui avait eu un second mari entre-temps.

Je n'en revois pas moins cette table aux pieds galbés, à la surface très lisse, très polie, qui reflétait le soleil. Car, de toute cette époque encore, je revois toujours du soleil.

C'est à quatre pattes que je suis entré dans le mariage. Ceci n'est pas une figure de style. Je parle littéralement.

Une chose curieuse, c'est que mes souvenirs évoqués les derniers jours étaient tous des souvenirs ensoleillés. Ceux que je voudrais évoquer maintenant sont des souvenirs en blanc et noir, surtout en noir, non pas parce qu'ils me rappellent des moments pénibles mais parce que ce sont les souvenirs du soir et de la nuit. Comme par hasard, il y a aussi de la pluie, comme si la pluie s'accordait mieux avec la nuit qu'avec le jour.

J'avais un confrère que je retrouvais avec deux ou trois autres tous les matins au Commissariat Central. Un jour, il me proposa de me présenter à quelques-uns de ses amis. Ces amis-là, pour la plupart, étaient des peintres qui fréquentaient encore l'Académie des Beaux-Arts.

J'ai été séduit par leur côté romantique et bientôt j'appartenais à leur petit groupe qui s'appelait « La Caque », nom inspiré par les caques à harengs.

Liège, à cette époque-là, comptait encore un assez grand nombre de ruelles très étroites, aux maisons moyenâgeuses, et le ruisseau des eaux usées, comme on dit à présent, coulait librement au milieu des pavés. L'odeur de ces rues-là était caractéristique et rien que d'y penser elle me revient aux narines.

Dans certaines de ces ruelles, des femmes en chemise, hideuses pour la plupart, se tenaient sur leur seuil et essayaient d'attirer le passant. Parfois elles s'enhardissaient, lui prenaient son chapeau et se précipitaient dans la maison. Il fallait bien que le pauvre homme y entre s'il voulait récupérer son couvre-chef.

Les membres de La Caque, tantôt une dizaine, tantôt une douzaine, quelquefois seulement trois ou quatre, se réunissaient dans une sorte de grenier d'une de ces ruelles, au-dessus d'un atelier de menuisier. Il n'y avait pas l'électricité. Une lampe à pétrole nous éclairait. Pour tout mobilier, de vieux matelas, un ou deux fauteuils défoncés et une table boiteuse. Nous apportions chacun une bouteille, soit de vin, soit d'alcool, et certains étaient chargés de fournir les gâteaux secs.

Pendant des heures, nous discutions éperdument de questions « essentielles », de Dieu, de philosophie, d'art, selon les dernières découvertes que l'un ou l'autre d'entre nous venait de faire dans un livre.

La nuit de Noël, cette année-là, a été une nuit presque orgiaque, car on avait augmenté le nombre de bouteilles et certains avaient bu de l'éther.

Nous nous sommes retrouvés vers trois ou quatre heures du matin au centre de la ville. C'est là que nous avons rencontré un homme jeune que je ne connaissais pas mais que connaissaient tous mes amis. C'était R..., un jeune architecte, qui venait de sortir des

18

Beaux-Arts. Je ne sais pour quelle raison il nous a invités à passer la veillée du nouvel an non pas dans le grenier de La Caque, mais dans l'atelier de sa sœur, elle aussi élève des Beaux-Arts.

Tout cela reste pour moi très flou. La veille du nouvel an, j'ai d'abord fêté celui-ci avec un camarade de *la Gazette de Liège,* de sorte que vers neuf heures du soir j'étais déjà soûl. Je me suis rendu, pas trop sûr de moi, à l'adresse que mes amis m'avaient indiquée. Je fus très étonné de voir une de ces grosses maisons de pierre généralement habitées par la grosse bourgeoisie liégeoise. Je sonnai. R... vint ouvrir la porte, mais je ne le reconnaissais pas. Je suis allé droit devant moi. J'ai gravi un large escalier à deux volées.

J'ai voulu entrer dans une des pièces du premier étage, mais mon hôte m'a dit de continuer à monter. Je l'ai fait à quatre pattes, car je ne tenais plus debout. Ce dont je me souviens c'est que, quand une porte s'est ouverte devant moi, je pensai tout de suite à une erreur ou à une trahison. En effet, je me trouvais dans un vaste salon richement meublé où se tenaient un monsieur très corpulent et très digne, une dame à cheveux gris tirés en arrière et, tout autour de la pièce, mes amis de La Caque. Je suis allé en titubant vers un fauteuil où je me suis laissé tomber.

Je sais que quelqu'un a joué du piano, que certains ont chanté, qu'on nous a servi du gâteau et du vin. Je n'ai pas touché au vin, car j'avais déjà fait le plein avec mon ami de *la Gazette de Liège.* A minuit, ce furent les congratulations, puis le monsieur corpulent nous a dit :

— Maintenant, vous pouvez monter. Bon amusement.

C'était le père de R... ainsi que d'une jeune fille et d'une gamine.

Une demi-heure plus tard, dans l'atelier qui se trouvait sous les combles, mes amis avaient eu le temps d'ingurgiter plusieurs bouteilles. Moi qui ne buvais plus depuis neuf heures, je reprenais peu à peu ma lucidité.

C'est ainsi que vers les quatre heures du matin, je suppose, je me trouvai à peu près le seul à être sain d'esprit. A côté de moi, une jeune fille aux cheveux tirés et au front ceint d'un bandeau s'est mise à me parler et nous avons discuté art et littérature tandis que mes amis continuaient à boire et à chanter bruyamment.

La jeune fille s'appelait Régine. Elle avait trois ans de plus que moi. Elle n'était pas belle, ni jolie.

Quelques semaines plus tard, pourtant, elle était ma fiancée et elle devait devenir ma première femme.

Cela s'est passé en quelque sorte par éliminations successives. Nous avions décidé de nous réunir tous une fois par semaine. La première semaine, nous étions une dizaine. Comme je m'occupais exclusivement de Régine et qu'elle s'occupait exclusivement de moi, il y eut des défections dès la seconde semaine, puis encore la semaine suivante. Je n'avais aucune raison de venir seul voir la fille de la maison et de monter seul avec elle dans son atelier. C'est pourquoi, pendant un certain temps, je suppliais presque mes amis de venir à notre réunion hebdomadaire.

Il y en a un qui a tenu le coup jusqu'au bout ou à peu près. Il a fini quand même par nous laisser tomber et je me suis trouvé seul visiteur du soir.

Quand j'ai cessé de fréquenter, faute d'excuse valable, et faute de camarades pour m'accompagner, la maison des parents de Régine, je pris l'habitude d'aller la chercher à la sortie du cours du soir de l'Académie. Le cours se terminait à neuf heures. Je mangeais n'importe quoi sur le pouce puis j'allais faire les cent pas dans la rue obscure. Ensuite, bras dessus bras dessous, nous nous dirigions vers la rue Louvrex où elle habitait.

J'avais échangé son prénom de Régine, que je détestais, pour un prénom qui n'existe pas et qui, Dieu sait pourquoi, m'est passé par la tête : Tigy. Peut-on parler de premier amour ? Je ne crois pas. Je ne crois pas l'avoir vraiment aimée. J'en suis presque sûr. C'était d'abord une sorte de défi que je lançais à mes amis qui tous, plus ou moins, lui avaient fait la cour. C'était moi, le plus jeune, le plus pauvre, qui réussissais dans une entreprise qui ne s'est pas révélée difficile. Après quinze jours ou peut-être vingt, notre intimité était complète.

Si je parle de premier amour, c'est parce que je sais maintenant ce que c'est que l'amour. Il m'a fallu très, très longtemps pour l'apprendre.

Mettons que je jouais à l'amour et, bien que la voyant tous les soirs, je lui envoyais une lettre chaque matin. Inutile de dire qu'à dix-sept ans je ne me montrais pas très discret et que j'y faisais plus que des allusions à nos relations.

Maintenant, je ne sais plus. Je ne sais même plus où j'en suis exactement en ce qui concerne ce qui pourrait passer pour mon premier amour. Par exemple, il y a eu des après-midi où nous nous échappions vers le bois de Quinquempoix, le bois où se retrouvent le dimanche tous les Liégeois mais où, en semaine, il n'y a personne. Là aussi, il y avait du soleil, il y avait des arbres, en particulier des bouleaux. Pourquoi est-ce surtout aux bouleaux que je pense aujourd'hui ? Peut-être parce que c'est un de mes arbres préférés. Ce sont les seuls que j'aie plantés dans mon jardin d'Épalinges.

Il y avait plein d'odeurs, plein de bruissements, de petits animaux qu'on ne voyait pas, bref toute une vie dont on n'entendait

20

que des sons confus et aussi un air plus frais que dans la ville. Par contre, il y avait aussi des rôdeurs et je ne sais combien de fois, lorsque nous nous étendions entre deux ou trois buissons, nous découvrions un voyeur caché à quelques mètres.

Il y a aussi, de la même époque, un souvenir que je garde très vivant. C'est celui, lorsque nous rentrions le soir de la rue de l'Académie, bras dessus bras dessous, du rectangle jaunâtre de certaines fenêtres éclairées derrière lesquelles, parfois, on voyait passer une silhouette.

Cela me donnait envie de vivre, moi aussi, pour mon compte, de ne pas vivre seul. Il me semblait que l'intimité d'un foyer où l'on était deux était le plus sûr refuge contre tous les accidents de la vie.

D'ailleurs le mariage n'a-t-il pas été pour moi un refuge? Je me suis posé très sérieusement la question un certain nombre de fois. Avant de connaître Tigy, quelques semaines avant, un de mes amis m'a invité à dîner chez ses parents. Son père était un des gros marchands de vins de Liège. Ils habitaient une maison cossue, le type de la maison bourgeoise dont je rêvais, mais marquée de beaucoup de simplicité. J'ai fait la connaissance de la sœur de mon ami, une belle fille rondouillarde au sourire frais de Hollandaise.

Pendant un mois j'ai hésité à retourner chez B... pour rencontrer sa sœur et j'ai envisagé sérieusement de l'épouser un jour.

Pourquoi?

Des amies, j'en avais beaucoup. En outre, je voyais régulièrement des professionnelles. Je me souviens que, pour une splendide négresse, j'ai échangé la montre de mon père que celui-ci avait gagnée au tir national, car sa seule passion était le tir à l'arme de guerre.

Alors, pourquoi, à dix-sept ans, rêver de mariage? Probablement pour me protéger contre moi-même. Je me sentais prêt à tous les excès, attiré par tout ce qui est trouble. Pour moi, le seul moyen d'éviter une catastrophe était de chercher refuge dans le mariage.

Ce matin, je suis de mauvaise humeur, grognon, ce qui m'arrive assez rarement et c'est bien la première fois depuis un mois que je parle dans mon petit micro sans me sentir euphorique. Pourtant, malgré le pessimisme apparent de certains de mes romans, je ne suis pas pessimiste dans la vie. Au contraire, je jouis de chaque heure de la journée, de chaque spectacle qui se déroule sous mes yeux, de chaque humeur du temps, soleil ou pluie, neige ou grésil.

Je pense machinalement à La Caque dont j'ai déjà parlé. Il y a moyen de l'évoquer de deux façons bien différentes. La première, c'est la façon superficielle et l'anecdote : Pour cela, il faut un ton léger, car cela paraît drôle comme tout ce qui touche à la jeunesse et à l'adolescence. Drôle et bête. Qu'on imagine dix jeunes gens achetant chacun un cornet de pommes frites et allant les jeter une à une dans une borne-poste. Cela nous amusait. Nous imaginions la tête du facteur le lendemain matin et surtout la tête de ceux qui recevaient des lettres graisseuses.

L'un de nous avait une autre manie. Lorsque nous nous trouvions dans une rue déserte, il s'amusait à pisser dans les boîtes aux lettres des maisons.

Il lui arrivait aussi, si l'on s'arrêtait pour bavarder sur le boulevard, de se mettre, sans rire ni sourire, à pisser sur votre pardessus.

C'était un grand garçon maigre, dégingandé, avec une immense bouche de clown à laquelle il pouvait donner toutes les expressions possibles.

Il n'avait pas connu sa mère, morte en couches. Il n'avait ni frères ni sœurs. Son père, ouvrier mineur, passait ses soirées au bistrot.

A un moment donné, il est devenu l'amant d'une chanteuse d'une cinquantaine d'années que nous avions rencontrée dans un cabaret genre montmartrois. Un jour il nous a confié en pleurant qu'il l'avait trouvée dans la chambre occupée à ravauder ses chaussettes.

Il avait toujours faim. Il avait faim depuis sa naissance, faim de nourriture et faim d'affection. Ces deux faims-là, il lui arrivait de les assouvir de la façon la plus inattendue. C'est lui qui inventa le jeu des pommes frites.

A l'Académie des Beaux-Arts, on avait essayé de lui apprendre à peindre et à dessiner. Lorsqu'il en est sorti, il est entré dans une petite officine publicitaire, après quoi il a continué par dégringoler pour finir d'une maladie du cœur à moins de quarante ans.

Je les revois un à un, s'efforçant de s'amuser. Tous, sans exception, sont devenus des ratés. Déjà à cette époque, je le sentais ; je ne parvenais pas à m'intégrer au groupe et ils n'étaient pas sans s'en apercevoir.

Je me souviens de la sœur de l'un d'eux qui venait s'asseoir sur nos genoux tour à tour. Elle était plaisante, avec de grands yeux innocents, mais on s'apercevait bien vite qu'elle n'avait rien sous sa jupe et elle se trémoussait, toujours innocemment, jusqu'à ce qu'elle obtienne un résultat. Elle avait treize ans.

Il y a eu aussi Henriette, une bonne fille qui a couché avec toute la bande. C'est par hasard que je n'ai pas couché avec elle aussi. J'avais rendez-vous à quatre heures avec elle mais il se fait que, ce jour-là, un travail urgent m'a retenu à *la Gazette*. Bien m'en a pris. Quelques jours après, le frère de la gamine aux fesses nues nous déclamait avec sa fougue habituelle qu'il s'était fait raser le pubis comme les dieux grecs. Tout le monde se mit à rire, car tous avaient attrapé les morpions d'Henriette.

Notre ami à la tête de clown avait une autre manie, qui venait sans doute de sa faim viscérale. Lorsqu'on était réunis autour d'un gâteau et de verres de vin ou d'alcool, il découvrait soudain sa verge, la frottait sur les gâteaux puis la trempait dans les verres, après quoi il pouvait tout manger et tout boire.

Ressentaient-ils aussi, comme moi, une angoisse ? Se doutaient-ils de la fin qui les attendait ? Pour ma part, cette angoisse ne m'a jamais quitté tout à fait, malgré mon optimisme et ma faculté de jouir de toute chose. Je suppose que ce pessimisme-là est le lot de tous les hommes.

Je me demande en tout cas si ce n'est pas à cette angoisse que je dois le besoin que je ressentais à dix-sept ans de me marier, d'être à mon tour une ombre derrière le store éclairé d'une fenêtre, dans une rue obscure.

Être deux! Ne plus être seul. A la maison, j'avais peu de contacts affectifs avec ma mère. J'y passais d'ailleurs très peu de temps et je voyais peu mon père aussi, que pourtant j'adorais, et qui était d'ores et déjà condamné à une mort prochaine.

N'est-ce pas la même angoisse aussi qui me poussait irrésistiblement, en quittant Tigy, à courir les ruelles à la recherche d'une prostituée?

Nous avions notre opium, comme tout le monde. C'était, après avoir bu, de déclamer du Villon, de discuter éperdument de la vie et de la mort, de Michel-Ange, du ciel, de l'enfer, en nous échauffant. Il fallait que nos propos soient sombres, presque désespérés. On pourrait dire que cela faisait partie du jeu. Je me souviens du premier couplet d'une chanson qu'un camarade nous chantait avec beaucoup de gravité :

> *Mes amis, sans façon,*
> *Voulez-vous que je dise*
> *Une étrange chanson,*
> *Laquelle me fut apprise,*
> *Un jour que je rêvais,*
> *Assis sur une pierre,*
> *Auprès d'un grand cyprès,*
> *Dans un vieux cimetière.*

Cela pourrait être une page de roman à l'eau de rose de 1900.

Une rue courte qu'habitent seulement des gens riches. Un vaste hôtel particulier en pierre de taille, avec une porte cochère peinte en vert sombre, comme en faisaient construire les industriels dont on voyait les hautes cheminées, la nuit, former une ceinture de feu autour de Liège tandis qu'on apercevait parfois devant des fours béants des sortes de diables au torse nu qui pelletaient sans arrêt du minerai ou du charbon.

25

Une large voûte, une porte au verre dépoli et, au-delà, une cour où s'alignent les portes à double battant des anciennes écuries.

Cette image-là, qui fait un peu chromo, je l'ai connue soir après soir pendant plus de deux ans.

Le père de Tigy était un homme corpulent, au visage rose, aux yeux bleus. C'était un timide à qui il arrivait, dans les moments d'émotion, de bégayer.

On l'avait trouvé, bébé, sur un seuil et c'est la famille de ma belle-mère qui l'avait adopté. Cette famille-là n'était pas riche. Le père, par hasard, avait fait un jour une invention, un procédé pour détartrer les chaudières. Depuis, il ne quittait plus son fauteuil, se refusait à travailler, répondait à qui voulait le faire sortir ou lui reprocher son inaction :

— Taisez-vous. J'invente !

Jusqu'à sa mort, il n'a plus rien inventé. On vivait donc maigrement. Le jeune enfant trouvé est devenu apprenti ébéniste, puis ébéniste, puis il a fini par se mettre à son compte. Enfin, vers la quarantaine, il avait loué cette grosse maison que je viens de décrire.

Sa profession était plus ce qu'on appelle aujourd'hui celle d'ensemblier que celle de fabricant de meubles. Il dessinait lui-même les meubles selon les clients, choisissait les soies qui recouvraient les fauteuils et qu'il faisait venir de Lyon, s'occupait des rideaux, des tapis, bref de tout l'habitat, en particulier des châtelains des environs.

Extraordinaire réussite, n'est-ce pas ?

Il avait épousé une des filles de l'inventeur. Ils avaient quatre enfants et il disait fièrement :

— L'aîné sera architecte ; Régine sera artiste peintre ; Julita, qu'on appelait familièrement Tita, deviendra virtuose et la quatrième deviendra danseuse.

En parlant de la quatrième, Linette, sa voix se cassait et ses yeux s'embuaient. Née sur le tard, longtemps après les trois autres, elle était mongolienne. Elle avait un visage de poupée, un petit corps de poupée aussi, des gestes gracieux, et dès qu'elle entendait le piano elle se mettait à danser. Elle est morte vers l'âge de six ans.

Lorsque J. R... a découvert mes lettres à Tigy et m'a fait appeler, lorsque je lui ai dit que mon intention était d'épouser sa fille, il a paru un peu ahuri, car je n'étais qu'un maigre garçon de dix-sept ans.

Il m'a demandé, bien entendu, comment je comptais subvenir aux besoins d'un ménage. Et, apprenant que je gagnais deux cent cinquante francs par mois, il a décidé :

— Quand vous en gagnerez mille je vous donnerai ma fille.

Il a ajouté une autre condition :

Que, pendant un an, je ne voie pas celle-ci. Ainsi comptait-il s'assurer de mes intentions.

Nous nous sommes vus dehors, à la sortie de l'Académie, comme je l'ai raconté. Nous avons marché dans les rues obscures où les becs de gaz étaient espacés de cinquante mètres. Tigy portait un long manteau de bure comme les moines, un béret du même tissu et des souliers à talons plats.

Lorsque, plus tard, ma mère devait la rencontrer, elle s'est écriée :

— Mon Dieu, qu'elle est laide !

Un mois ne s'était pas écoulé depuis la découverte des lettres que Tigy obtenait de son père que je puisse aller la voir chez eux. Chez eux, c'est-à-dire dans le salon où Tita jouait du piano, où J. R... tournait les pages des partitions, où la mère tricotait et où le frère aîné faisait de courtes apparitions.

Il faisait chaud. L'air était immobile. La lumière aussi. Pendant les séances de piano tout le monde se taisait. Aux autres moments, nous jouions le plus souvent au Nain Jaune.

Cela me paraît aujourd'hui hallucinant et pourtant cela a été une réalité, cela a été une portion assez importante de ma vie.

Je sais qu'il m'arrive souvent de me répéter, peut-être même de me contredire. C'est parce que, à travers ces bavardages au micro, je cherche à débrouiller ma vérité comme, pendant cinquante ans, j'ai cherché obstinément, souvent douloureusement, à chercher la vérité de mes personnages.

Aujourd'hui, à soixante-dix ans, après avoir dicté ces notes, je me rends compte à quel point j'étais étranger à ce salon, à ces personnages figés chacun dans son espace comme des personnages de cire, dans cette grande maison en pierre de taille qui me paraissait morte.

Je viens de recevoir, pendant une heure vingt-cinq, un homme que je connais depuis très longtemps et que j'aime beaucoup. C'est un de mes éditeurs étrangers. Il a le même âge que moi. Il ne manque jamais de s'arrêter chez moi lorsqu'il se rend chaque année sur la Côte d'Azur.

Je me suis aperçu que je ne suis plus dans le coup. Je ne savais que lui dire, que lui répondre. Je le regardais avec une sorte d'étonnement, me demandant ce qu'il faisait là. Est-ce que je deviens aussi sauvage ? Je pense, en fin de compte, que c'est parce qu'il appartient à une époque révolue de ma vie et il en sera sans doute de même pour bien d'autres.

Ce n'est pas une devinette. Une jeune fille qui a déjà couché avec une vingtaine d'hommes, les uns mariés, les autres pas, a soudain l'idée de raconter à son dernier amant — un amant de trois jours — qu'elle est enceinte de ses œuvres et qu'elle a besoin d'une certaine somme d'argent pour se faire avorter. Cela ne se passe pas en 1900 mais au début de la guerre.

Y a-t-il des exemples de putains professionnelles qui aient agi de même?

Jusqu'où ira un jour celle dont je viens de parler? Peu importe.

Me revoilà à parler une fois de plus des ratés. On me dira que c'est une obsession. C'en est une, en effet. J'en ai trop connu dans mon adolescence, puis plus tard dans mes débuts à Paris, puis plus tard encore et encore aujourd'hui, j'ai eu trop peur moi-même, pendant des années, de devenir un des leurs pour ne pas éprouver le besoin d'en parler.

Je ne parle pas du clochard, que je ne considère pas comme un raté car, sa vie en marge, la plupart du temps il l'a voulue et j'ai vu rarement un clochard ou une clocharde se plaindre.

Le raté, pour moi, c'est l'homme qui a conçu de grandes ambitions dans un domaine ou dans un autre, qui s'est exalté, qui a tout sacrifié et qui, un jour, après des années, se rend compte qu'il n'est arrivé nulle part. De lui-même, il s'est déclassé. Pour vivre, pour manger, souvent pour nourrir une famille qu'il a imprudemment fondée, le voilà obligé de chercher un humble emploi.

Nous avions un ami dont personne ne connaissait les origines. Il avait vingt ans. Il était très blond, presque blanc, très maigre, avec des yeux fiévreux. Il est venu quelquefois à La Caque mais il ne participait guère à nos discussions qu'il écoutait, semble-t-il, avec un certain mépris.

Il était peintre, lui aussi. Une nuit de Noël, nous sommes allés, comme c'est la coutume à Liège, au théâtre de marionnettes, rue Roture. Cet ami y était, déjà ivre. Nous avons ensuite bu quelques verres tous ensemble et, à un moment donné, le jeune homme aux cheveux d'un blond pâle a été incapable de marcher.

Il pleuvait. Je l'ai hissé sur mon épaule. J'ai demandé à mes camarades où il habitait.

— Cela doit être par là...

Un autre l'avait vu sortir d'une maison destinée à la démolition. Nous avons sonné à quelques portes. Le garçon était inerte sur mon épaule et aussi mouillé que s'il avait passé la journée et toute la nuit sur le trottoir. Une brave femme nous a enfin désigné un couloir sombre et nous l'avons suivi. Nous avons poussé la porte de ce qu'il est impossible d'appeler une chambre. C'était un réduit qui ne comportait qu'une fenêtre étroite, un chevalet, des toiles et une paillasse à même le sol. Pas d'eau à l'étage, pas les moindres commodités. Nous laissâmes notre ami sur la paillasse et je ne sais plus comment, pour nous, le reste de la nuit se déroula.

Le matin, on retrouvait le peintre miséreux pendu à la porte de l'église Saint-Pholien.

Lorsque je suis arrivé à Paris j'ai retrouvé, dans les rues obscures de Montmartre, un autre de nos amis, un musicien, qui espérait devenir un des grands compositeurs de notre époque. Lui n'avait pas de logis fixe, il couchait tantôt chez l'un, tantôt chez l'autre, sous un porche ou à l'Armée du Salut. Et, une nuit, je l'ai surpris grattant dans les poubelles pour y trouver des restes à manger.

Trois ou quatre ans plus tard il était mort.

D'autres tiennent le coup plus longtemps. Ils arrivent à gagner plus ou moins leur vie en peignant des fleurs, des rues pittoresques de Montmartre, d'une façon plus ou moins malhabile et en les vendant, place Constantin-Pecqueur, à ce que l'on appelait alors la Foire aux Croûtes.

Ils prétendent à voix très haute :

— Mais je continue à faire de la vraie peinture !

Ils savent que ce n'est pas vrai, qu'ils n'en auront jamais plus le courage, que d'ailleurs ils n'ont jamais eu de véritable talent.

Sans doute y a-t-il des ratés dans toutes les professions. Ceux-là, je ne les connais pas ou je les connais mal.

Si, pourtant. Je reçois beaucoup de lettres d'hommes ayant atteint la quarantaine, occupant une situation stable, soit dans un bureau, soit dans un commerce. La plupart ont femme et enfants. Mais ils ont en quelque sorte été frappés par l'aile du génie.

« Je vous assure, Monsieur, que c'est une véritable vocation et que rien n'existe plus d'autre pour moi. Dans ma petite sphère, j'ai vécu beaucoup plus de drames que l'on croit et lorsque je mettrai cela noir sur blanc, je sais que des milliers de gens seront intéressés. »

C'est souvent accompagné de quelques pages, les premières pages du roman, ou d'un résumé maladroit. Beaucoup de femmes envoient aussi des missives de ce genre. Que leur répondre ? Que faire pour eux ? Leur dire qu'il n'y a pas d'espoir et qu'ils doivent continuer leur métier monotone ? Personnellement, je les renvoie aux éditeurs qui ont des formules élégantes pour ce genre de réponse-là.

Je ne connais pas un exemple d'une de ces vocations tardives qui ait abouti. Qu'advient-il alors de ces écrivains ratés ? Ils continuent à croire en eux. Leur foi est inébranlable. C'est le reste du monde qui ne comprend pas ou qui ne veut pas comprendre, ou qui est jaloux.

Ils s'aigrissent et écrivent fiévreusement chaque soir jusqu'aux petites heures, rendant malheureuse leur famille.

Il y en a de plus cyniques. Une des lettres qui m'a le plus frappé disait :

« Monsieur Simenon,

« Vous avez réussi, je m'en rends compte. Autrement dit, vous avez trouvé le truc. Ce truc, je suis prêt à vous le racheter le prix que vous m'en demanderez et je serai célèbre à mon tour. »

En somme, on pourrait dire que nous sommes tous des ratés. Où sont-ils en effet ces beaux vieillards au front serein, aux yeux pleins de savoir que nous montre la sculpture ou la peinture des Anciens ? Beaucoup d'entre nous sont handicapés dès leur jeune âge, certains dès leur naissance, par une maladie ou une malformité.

Ceux qui ont la chance d'échapper à tous les maux dont les journaux nous entretiennent arrivent à soixante, à soixante-cinq ans dans un état encore satisfaisant. Mais la décrépitude n'a-t-elle pas commencé, même à leur insu ? De petits signes, pour commencer, auxquels on ne prend pas garde. Une difficulté à accomplir certains efforts. Une difficulté aussi à fixer longtemps son attention sur un sujet donné.

Il faut bientôt s'occuper de ses artères, de ses veines, subir une opération.

En prenant les choses au mieux, à part de rares exceptions, on commence tout doucement à être des vaincus de la vie.

Nous n'avons pas été des ratés ? Nous avons obtenu des succès ? Maintenant, chaque année nous amoindrit. Chaque année aussi nous avons à renoncer à quelque chose, à des sports que nous aimions, à de longues lectures qui nous passionnaient, voire à des conversations animées avec nos amis.

Ce sera peut-être long. Ce sera peut-être court. Toujours est-il que le bout de notre rouleau approche et que les glorieux que nous avons été ne sont plus que des vieillards qui se partagent entre les pilules, les gouttes, les soins de toutes sortes.

Pour ma part, j'en suis là. Mes soixante-dix ans se rappellent à moi tous les jours. Et cependant, comme par un paradoxe, je n'ai jamais eu autant de joie de vivre.

Lorsque j'étais jeune et que rien ne me semblait trop difficile, je me demandais comment certains vieillards que je voyais, impotents, à leur fenêtre, comment certaines vieilles femmes aux jambes enflées qui se traînaient sur le trottoir pouvaient accepter ce semblant de vie.

J'ai compris, je pense. Lorsque je croyais vivre intensément, je n'accordais à aucune de mes joies le temps de me pénétrer.

Maintenant que je compte en petites joies, que je sais à quelle heure elles me seront données, que je les attends patiemment comme si c'était un rendez-vous amoureux, tous ces moments sont bons, savoureux et la vie me paraît plus pleine aujourd'hui qu'à quarante ou qu'à trente ans.

Je la dévorais sans la mâcher ; je la déguste.

Un jeune homme maigre, portant un chapeau à large bord noir sur ses cheveux longs, une lavallière qui s'échappe d'un imperméable de mauvaise qualité, sort de la gare du Nord au milieu de la foule. Le jour n'est pas encore tout à fait levé.

Il regarde autour de lui ce premier décor de Paris qu'il ne connaît pas. Il pleut. Les rues sont tristes. Il fait froid. La plupart des passants enfoncent leurs mains dans leurs poches et marchent vite, penchés en avant.

D'une main il porte une valise en matière synthétique qu'une courroie empêche de s'ouvrir, car la serrure ne fonctionne plus. De l'autre, un paquet enveloppé de gros papier d'emballage.

Il se met en marche, sans regarder le nom du boulevard. Le premier hôtel devant lequel il s'arrête porte un écriteau : Complet. Il en est de même d'un second, puis d'un troisième. Sur chacun, la même plaque de marmorite : Chambres à louer à la journée, à la semaine ou au mois. Eau courante, chauffage central.

De temps en temps il change sa valise de main et il se remet en route vers le sommet du boulevard en pente.

Un pont de chemin de fer ou de métro traverse celui-ci, tout au bout, et il tourne à gauche vers Montmartre. Toujours des hôtels, des écriteaux et toujours aussi l'avertissement : Complet.

Non, pourtant. Boulevard Rochechouart un petit hôtel étroit ne porte pas cette mention. Il entre. Dans un cagibi, un vieil homme non rasé, les pieds dans des pantoufles de feutre, le regarde des pieds à la tête.

— Vous avez une chambre au mois?

Le vieillard fait signe que oui.

— C'est combien?

— Cinquante francs.

On est en décembre 1922. Cinquante francs, c'est beaucoup trop pour la bourse du voyageur et, reprenant valise et paquet, il continue son chemin. Pigalle. Place Blanche. Des noms prestigieux à son oreille mais des façades délavées par la pluie. Le Moulin Rouge ne tourne pas. Ses ailes sont arrêtées.

On dirait que tous les hôteliers se sont donné le mot. Ou il n'y a pas de chambres disponibles, ou elles sont trop chères.

Une vaste place grouillante de tramways, d'autobus, de taxis et de fiacres : place Clichy.

Un boulevard plus calme avec ses rangs d'arbres : le boulevard des Batignolles. Une courte rue à droite, la rue de Lancret, et un hôtel qui ne porte pas le signe rébarbatif « Complet ».

— Vous avez une chambre?

— A la journée ou au mois?

— Au mois.

On le jauge. On lui dit enfin avec condescendance :

— Suivez-moi.

Jusqu'au troisième étage, l'escalier blanc est recouvert d'une moquette rouge. La moquette s'arrête au troisième et la femme en négligé continue de monter. On atteint ainsi les mansardes, et c'est sur une de ces mansardes au plafond en pente qu'une porte s'ouvre.

— Je suppose que vous êtes seul?

— Oui.

Un lit de fer. Un lavabo en bambou avec une cuvette ébréchée. Deux chaises. Pas de tapis. C'est tout.

— Combien?

— Vingt-cinq francs.

Avec un soupir de soulagement il dépose enfin sa valise et son paquet.

— On paie d'avance.

Il fouille son portefeuille. Il a pris la précaution, à Liège, de se munir de billets français.

Quand il descend, le décor lui paraît déjà moins sinistre. Il a trouvé un toit. Maintenant, il a faim. Il est habitué, pour son petit déjeuner, aux œufs au lard, aux tartines beurrées, au fromage.

Il entre dans un bar et commande du café. Sur le comptoir, il louche vers un panier plein de croissants croustillants.

— Voulez-vous m'en donner un?

— Servez-vous.

Il se sert. Il mange. Il trouve au croissant un goût merveilleux. C'est enfin un contact agréable avec Paris. Il demande la permission de prendre un second croissant et le patron en tablier bleu hausse les épaules. Des ouvriers en blouse blanche se retournent sur lui.

Deux croissants... Trois croissants... Il dévore... Il lui semble qu'il n'a jamais eu aussi faim de sa vie. Il a déjà recommandé deux fois du café, car ici les tasses sont petites.

Enfin repu, il demande en bourrant sa pipe :

— Combien vous dois-je?

— Combien de croissants?

— Douze.

Le patron ne paraît pas content.

— Cessez de plaisanter. Je vous demande combien vous avez mangé de croissants.

— Douze.

Tout le monde, maintenant, est tourné vers lui, vers le garçon maigre et nerveux, trop chevelu, aux yeux un peu fiévreux de fatigue et d'émotion, qui vient de manger douze croissants à la file.

Quand il s'en ira, les mains dans les poches de son imperméable, on le suivra des yeux alors qu'il franchit le pont des Batignolles, au-dessus des lignes de chemin de fer.

Le jeune homme, c'était moi. Je n'avais aucune idée de ce que cette grande ville qui m'entourait pouvait me réserver. Des centaines, peut-être des milliers de jeunes gens, de jeunes filles avaient-ils débarqué ce même matin dans les différentes gares de la capitale. Avec peut-être le même bagage. Peut-être aussi avec la même incertitude sur leur avenir.

Je n'avais pas de métier. Je n'avais pas de connaissances permettant l'accession à un emploi quelconque. Je n'avais pas terminé mes études du collège car les médecins m'avaient prévenu que mon père ne vivrait pas longtemps, atteint qu'il était d'une angine de poitrine.

Devançant l'appel, j'ai accompli mon service militaire en hâte, un mois à Aix-la-Chapelle, dans l'armée d'occupation, le reste dans la caserne que l'on voyait de ma maison.

Il y a deux jours que mon père est enterré. Il est mort à son bureau, tout seul, car il y restait seul de midi à une heure et demie et ne rentrait déjeuner qu'à deux heures.

J'étais à Anvers pour un reportage sans importance et, après l'avoir bâclé, j'avais passé l'après-midi au lit avec une fille.

Je ne me doutais pas qu'au retour je trouverais mon père étendu sur son lit, le visage blanc et serein. Il m'a fallu faire un effort pour me pencher et frôler son front de mes lèvres.

Nous sommes aujourd'hui dimanche, le troisième dimanche de mars 1973. Le jeune homme de la gare du Nord est entré petit à petit dans ce qu'on appelle à présent le troisième âge. On en parle beaucoup dans les journaux, à la radio, à la télévision. Des œuvres se créent, des clubs, des ouvroirs, des immeubles locatifs spéciaux pour les vieux et les vieilles. D'habitude, je n'y pense pas. Aujourd'hui, assis dans mon fauteuil rouge, près de l'enregistreur, le micro à la main, je me sens tout près du jeune homme de la gare. Il me semble qu'il ne s'est rien passé depuis, que c'était hier, que j'ai rêvé des vies sans signification.

Est-ce que j'ai vraiment changé? Physiquement oui, bien sûr. Chaque année apporte une marque nouvelle de ce fameux troisième âge, mais, au fond de moi-même, dès que je ferme les yeux, dès que je m'endors, dès que je rêve, je me retrouve toujours non pas un jeune homme ambitieux mais un petit garçon.

Je n'aurais pas dû sortir seul. Ce matin-là, comme les autres matins, nous devions être quelques centaines à débarquer dans les différentes gares de Paris, à ressentir la même exaltation, le même pincement d'inquiétude dans la poitrine.

Pluie ou soleil, cela n'avait pas d'importance. Ce qui comptait, c'était d'être enfin à Paris. Ce qui comptait aussi et surtout, c'est qu'il fallait coûte que coûte s'y maintenir, gagner sa vie, n'import. comment, mais manger plus ou moins tous les jours.

J'ignore la proportion de ceux qui doivent repartir, de ceux qui sombrent aux Halles où, de onze heures du soir à cinq heures du matin, ils déchargent les camions de légumes venus des campagnes proches.

34

Hier, j'ai prononcé machinalement le mot « ambition ». Il faut prendre ce mot, en l'occurrence, dans un sens bien déterminé. Je n'ambitionnais pas d'être un écrivain reconnu. Je n'ambitionnais aucun succès, aucune gloire. Ce que j'ambitionnais, c'était de rester, de m'accrocher à cette ville où des millions d'êtres, que je regardais avec curiosité, grouillaient autour de moi.

Je fais une parenthèse, car un détail me frappe. Lorsque j'écrivais des romans, dès six heures et demie, en descendant dans mon bureau, je retrouvais automatiquement, sans notes, sans effort, la continuité. Jamais je n'ai eu à relire les derniers paragraphes ou les dernières phrases écrites la veille.

Il n'en est pas de même pour ces notes et cela m'enchante, car cela prouve qu'elles sont écrites uniquement au gré de mon humeur du moment.

J'ai parlé de la gare du Nord, de l'espèce de quête que je faisais le long des boulevards à la recherche d'un toit. Je suis absolument incapable de me souvenir où cette quête s'est arrêtée, si c'est place Clichy ou avenue des Batignolles, voire si c'était rue de Lancret.

C'est pour cela que, quitte à raconter deux fois la même chose, je vais reprendre mon récit au boulevard des Batignolles. Ce boulevard a pris une grande place dans ma vie et dans mes œuvres. Peut-être, à cause de cela, y mettrai-je un peu d'insistance.

Il m'a fallu longtemps pour découvrir l'impasse Beauvau, tout en haut du faubourg Saint-Honoré, au coin de l'avenue Hoche. Je venais de descendre le boulevard de Courcelles, impressionné par les hôtels particuliers et les maisons patriciennes, en face des grilles à flèches dorées du parc Monceau.

C'est dans un endroit comme celui-là que j'imaginais la vie de B. V..., un romancier oublié aujourd'hui mais qui, à cette époque, faisait figure de grand homme. Il avait un roman chaque année dans *le Journal*, quotidien le plus prestigieux de Paris. Il avait un conte chaque semaine en seconde page aussi et il était édité par Flammarion. Enfin, sa photographie apparaissait souvent en tête de cortèges, qu'il s'agisse d'associations patriotiques ou de l'Action française.

Un des amis de mon père, qui habitait la France, s'était trouvé par hasard assis à côté de lui dans un banquet. Incidemment, il lui avait signalé qu'un jeune Liégeois était anxieux de venir à Paris et B. V... lui avait répondu de le lui envoyer.

Je me voyais donc déjà secrétaire d'un écrivain connu.

Ce fut une déception, en découvrant l'impasse Beauvau, de voir des maisons minables, à un seul étage, comme j'en avais habité à Liège avec mes parents. De l'autre côté des maisons, un long mur noir et aveugle. Je marchai jusqu'au bout et trouvai un camion arrêté.

Comme je l'avais fait une dizaine de fois sans résultat je demandai :

— Monsieur B. V..., s'il vous plaît?

Un homme d'une trentaine d'années, au visage sanguin me demanda:

— Vous êtes Georges Sim?

Comme je répondais que oui, il me dit:

— En vitesse. Au travail. Il faut que le camion soit chargé avant midi.

Je tombais des nues. Il est évident que je n'étais pas venu à Paris avec l'idée de charger des camions. On me fit monter au premier étage, où s'entassaient des colis et des jouets de toutes sortes, la plupart en mauvais état.

Il s'agissait de la dernière création de B. V... : Noël dans les ruines. Car la France n'avait pas encore pansé toutes ses blessures de la guerre.

Deux femmes, en plus de mon jeune homme à face rouge, montaient et descendaient sans cesse l'escalier, chargées de paquets. Je n'avais pas dormi de la nuit. La tête me tournait, dans cet escalier étroit, et, après ma longue marche dans la pluie, je me sentais les jambes molles.

Je crois bien que j'ai failli pleurer et peut-être, pour un peu, aurais-je repris le train pour Liège.

On ne me donna qu'une heure pour aller déjeuner. Je choisis le restaurant qui me paraissait le meilleur marché et je m'aperçus au moment de l'addition qu'il était encore trop cher pour ma bourse. L'après-midi, on chargeait un nouveau camion et je n'avais toujours pas vu B. V..., je n'en avais même pas entendu parler par mes compagnons.

De l'autre côté du mur noirâtre s'élevaient les prestigieuses maisons de l'avenue Hoche, alors une des plus aristocratiques de Paris.

Moi, j'avais atterri dans la coulisse, dans ce long boyau sombre et gris tout au fond duquel des gens chargeaient des camions.

Ce n'est que plus tard que j'appris que B. V... ne cherchait pas du tout un secrétaire. Il avait fondé, avec quelques autres, la Ligue des chefs de section et des anciens combattants, ligue de droite, qui soutenait aussi bien Poincaré que le comte de Paris. Qu'est-ce que j'avais à faire là-dedans?

Nous étions trois, ou plutôt ils étaient trois, le jeune homme au teint rouge, une charmante jeune fille de trente-cinq ans environ, qui s'appelait Mlle Berthe, et une autre jeune fille, longue et pâle,

36

qui, au coup de sonnette, se précipitait chez B. V... Car celui-ci habitait au rez-de-chaussée.

Mon rôle, à moi, était, presque toute la journée durant, de transcrire des adresses sur des enveloppes afin qu'il y en ait toujours de prêtes pour une mobilisation de la ligue. J'allais aussi porter le courrier à la poste, au coin de la rue Balzac. Enfin, lorsqu'il y avait un communiqué à transmettre aux journaux, B. V... tenait à ce qu'il soit remis en main propre au rédacteur en chef de chaque quotidien. A cette époque-là, il y en avait quarante-cinq à Paris.

Vers cinq heures, je prenais un taxi ou un fiacre et je faisais le tour des rédactions, selon un plan précis que l'on m'avait remis.

J'ai dû rester plus de trois semaines avant de rencontrer celui dont j'avais cru être le secrétaire, B. V...

Je me rends compte, longtemps après, de la raison pour laquelle il me paraissait si humiliant d'être mis, dès mon arrivée, au coltinage des paquets. Mon père n'était que comptable. Ma mère tenait une petite pension de famille. Nous n'avions donc rien de particulièrement reluisant.

Néanmoins, ma mère en particulier avait un souverain mépris pour ceux qui exerçaient un métier manuel. Elle me répétait, par exemple :

— Je te défends de jouer avec les fils d'ouvriers.

Or, les fils d'ouvriers, je les enviais car, s'ils n'avaient peut-être pas les mêmes vêtements que moi, ils avaient de plus beaux jouets et ils mangeaient mieux qu'on ne mangeait chez nous.

Ce remplissage des camions, malgré moi, à mon insu, était un peu comme un outrage.

Merde!

Ouf! Cela m'a fait du bien. Depuis ce matin, j'étais sous pression. Alors que je suis si heureux dans ma retraite, avec des promenades merveilleuses comme celle d'hier après-midi, ce matin, des coups de téléphone d'avocats. Ce n'est pas leur faute. Au contraire. Mais pourquoi faut-il qu'on me salisse mes belles et douces journées, qu'on me salisse les images avec lesquelles je m'habitue de plus en plus à jouer et que j'ai tant de plaisir, devant cet enregistreur, de mettre en paroles.

J'étais plongé dans les réalités de 1922, du jeune homme à la découverte d'un Paris qui n'était peut-être pas celui de ses rêves mais qui le grisait quand même. Et, comme méchamment — le comme est de trop, c'est méchamment que je dois dire — on me ramène à de sordides, à d'écœurantes histoires de 1973.

Je ne me laisserai pas abattre. Demain, je retournerai à 1922. Déjà, cet après-midi, je m'enveloppe frileusement de ma petite vie de l'avenue de Cour.

C'est aujourd'hui le printemps. Il est au rendez-vous, éclatant. On voudrait se rouler dans l'herbe. Alors? A quoi bon se laisser aller à des amertumes inutiles?

On est le 21 mars, je l'ai déjà dit. C'est le printemps et je n'aime pas qu'un jour comme celui-ci se termine sur des pensées moroses. Or, j'en ai en moi d'autres qui ne le sont pas et auxquelles il me suffit de faire appel.

Je ne parlerai pas de Noël 1922. Je ne connais rien de plus sinistre que d'être seul à Paris, avec très peu d'argent en poche, une nuit comme celle-là, à frôler les gens qui s'amusent ou à les voir à travers la vitre des restaurants. Longtemps après, la police m'a révélé que c'était la nuit où il y avait le plus de suicides. Cela ne m'étonne pas.

La soirée du Nouvel An n'a guère été plus gaie. La matinée du 1er janvier non plus. J'errais dans un Paris désert où de rares familles endimanchées se dirigeaient vers des églises. Le reste de Paris dormait ou soignait sa gueule de bois. Je ne sais plus où j'ai mangé, probablement dans un de ces petits bistrots de chauffeurs, au menu écrit à la craie sur une ardoise, que je m'étais pris à affectionner.

Vers quatre heures de l'après-midi, je me trouvais, les mains dans les poches, un peu frileux, à regarder les maquettes des paquebots à la vitrine de la Compagnie Transatlantique, rue Auber.

A quoi je pensais, je l'ignore. Pas nécessairement à des voyages dans des pays de soleil. Je m'étais arrêté là comme je me serais arrêté ailleurs, parce que j'avais déjà beaucoup marché.

Et soudain, dans la glace, j'ai vu une autre silhouette, immobile comme la mienne, un autre visage un peu pâli par le froid tourné vers les paquebots en miniature.

C'était une jeune fille très brune, aux grands yeux sombres. Nous avons fini par nous tourner l'un vers l'autre. Je suppose que c'est moi qui lui ai adressé le premier la parole. Elle était espagnole et parlait un français hésitant.

Toujours est-il qu'au lieu de marcher, chacun, solitaire, de son côté, nous nous sommes mis à marcher à deux. Quelque part, je ne sais où, car je ne connaissais pas Paris, nous sommes entrés dans un bistrot et nous avons bu un grog.

Comment ai-je eu le courage de l'entraîner dans un hôtel? J'étais

38

encore timide sur ce point-là, surtout dans une ville où j'étais un nouveau. Le temps était gris. La chambre était grise. Pourtant, pendant une heure, peut-être deux, nous nous sommes ébattus comme deux jeunes animaux bien portants, en éclatant parfois de rire. Elle riait surtout de mes gaucheries. Je me croyais très averti des choses de l'amour. Elle me révélait gentiment, les yeux moqueurs, des subtilités qui m'ahurissaient.

Elle s'appelait Pilar, un prénom qui me paraissait assez laid, j'ignore pourquoi.

Et nous avons marché à nouveau, cette fois bras dessus bras dessous. Cette courte rencontre du premier de l'an 1923 reste dans ma mémoire comme une des plus désagréables, des plus innocemment perverses.

Nous étions heureux, sans raison, sans doute parce que, elle comme moi, avions la sensation, pour quelques heures, de ne pas être seuls.

Étrangement, elle habitait avenue Hoche, à deux pas de l'immeuble au camion pour colis de Noël. Un énorme bâtiment, luxueux, avec la hampe d'un drapeau et un écusson aux armes de l'ambassade d'Espagne.

Elle y était femme de chambre. Je ne rêvais que de la revoir. Elle m'a donné rendez-vous pour le lendemain à neuf heures du soir. A neuf heures, elle n'était pas au coin de l'avenue Hoche et du faubourg Saint-Honoré.

Cela n'avait déjà plus d'importance. Elle m'avait donné tout ce qu'elle pouvait me donner, sa fraîcheur, sa voix malicieuse, ses éclats de rire et son corps merveilleusement souple.

La pièce devait être une ancienne chambre à coucher. Sur le papier peint vieilli et sale des murs on voyait encore, en un peu plus clair, la trace des meubles de jadis, y compris celle de ce qui avait dû être une armoire à glace. Le plancher nu était gris. Les bureaux n'étaient que des tables de cuisine sur lesquelles on avait appliqué avec des punaises du papier d'emballage. Nous étions quatre là-dedans, face à deux fenêtres aux carreaux presque opaques à force de saleté.

Quant aux espèces de bibliothèques dans lesquelles je rangeais les enveloppes que je remplissais à longueur de journée, c'étaient d'anciens rayonnages de je ne sais quelle boutique.

Mlle Berthe était boulotte, rieuse. L'autre dactylo, qui servait de secrétaire à B. V..., était longue et pâle, mélancolique, toujours vêtue de gris comme certaines religieuses protestantes.

Enfin, il y avait l'homme au visage rouge qui faisait penser à un boxeur et qui prenait des airs farouches.

Aller à la poste, en revenir, ne me suffisait guère comme exercice. Aussi, à midi, allais-je très loin, boulevard Montmartre, toujours à pied, où j'avais découvert, dans un passage, le passage Jouffroy, ce qu'on appelait les « Dîners de Paris ».

On y mangeait à prix fixe : trois francs cinquante. La salle était immense, avec certainement deux ou trois cents clients et une nuée de serveuses qui devaient avoir mal aux pieds et aux jambes de courir d'une table à l'autre.

Pour ces trois francs cinquante, on avait un menu complet : des hors-d'œuvre (une sardine, quatre radis, ou un tout petit pot en terre cuite contenant des rillettes); une entrée (omelette pâle ou

40

minuscule tranche de poisson); un plat garni (un peu de viande avec une pomme de terre ou une cuillère d'épinards); un fromage; un dessert.

J'étais ébloui par une telle richesse. Il est vrai que les plats qui me tentaient étaient tous avec supplément. En marge était écrit un chiffre : 30 centimes, 50 centimes, etc.

J'ai déjeuné aux « Dîners de Paris » pendant un mois environ. Puis, comme il me poussait des boutons sur le visage et sur tout le corps, j'ai préféré changer mon mode d'alimentation.

Dès le matin, à la Ligue, comme nous disions, je demandais :
— Est-ce qu'il y aura la tournée ?

La tournée des journaux, pour aller porter un communiqué. Cela arrivait deux ou trois fois par semaine car B. V... tenait à tenir le public en haleine. C'était l'époque de la Chambre bleu horizon, l'époque où les Anciens Combattants étaient rois et où, lors d'une grève du personnel du métro et des autobus, des polytechniciens en grande tenue et gants blancs se faisaient un point d'honneur de conduire ces moyens de transport.

Mais que la tournée des journaux était savoureuse! La ville était obscure, pointillée de becs de gaz. Les Grands Boulevards constituaient encore, avec la rue Royale et le bas de la rue Saint-Honoré, le centre de Paris. Le cœur en était la place de l'Opéra somptueusement éclairée.

Je prenais un fiacre de préférence. J'allais de journal en journal, me faufilant, place de l'Opéra, dans le flot des véhicules. Je pénétrais dans les salons d'attente ou plutôt dans les salons tout court, car alors les journaux étaient les derniers salons où l'on cause. Dès six heures du soir, on y rencontrait des messieurs en habit, monocle à l'œil, qui bavardaient discrètement et les vedettes du théâtre qui avaient une générale ce soir-là et qui venaient assurer leur publicité.

Je portais un complet dont la mauvaise laine avait rétréci et dont le bas des pantalons était toujours crotté, des souliers qui prenaient l'eau, mon sempiternel imperméable et mon sempiternel chapeau à trop large bord.

Un huissier solennel ne m'en introduisait pas moins chez le secrétaire de rédaction ou chez le rédacteur en chef, à qui je remettais l'enveloppe signée en grosses lettres B. V...

C'était un monde nouveau pour moi, un monde qui allait très vite disparaître. Ces messieurs que je voyais dans le salon iraient tout à l'heure dîner en ville, comme on disait, c'est-à-dire chez quelque maîtresse de maison connue, après quoi, avant de souper, ils auraient le temps de se montrer dans deux ou trois salons du faubourg Saint-Germain.

Je n'ai vu cela que de la coulisse. C'est peut-être pourquoi cela me paraît encore plus extraordinaire qu'une tribu de Noirs de l'Afrique Centrale.

Le lendemain, sous mon buvard, je reprenais ma petite tâche quotidienne. Cela consistait généralement à écrire un conte. C'est ce que j'appelais écrire « pour moi ». Combien en ai-je écrit de la sorte, des courts ou des moins courts, voire de longs? Je n'en sais rien. Ce que je sais, c'est que je n'ai jamais tenté de les faire publier et qu'ils ont disparu depuis longtemps.

Cela n'en avait pas moins beaucoup d'importance pour moi. Cela voulait dire que le maigre garçon de bureau se raccrochait malgré tout à un espoir : celui d'être un jour un véritable écrivain.

Je ne crois pas que je sois, que j'aie été, ce que l'on appelle à présent un obsédé sexuel. Je ne crois pas non plus que j'aie eu ou que j'aie des appétits plus que normaux.

Je crois, par contre, qu'il y a toujours eu de ma part une curiosité extrême, et aussi un besoin de contact que seuls les rapports sexuels peuvent donner. Cela explique qu'à Liège, quittant Tigy, j'éprouvais le besoin de m'enfoncer dans les rues étroites ou d'errer le long des quais à la recherche d'une femme. Il faut ajouter que la femme a toujours représenté pour moi un être exceptionnel que j'ai en vain essayé de comprendre. Cela a été, en somme, ma vie durant, une quête presque sans fin.

Et comment aurais-je créé des dizaines, peut-être des centaines de personnages féminins dans mes romans sans ces aventures de deux heures ou de dix minutes?

A Paris, où j'étais seul, où j'attendais la fin du mois de mars pour aller me marier à Liège, c'était pour moi un problème lancinant. A la base de ce problème, il y avait la question d'argent.

Je gagnais très peu à la Ligue. Je devais envoyer à ma mère une partie de mon salaire. J'avais beau n'habiter qu'une mansarde et ne payer qu'un loyer de vingt-cinq francs par mois, il me restait peu d'argent pour manger, à plus forte raison pour m'offrir des passades.

Cela ne m'empêchait pas d'errer presque chaque soir boulevard des Batignolles, sur le terre-plein central aux deux rangées d'arbres, où les professionnelles étaient embusquées.

Je me demande si ce n'était pas en partie chez moi une question de renifler une certaine atmosphère. Je les regardais les unes après les autres, avec toujours l'espoir de trouver une exception. Les jours où j'avais de l'argent en poche, je finissais par en emmener une dans l'hôtel le plus proche.

J'ai beaucoup lu de jugements sévères sur ce que les gens appellent d'un mot que je n'aime pas, le mot prostituées. Pour ma part, j'ai presque toujours trouvé chez elles une gentillesse, une compréhension que je n'ai pas toujours rencontrées ailleurs, voire très près de moi.

Je retrouvais ma mansarde à l'hôtel de la Bertha, rue de Lancret. Parfois, j'étais éveillé en sursaut par une vive douleur à la tête. J'étais en effet fréquemment somnambule et, lorsque avec mes parents nous habitions la rue de l'Enseignement, par exemple, j'avais des barreaux à ma fenêtre. Aujourd'hui, à soixante-dix ans, il m'arrive encore, mais plus rarement, d'être somnambule.

A la différence qu'au lieu d'avoir le plafond en pente à trente centimètres de ma tête, j'ai l'espace pour me lever ou même m'asseoir dans mon lit sans me cogner!

De l'hôtel de la Bertha, il me reste un souvenir plus amusant. Sur le palier du dernier étage où j'habitais, une femme de chambre maigre et vêtue de serge noire passait des heures à nettoyer et à brosser les chaussures de tous les locataires. J'entendais en m'endormant ou en m'éveillant la nuit le bruit monotone de la brosse sur les chaussures. Une nuit, je suis allé voir.

La jeune fille était sans attrait, avec peu de poitrine et pas de hanches. Mais je savais qu'elle était la nièce d'un écrivain qui avait eu le prix Goncourt.

Faire l'amour avec la nièce d'un prix Goncourt! C'est ridicule, bien sûr, mais je suis persuadé que le candidat écrivain que j'étais a été impressionné par cette idée, et, ce soir-là, alors qu'elle brossait toujours une chaussure, je l'ai troussée et possédée.

Elle n'a pas réagi. Elle n'a rien dit, sinon :

— Oh! Monsieur...

Monsieur! Au fond, j'étais encore un gamin et je me demande si je ne le suis pas resté toute ma vie.

J'ai un autre souvenir du boulevard des Batignolles. J'ai oublié le nom du restaurant assez renommé qui était fréquenté par les gens cossus du quartier. Je n'y ai jamais mangé. C'était trop cher.

Après le dîner, on desservait les tables. A travers les rideaux de guipure on apercevait des hommes, presque tous d'un certain âge, qui, dans une atmosphère feutrée, dans une lumière douce, jouaient au jacquet ou aux cartes.

Il m'est arrivé de les contempler un long moment et cela me ramène, quand j'y pense maintenant, au rêve de mes quinze ans. Être assis là, confortablement, sur les banquettes de moleskine. Fumer ma pipe lentement, à petites bouffées gourmandes, un verre de cognac ou de calvados à portée de la main; manier les dés du jacquet ou les cartes de bridge ou de belote m'apparaissaient comme un rêve.

A croire que j'étais né pour devenir un bon bourgeois bedonnant. Le sort en a décidé autrement puisque jamais, dans ma vie, je n'ai joué aux cartes ou au jacquet dans une brasserie, avec des amis dont le teint devenait plus coloré à mesure que les petits verres défilaient.

Cafard, ce matin. Je connais ça depuis des années et des années. Je crois d'ailleurs que j'en ai parlé longuement dans mon livre *Quand j'étais vieux*. J'ai commencé gentiment par deux verres de champagne par jour. Mes médecins me les avaient conseillés, car c'est un vasodilatateur qui régularise ma circulation. Seulement,

45

comme toujours, les deux verres, petit à petit, se sont transformés en une bouteille et demie.

Aujourd'hui, je coupe net.

Je ne voulais rien dicter d'autre, si cela peut s'appeler dicter ce que je fais chaque matin : c'est-à-dire m'asseoir dans mon grand fauteuil rouge et bavarder avec moi-même. C'est le meilleur moment de la journée. Je retrouve pour quelques minutes des images de ma jeunesse, de mon adolescence.

Malgré mon état plutôt vaseux, je ne me résigne pas à ne rien raconter aujourd'hui.

L'hôtel de la Bertha m'a semblé bientôt trop loin du passage Beauvau où je travaillais. En cherchant dans le quartier des Ternes, j'ai trouvé, rue du Faubourg-Saint-Honoré, une belle grande chambre qui était très bon marché. Elle faisait partie de l'appartement d'une vieille Anglaise qui se faisait ainsi un petit revenu.

Avant de me louer l'appartement, elle m'a prévenu sévèrement qu'elle n'acceptait ni visites de femmes, ni que je mange dans ma chambre.

Or, le restaurant me paraissait de plus en plus cher et je n'arrivais pas à joindre les deux bouts. J'ai découvert alors le camembert.

Je m'explique. Un camembert bon marché, autrement dit de mauvaise qualité, se regonfle dès qu'on en a mangé un morceau, de sorte qu'il peut durer trois ou quatre jours. Il fallait trouver un endroit où le mettre. Il y avait une cheminée dans la chambre, avec un volet de tôle toujours fermé puisqu'on n'y faisait pas de feu. J'ai soulevé le volet et mis le camembert dans la cheminée.

Cela a marché un certain temps. Un soir, en rentrant, j'ai trouvé ma propriétaire raide et farouche, indignée, qui m'a conduit dans ma chambre et m'a montré du doigt des coulées de camembert qui passaient sous le volet de tôle.

— Je vous donne congé. Demain vous quitterez l'appartement.

Et, le lendemain, il m'a fallu trouver un nouveau gîte à la mesure de ma bourse.

Encore un dimanche, ce qu'on appelle un beau dimanche, avec un soleil ruisselant, des chants de cloches, des rues presque désertes où on ne rencontre que de loin en loin une famille qui marche le long du trottoir. Jadis, lorsque j'étais enfant, je détestais les dimanches. Je me suis mis à les aimer et même à les savourer comme un moment particulier de la semaine.

Je ne me souviens pas de ce que j'ai raconté hier matin. J'étais tendu, humilié, parce que, de deux coupes de champagne par jour, j'en étais arrivé insensiblement à six et qu'il était temps de me mettre « sur le wagon ».

D'habitude, c'est une opération assez pénible, semblable, en moins violent, à une désintoxication. Or, hier, cela s'est passé sans difficulté, sans amertume, et le soir j'ai eu la satisfaction de me dire que j'avais réussi.

Aujourd'hui, le champagne est loin de mes préoccupations. De préoccupations, je n'en ai d'ailleurs pas. Je n'ai, comme toujours, que des images, et cette fois c'est celle de la porte de B. V... s'entrouvrant pour laisser passer un visiteur. Parmi ceux-ci, il y en avait qui, à cette époque, étaient plus ou moins illustres, comme Henri Duvernois, Maurice Barrès, d'autres encore.

Hier soir, j'y réfléchissais en m'endormant. Quel chemin parcouru en cinquante ou soixante ans par l'écrivain, par l'auteur dramatique. Chemin à rebours. Je n'irai pas jusqu'à dire dégringolade. En 1920, encore, les écrivains, les journalistes qui tenaient une rubrique importante, étaient des gens célèbres devant lesquels on s'inclinait très bas. Beaucoup se choisissaient un nom avec particule. Beaucoup aussi portaient monocle comme B. V... et il y avait peu d'événements mondains où ils n'occupaient pas les premières places.

Georges de Portoriche, oublié aujourd'hui, était, quand je l'ai connu, un homme de soixante-dix ans environ, à belle crinière blanche. Malgré son âge, toutes les femmes du monde, toutes les jeunes filles, se précipitaient sur ses pas. Et le bruit courait qu'il profitait encore d'une grande partie d'entre elles.

Même un échotier était un personnage et on le flattait pour obtenir sa bienveillance car un écho du *Gaulois*, du *Figaro*, de *Comedia*, avait des répercussions importantes sur une réputation.

Ce n'était pas cette vie littéraire là que j'étais venu chercher à Paris. A Liège, je ne la soupçonnais pas. C'était tout un à-côté de la littérature qui me hérissait et je me promettais de ne jamais me laisser prendre à ces sortes d'hommages.

J'ai vu B. V... cinq ou six fois pendant les six mois que j'ai travaillé à la Ligue. Il ne s'agissait pas de conversations personnelles. C'était pour m'expliquer comment m'introduire auprès de tel haut personnage comme Poincaré afin de lui remettre une lettre en main propre.

Je devais me marier vers la fin mars, le 23 mars, si je ne me trompe. Il me fallait trouver un logement et, dans mes heures libres, je me remettais à courir les rues à sa recherche.

Beaucoup plus tard, peut-être quinze ou vingt ans plus tard, j'ai retrouvé B. V... que personne ne connaissait déjà plus et je me suis trouvé gêné devant lui, car mes livres étaient déjà traduits en quinze ou vingt langues.

Je ne portais pas monocle. J'étais habillé comme tout le monde.

Je ne fréquentais ni les salons, ni les réceptions officielles.

Pas plus que maintenant.

Hier, j'ai eu la joie de recevoir une lettre de Jacqueline Pagnol et j'ai soupçonné Marcel de devenir trop paresseux pour écrire lui-même, ce que je ne lui reprocherai pas, moi qui fais la même chose. Elle me rappelle que son mari a maintenant soixante-dix-sept ans et elle ajoute une chose qui m'a extrêmement touché, car j'en ferais bien autant :

Presque tous les soirs, Marcel, en se couchant, lance :

— Je suis un vieux con.

Combien de fois ai-je pensé cela, non de Marcel, mais de moi, sans le dire ? Maintenant, je me donnerai le plaisir de le crier à tous les échos.

Je me remets dans mon fauteuil pour deux ou trois phrases qui viennent de me monter à l'esprit. Nous étions un après-midi sur les Grands Boulevards avec Henri Duvernois et il me disait, la main sur mon épaule, car il était beaucoup plus grand que moi :

— Il y a un moment dans la vie, Sim, où on ne peut plus faire l'amour ! Eh bien, à ce moment-là, on ne trouve plus en soi matière à écrire. On le fait quand même, à cause de l'habitude, des besoins d'argent, d'une certaine gloriole. Mais je peux t'avouer que depuis trois ans je fais du faux Duvernois, autrement dit, je me plagie.

Cette confession, faite d'un ton léger par un homme que j'admirais, m'a fort bouleversé. Elle me bouleverse encore, maintenant que j'ai atteint l'âge qu'il avait alors. Heureusement que je fais encore l'amour.

Je n'avais en commençant à dicter ces notes, ces bribes de souvenirs, aucune idée d'en faire une narration plus ou moins continue. Cette idée, je ne l'ai pas encore, car elle m'effraierait. Ce ne sont pas mes Mémoires, ce sont des lambeaux de mémoire et je les voudrais plus dispersés.

Hier, en effet, un souvenir m'est revenu. On sait qu'en 1942, vivant dans la forêt de Vouvant, je me suis donné un coup à la poitrine en taillant un bâton pour mon fils Marc qui avait alors deux ans.

Douze kilomètres à pied me conduisirent chez un radiologue à qui je demandai si je ne m'étais pas fêlé une côte. Il m'a examiné pendant plus d'une heure pour me dire non sans une certaine satisfaction sadique que j'en avais pour tout au plus deux ans à vivre, à condition de ne plus fumer, de ne plus marcher, de manger très peu, de ne plus boire et de ne plus faire l'amour.

Si je rappelle cette anecdote, c'est qu'elle a eu beaucoup d'importance dans ma vie. En regardant Marc, je me disais qu'il ne me connaîtrait jamais et qu'il ne connaîtrait jamais non plus sa famille. Et je me suis mis à écrire dans des cahiers l'histoire de celle-ci.

Il n'y avait que quelques chapitres d'écrits quand André Gide m'a dit que je ferais mieux d'abandonner la première personne et d'écrire mes souvenirs d'enfance exactement comme j'écrivais mes romans.

Je me suis laissé convaincre. La première mouture a paru sous le titre : *Je me souviens*. La seconde, beaucoup plus longue, se terminant à ma quinzième année, c'est-à-dire à l'armistice de 1918, a été éditée sous le titre *Pedigree*.

Or, si l'on regarde la dernière page de *Pedigree*, on s'apercevra qu'elle porte les mots : « Fin de la première partie ».

Mon intention était donc qu'il y ait une suite. J'envisageais vaguement une seconde partie qui irait de ma quinzième année à la vingtième.

Puis un troisième volume qui relaterait mes débuts à Paris.

Ce qui m'a empêché d'écrire ces deux volumes-là, c'est que le premier volume m'avait valu un certain nombre de procès que j'ai tous perdus. Comme, dans mon esprit, il y aurait plus de personnages encore dans le deuxième et le troisième volume, la perspective des procès en série m'a fait renoncer.

Ma pensée d'hier a été soudain :

— Mais je suis en train d'écrire le deuxième volume de *Pedigree* !

Il faut que je proteste car, autrement, je crois que je ne continuerais pas. Ecrire mes Mémoires me paraît fastidieux et outrecuidant. Faire de moi le personnage central d'une sorte de long roman véridique n'est pas dans ma manière.

J'ai tenu, lorsque j'ai acheté ce magnétophone, à n'y dicter que des croquis, des images sans queue ni tête, à y décrire parfois une rue avec son odeur d'époque, une chambre où j'ai passé, une femme que j'ai connue une heure.

De Mémoires, point.

Et je tiens à rester le retraité bien tranquille que je suis devenu, à me promener, à lire, à bavarder sans être hanté par la page à faire.

Il y aura peut-être des sauts de plusieurs mois, de plusieurs années. Cela dépendra uniquement des images qui se seront fixées à mon insu dans ma mémoire et ça dépendra aussi, sans doute un peu, de mon humeur du moment.

Aujourd'hui je me sens détendu, en pleine forme pour la première fois depuis plusieurs mois, et c'est bon d'avoir avec son corps des rapports cordiaux.

Pedigree était encore de la littérature. Rien que des bouts de dictée qui n'ont pas encore de titre et qui n'en auront peut-être pas.

Je me réjouissais en me levant ce matin de m'asseoir dans mon fauteuil rouge et d'évoquer des souvenirs, non plus de la Ligue ni du faubourg Saint-Honoré, mais de la place du Tertre telle qu'elle était en 1923 et de l'atelier qu'un de mes amis y avait loué au fond d'une cour.

Je suis déçu. Alors que rien ne le laissait prévoir, ce matin je me sens patraque et à me voir on pourrait me croire de mauvaise humeur alors que je ne le suis pas du tout. Je regrette seulement de renoncer à ce qui est, presque tous les matins, ma petite joie.

Un jour, à Liège, il nous avait montré un autoportrait qui le représentait, le regard mélancolique, la main posée négligemment sur une tête de mort. Je me souviens que je lui avais dit :

— Tu devrais l'intituler « le Jeune Homme au juste au corps ».

En effet, il portait toujours un veston noir, très long, cintré à la taille, avec un col ecclésiastique d'où s'échappait la lavallière.

Il s'appelait Lucien. De tout le groupe de La Caque, il était incontestablement le plus intéressant et il nous servait en quelque sorte de meneur. Il exposait ses toiles dans les galeries de la ville. Il en vendait. A nos yeux, c'était prodigieux.

En outre, il semblait avoir tout lu, discutait philosophie, ésotérisme, astrologie, chaque semaine avec des points de vue différents, selon le dernier livre ou le dernier article qu'il avait lu.

Il était arrivé à Paris un peu avant moi et s'était marié avant de quitter la Belgique. Sa femme était plantureuse, d'une gaieté

52

exubérante, avec des cheveux et des yeux d'Espagnole, car il ne faut pas oublier que la Belgique a été longtemps occupée par les armées espagnoles.

Lucien, lui aussi, avait les cheveux noirs, les sourcils bien arqués, de longs cils comme passés au rimmel et son teint était aussi blanc, aussi mat que celui d'une jeune fille.

Pour aller chez lui, il fallait grimper tout en haut de Montmartre, traverser la place du Tertre, où il n'y avait encore que deux ou trois bistrots avec, chacun, une petite terrasse sur le trottoir. On tournait dans la rue du Mont-Cenis et il ne restait qu'à s'enfoncer dans un couloir très étroit, entre deux maisons. Il y avait là l'atelier d'un menuisier. Pour trouver l'atelier de Lucien, il fallait encore monter un escalier. La pièce n'était pas grande, entièrement vitrée du côté qui donnait sur la cour.

Instinctivement, quand on entrait, on regardait qui se trouvait là. En effet, cette pièce unique au grand lit déglingué, au sofa défoncé, aux tables couvertes de peinture, chacun y entrait à sa guise, s'installait, discutait, pérorait, restait parfois jusqu'au matin.

On pouvait être six comme on pouvait être dix.

Lucien continuait à peindre tout en prenant part aux discussions. Celles-ci roulaient surtout sur la peinture et la sculpture, sur « ceux de Montparnasse » que l'on méprisait et dont on moquait le soi-disant modernisme.

Je me suis risqué quelquefois à les défendre, mais j'ai vite compris que c'était peine perdue. Quelqu'un allait chercher une ou deux bouteilles de vin. Puis c'était un autre, selon l'état de la bourse de chacun. Vers sept heures, on se posait la question :

— Combien as-tu?
— Cinquante centimes.
— Donne.

Et, ainsi de suite, on faisait la collecte qui permettait d'aller acheter, chez le charcutier voisin, un morceau de saucisson ou de cochonnaille quelconque puis, chez le boulanger, un ou deux kilos de pain.

Quand j'y repense, je m'aperçois que si la nourriture manquait parfois ou était chichement comptée, il y avait à boire.

C'était un peu comme une nouvelle Caque, celle de Paris, qui comptait deux ou trois transfuges arrivés de Liège. Tous étaient pauvres. Tous étaient persuadés qu'ils allaient conquérir la célébrité et la fortune. C'était à Lucien qu'ils se raccrochaient, à Lucien qui, quelques mois plus tôt encore, vendait des toiles en Belgique et qui ne tarderait certainement pas à en vendre à Paris, à Lucien enfin qui était, pour tout le monde, le prototype du peintre de génie.

J'avoue que, cet hiver-là, il m'a épaté. C'était un hiver très dur. Alors qu'il n'avait plus d'argent en poche, il s'est présenté à l'entreprise qui peignait sur les pignons de Paris des bébés Cadum ou d'autres sujets publicitaires mesurant jusqu'à huit mètres de haut.

Notre frêle Lucien aux mains fines et blanches a, pendant un mois, grimpé sur les échafaudages, ayant besoin, comme il disait, d'un large balai pour faire un simple coup de lumière sur le nez d'un de ces personnages. Il grelottait. Il avait peur de tomber. Les planches n'étaient pas fermes sous ses pieds.

Il l'a fait et je l'en ai admiré, car j'aurais été incapable de subir une pareille épreuve.

Dans un coin de l'atelier, il y avait un petit poêle à charbon. On le chauffait à blanc. La fumée des cigarettes et des pipes rendait l'atmosphère opaque et il y avait toujours, sempiternellement, ces silhouettes de jeunes hommes étendus sur le lit à moitié défait.

C'est peut-être là que j'ai le mieux compris que je ne ferais jamais partie d'un groupe. Ils étaient mes camarades. Je les aimais bien. Je montais souvent rue du Mont-Cenis. Je m'asseyais ou je m'étendais comme les autres. Néanmoins, je ne « participais » pas et je me sentais étranger parmi eux comme, par la suite, je devais me sentir étranger dans n'importe quel groupe.

Curieusement, je n'ai jamais cette impression en face d'un homme ou d'une femme. Personne, individuellement, ne m'est étranger. Mais dès que des gens s'assemblent et forment un groupe, je reste à la lisière, comme pour m'enfuir plus facilement si j'étais pris de panique.

C'est curieux. Je me souviens de ces jeunes gens et de leurs espoirs avec tendresse, c'est la mélancolie qui l'emporte. Les visages se sont brouillés. Je ne les reconnaîtrais pas si je les rencontrais et j'ai oublié la plupart des noms.

J'en revois un, pourtant, un grand garçon roux, à la peau d'orange, aux yeux bleus. Il avait hérité d'une petite pâtisserie dans le quartier. Tous les après-midi il venait prendre une leçon d'une heure ou deux de peinture auprès de mon ami au justaucorps.

Il a fini par y rester tout l'après-midi. Puis à s'y installer pour la journée entière, et il n'a fallu que trois ou quatre mois pour qu'il fasse faillite.

Est-il devenu peintre? Je n'en ai jamais entendu parler. Et l'on pourrait en dire autant des autres.

Plus vifs, plus colorés, plus éclatants, sont mes souvenirs de la rue Lepic, avec ses boutiques bien achalandées, ses marchandes des quatre-saisons, ses bruits, ses bousculades, ses odeurs de grosse viande, de fruits et de légumes. Cela me paraît beaucoup plus réel que l'atelier où une poignée de jeunes gens faisaient des rêves éveillés et jouaient leur destin en choisissant la mauvaise carte.

A l'orée de Liège, à quelques centaines de mètres du dernier arrêt du tramway, il y avait un village nommé Embourg. Un raidillon pavé montait vers le haut du village où il n'y avait que trois ou quatre maisons. La route d'en bas n'était pas goudronnée mais couverte d'une épaisse couche de poussière presque blanche, et quand par hasard une voiture s'y aventurait, elle s'annonçait de loin par un véritable nuage.

Nous vivions, pendant les vacances, ma mère, mon frère et moi, chez une certaine Mme L... Elle allait puiser l'eau au puits chaque matin dans des seaux maintenus par des chaînes à une sorte de carcan qui doit avoir un nom que je ne connais pas.

L'après-midi, nous nous rendions aux Quatre-Sapins. Il n'y en avait d'ailleurs que deux. Le sol était fait de schiste râpeux qui, chauffé par le soleil, avait une odeur différente de toutes les odeurs que j'ai connues, surtout qu'elle se mêlait aux odeurs des aiguilles de pin.

Pendant que ma mère, qui portait encore un chignon, cousait ou tricotait, mon frère et moi, les jambes dans l'eau jusqu'aux genoux, bâtissions des barrages dans le ruisseau. Plus tard, vers la fin de l'après-midi, nous guettions les ânes qui remontaient de Chaud-fontaine où ils avaient promené les jeunes estivants dans le parc. Nous avions droit, alors, à un petit tour gratuit.

Il faisait chaud. Tout sentait bon. Tout était innocent. Tout était joie de vivre.

Il me suffit de m'étendre pour la sieste, de laisser venir un léger sommeil pour me retrouver, plus de soixante-cinq ans après, exactement comme j'étais alors. Pas le moindre détail ne manque, pas une guêpe passant entre moi et le soleil, pas un caillou coupant, pas une vaguelette dans l'eau du ruisseau.

Y a-t-il donc quelque chose en nous qui ne vieillit pas?

Il en est de même de mes rêves. Je n'ai jamais d'âge. Et je suis tout surpris, le matin, de retrouver dans mon lit le vieux bonhomme que je suis devenu.

J'avais besoin d'un smoking. Pour me marier. Car, à cette époque-là, en Belgique, on avait l'habitude de se marier en smoking, la mariée en robe blanche ou en robe du soir.

J'ai eu la chance de rencontrer un journaliste belge qui travaillait à Paris. Il avait pris un peu d'embonpoint et son smoking était à vendre. Le prix qu'il m'en faisait n'était pas la moitié du prix que j'aurais payé en confection : deux cent cinquante francs. Mais ces deux cent cinquante francs, je ne les avais pas.

Mon confrère belge a été très chic et m'a donné un certain nombre de mois pour m'acquitter de ma dette. Je suis donc parti, fiérot, avec ma tenue de cérémonie. J'ai repris, en sens inverse, le train qui m'avait amené en décembre et qui m'avait laissé de si mauvais souvenirs. Train de nuit encore. Je crois que je n'ai jamais fait de jour le parcours Liège-Paris ou Paris-Liège.

On m'a trouvé amaigri. On s'est exclamé. On m'a dit que je ne devais pas manger assez. Mais je devais prétendre, puisque je l'avais promis à mon beau-père, que je gagnais mille francs par mois.

Depuis deux mois, Tigy allait régulièrement chez le curé de l'église proche afin de suivre des cours de catéchisme. Ni elle ni ses frère et sœurs n'étaient baptisés. Il a donc fallu la baptiser, lui faire faire sa première confession et, le matin de notre mariage, de très bonne heure, elle allait recevoir la première communion.

Nous nous serions contentés d'un mariage civil, mais ma mère n'aurait pas considéré ça comme un vrai mariage et je ne voulais pas la désespérer ni l'humilier auprès de sa famille et de ses voisines.

58

Tigy portait une longue robe de tulle noir, un manteau de moire, noir aussi, et un vaste chapeau orné de plumes d'oiseaux de paradis. Je regrette de n'avoir pas de photographie d'elle dans cet accoutrement. Il est vrai que je ne devais pas être plus élégant dans un smoking qui n'avait pas été fait pour moi. Sans compter que, depuis la veille, un feu sauvage d'un beau rouge enflait ma lèvre inférieure.

Tigy se trouvait dans un fiacre avec sa mère et son père; j'étais dans un autre avec ma mère.

Comme je ne trouvais rien à lui dire, comme je craignais les larmes, tout le long du chemin je lui ai donné des recettes de cuisine.

Je ne me souviens pas de la cérémonie à l'église Sainte-Véronique. Mais je me souviens de notre passage à l'hôtel de ville. L'échevin qui nous a mariés était très jeune. Il a cru devoir faire un long discours où il parlait de mes débuts dans le journalisme, de la carrière que j'allais faire à Paris, etc., etc.

Il était plein de bonne volonté. Pauvre garçon! Un mois plus tard, on l'internait dans un hôpital psychiatrique.

Le train à nouveau, train de nuit, bien entendu. J'étais assez abruti, car j'avais fait honneur aux vins et au champagne. En même temps, je n'étais pas trop rassuré sur l'effet qu'allait faire sur ma compagne le logement que j'avais fini par trouver.

C'était toujours faubourg Saint-Honoré. Dans une sorte de cour, il y avait une rangée d'ateliers d'artistes et, au milieu, le seul bâtiment à un étage. A cet étage-là vivait un vieux pédéraste avec son compagnon qui avait une voix haut perchée et qui portait toute la journée un tablier de femme.

Je n'avais pu louer qu'une seule pièce, la seule disponible, qui n'avait pas de fenêtre mais un lanterneau au plafond. A côté, une sorte de réduit avec un évier et l'eau courante.

Nous nous sommes assez vite endormis. Tôt matin, nous avons eu la stupeur de voir le vieux pédéraste aux cheveux gris et son jeune ami, qu'il appelait son neveu, traverser notre chambre sur la pointe des pieds.

Il n'y avait d'eau, en effet, que dans le cagibi et c'est là qu'ils venaient se laver tous les deux.

Je suppose que ç'a été un coup assez dur pour Tigy. Elle a pris la chose bravement et, une heure plus tard, j'allais la présenter à B. V... et à mes compagnons et compagnes de la Ligue.

Après quoi, nous avons descendu glorieusement le faubourg Saint-Honoré. La vie à deux commençait, que j'avais tant voulue, mais je n'en avais pas moins la gorge serrée en pensant à l'avenir.

L'histoire de mon mariage ne serait pas complète si je ne racontais une anecdote qui s'est passée deux jours avant mon départ pour Liège.

Ce soir-là, j'étais allé au *Lapin Agile,* la boîte de chansonniers qui, chaque nuit, était comble. Je m'y trouvais coincé entre deux Hollandaises plantureuses que je considérais d'âge quasi canonique bien que, j'en suis persuadé maintenant, elles n'avaient guère que trente à trente-cinq ans. Elles étaient très gaies. Elles se moquaient elles-mêmes de leur français. La foule était tellement dense que je pouvais glisser sans vergogne mes mains sous leurs robes, ce qui les faisait rire encore davantage.

Après un certain temps et quelques petits verres, je leur demandai si je ne pouvais pas les rejoindre à leur hôtel. Gentiment, elles m'inscrivirent sur un bout de papier le nom d'un hôtel de la rue d'Antin, près de l'Opéra, et je promis d'y être une heure plus tard. Je me précipitai dans ma chambre aussi vite que je pouvais. Je me déshabillai, me lavai les pieds, changeai de chaussettes, etc., bref je fis le brin de toilette que je considérais comme indispensable.

Je me demandais si on me laisserait entrer à l'hôtel et même si elles y étaient vraiment descendues. Mais non, elles n'avaient pas triché. Le concierge de nuit me fit monter. Je les trouvai toutes les deux en robe de chambre dans un appartement dont l'élégance me fascina. Quelques instants plus tard, nous étions tous les trois au lit.

C'était ma première aventure de ce genre. Je tenais beaucoup à me montrer à la hauteur et c'est tout juste si je ne serrais pas les dents. Deux ou trois heures s'écoulèrent, puis je ne sais plus rien de ce qui se passa. Plus exactement, ce sont mes deux femmes qui, vers dix heures du matin, m'ont apporté mon petit déjeuner en me disant que j'avais fini par m'endormir sur l'une d'elles.

En somme, j'avais à ma manière dit adieu au célibat.

Depuis quelques semaines, j'ai pris une nouvelle habitude. C'est de ne pas fermer complètement, à l'heure de la sieste, le store de la fenêtre. Cela permet au soleil de pénétrer à travers le tulle du voilage, puis à travers le rideau très coloré, répandant ainsi dans la pièce une lueur dorée dont j'ai conscience, même les yeux fermés. La nuit, je conserve une petite veilleuse électrique, sorte de disque qui diffuse moins de lumière qu'une sorte de halo. Lorsque j'étais enfant, je dormais à la lueur d'une lampe à huile, parce que j'avais peur. Ici, il ne s'agit pas de peur, puisque je ne dors pas seul. Il s'agit d'un plaisir. On dirait qu'à mesure qu'on avance en âge on goûte davantage des plaisirs qui paraissent simples mais qui sont en réalité très raffinés.

On s'habitue à tout, même à voir, le matin, dans le petit jour, deux fantômes, le grand à cheveux gris et aux joues râpeuses, le petit à la démarche sautillante, traverser la chambre, puis à entendre ensuite des bruits d'eau. Ce jour-là, comme les autres, quand ils eurent regagné leur logement, Tigy se leva pour aller préparer le café. Nous nous servions pour cela d'une lampe à essence ou à alcool, je n'y connais rien. Toujours est-il qu'à un moment donné, le réservoir étant vide, elle a voulu le remplir sans éteindre le réchaud.

En quelques secondes, tout a pris feu et elle a eu juste le temps de rejeter le bidon loin d'elle, sinon elle aurait été transformée en torche vivante. Je ne sais qui a appelé les pompiers. Toujours est-il que quelques minutes plus tard c'était, dans les deux pièces, la confusion, des gens qui allaient et venaient, des pompiers avec leur lance, de l'eau partout, une garde-robe qui commençait à flamber et qu'on arrosait généreusement.

Le plus curieux, parmi tout ce désordre, c'était la petite tantouille qui portait une longue robe de chambre blanche et qui avait l'air de danser.

C'est le moment que choisirent mes beaux-parents pour arriver. On les attendait ce jour-là, mais on ignorait à quelle heure. Il serait difficile de décrire leur ahurissement. Ce qui les consolait, c'était que leur fille était indemne.

— Il n'y a pas de fenêtre ? interrogea ma belle-mère.

Et moi, lui montrant les vitres au-dessus de ma tête :

— Non, mais nous avons un lanterneau.

J'ajoutai, convaincu :

— C'est bien bien plus pratique !

Nous sommes allés nous promener tous ensemble et mon beau-père nous a invités dans un très bon restaurant où le maître d'hôtel l'a tout de suite appelé par son nom, ce qui l'a fait rougir de plaisir. C'est là qu'il venait manger avec ses clients lorsqu'il était en voyage d'affaires à Paris.

Il ne nous a fait aucune remontrance. Il ne m'a plus parlé des mille francs que j'étais censé gagner par mois. Il a été discret, chaleureux.

Cela me fait penser que j'ai rencontré beaucoup d'hommes comme lui, beaucoup plus que d'autres. Sans le directeur de la *Gazette de Liège*, je n'aurais jamais été journaliste. Sans un homme que je n'allais pas tarder à rencontrer, ma carrière aurait peut-être été différente.

En réalité, la vie m'a appris que l'indulgence est monnaie beaucoup plus courante qu'on ne le pense. Ou alors, est-ce moi qui ai eu la chance de l'attirer sur moi ?

Je pourrais appeler ça ma période d'apprentissage. Dès mon arrivée à Paris je m'étais senti lourd, maladroit, parmi des Parisiens au parler léger qui se faufilaient joyeusement dans leur ville et qui avaient si facilement la gouaille aux lèvres.

A la Ligue, Mlle Berthe en particulier se moquait de mes belgicismes, entre autres des mots « n'est-ce pas ? » que, comme à Liège, je répétais à tout moment. En fin de compte, une tirelire fut posée sur la cheminée et chaque fois que j'employais un mot liégeois je devais y verser dix centimes.

Le contenu de cette tirelire a plusieurs fois servi à offrir l'apéritif à tout le bureau.

J'étais curieux de tout, comme on s'en doute. J'avais découvert, place Blanche, le Moulin Rouge dont les ailes illuminées tournaient lentement, le soir, dans l'obscurité. C'était encore un bal populaire. La salle était immense. Il y avait de petites tables autour de la piste, immense aussi, un bar, le long d'un des murs, pour les professionnelles en robe du soir, ainsi qu'une rangée de loges où l'on ne servait que du champagne et où des hommes en smoking accompagnaient des femmes au cou emperlé.

Je reniflais tout cela avec délices. Déjà, avant l'arrivée de Tigy, puis avec elle après notre mariage, je m'installais à une des tables et je regardais les couples, la façon de s'habiller des hommes et des femmes, j'écoutais les bribes de phrases comme si j'étais en train d'étudier une autre langue que la mienne.

Les jeunes filles étaient surtout des dactylos et des vendeuses de magasin, les hommes des employés ou des vendeurs qu'on appelait alors des calicots.

Cela tenait encore du *Déjeuner sur l'herbe* et des *Canotiers*.

Je pouvais rester des heures ainsi, sans avoir le désir de danser, rien qu'à observer les visages et les corps en mouvement. J'observais aussi, de loin, les clients inaccessibles des loges où les femmes surtout me paraissaient appartenir à un autre monde.

Tigy s'est fort bien accommodée de ces séances d'apprentissage. Car c'était cela, en somme. Je faisais mon apprentissage de Paris en commençant par ce qui était à ma portée.

Venait ensuite le traditionnel roulement de tambour suivi d'un french-cancan à vous couper le souffle.

Je ne dis pas que ces soirs-là, plutôt que de rentrer dans notre logement avec ma femme, je n'aurais pas préféré m'en aller au bras d'une des danseuses du french-cancan, d'une des belles emperlées des loges, d'une des professionnelles élégantes du bar, ou même, simplement, d'une des jeunes midinettes qui dansaient au bras de grands garçons de mon âge.

Nous sommes allés très souvent au Moulin Rouge et je ne m'en lassais pas. Je crois que j'apprenais tous les jours. Beaucoup plus, par exemple, que d'aller chez mon ami du haut de la butte discutailler en mangeant du saucisson. Mais ce n'est pas tous les jours que j'avais les cinq francs d'entrée.

J'avais déjà acheté dans les kiosques tous les hebdomadaires dits galants de l'époque. Une galanterie bien sage, qui aujourd'hui pourrait être distribuée dans les écoles.

Les soirs où nous ne sortions pas, je m'essayais à écrire des contes dans le genre de tel de ces magazines ou de tel autre. Car il y avait pour chacun des nuances assez subtiles et un conte qui était bon pour *le Sourire* ne l'était pas pour *Frou-Frou* ni pour le *Rire*, *Paris-Flirt*, *Mon Flirt*, etc. Il y en avait pléthore. Mon premier conte accepté le fut par un journal appartenant à un industriel de Lille et qui s'intitulait *l'Humour*. Curnonsky et d'autres écrivains connus y collaboraient. Le conte était payé cent francs, ce qui m'émerveillait.

Deux mois plus tard, j'écrivais jusqu'à deux ou trois contes par soirée, dans la chambre au lanterneau, et je collaborais à une bonne demi-douzaine de ces feuilles galantes.

Les petits contes que j'écrivais le soir et, pendant la journée, sous mon buvard, à la Ligue, m'amusaient. Ce n'était pas pour moi du travail, mais un véritable plaisir. Parfois, en les écrivant, il m'arrivait d'éclater de rire à un passage qui me paraissait drôle.

Que de plats aussi que je n'avais jamais mangés et que je goûtais avidement! Les rillettes, par exemple, les andouillettes, les tripes à la mode de Caen...

Une merveille, ces tripes à la mode de Caen. Quand mes fonds étaient très bas, on pouvait manger un pain entier en le trempant dans la sauce d'un pot de tripes qu'il suffisait de faire réchauffer. C'était un peu l'équivalent du camembert de chez la vieille Anglaise.

Et l'odeur de certains vins, de certains alcools. Je bus du calvados pour la première fois dans un petit bar où l'on descendait deux marches et où l'on était pris par l'odeur du calvados. Je bus du marc dans un autre bar qui sentait le marc.

J'avais faim de tout. J'étais enchanté de tout, et il me semblait que tout était différent d'ailleurs, en particulier de Liège où j'avais vécu jusqu'alors. Il y avait une légèreté dans l'air, une légèreté aussi dans le parler des gens, dans leur regard.

Je pénétrais dans la fraîcheur des bistrots où, devant le comptoir de zinc et le patron en bras de chemise, la conversation devenait vite générale. J'adorais manger dans les restaurants où les habitués avaient leur serviette dans un casier et où le menu était écrit à la craie sur une ardoise.

Nous marchions beaucoup, Tigy et moi, et la Seine nous attirait en particulier avec son aspect sans cesse différent. Notre grande balade était le long des quais, jusqu'à Charenton où nous nous arrêtions à l'Écluse N° 1, celle où commence le canal de la Marne. On suivait d'un œil fasciné le débarquement des péniches, les barriques de vin qui s'entassaient le long des berges. Tout était bon. Tout était neuf. Tout était magnifique.

J'aurais voulu tout apprendre à la fois, aller partout, fouiller partout, savoir ce qui se cachait derrière chaque mur, derrière chaque porte, derrière le front de chaque passant.

Les patrons de bistrots faisaient le plus souvent venir de petits vins de leur village et les versaient avec orgueil.

Est-ce que tout cela était vraiment aussi extraordinaire? Ou était-ce moi qui avais vingt ans?

Hier soir, comme les autres soirs, je regardais, à huit heures moins le quart, le bulletin des nouvelles à la télévision. Tout à coup, je n'ai pu m'empêcher de rire. Je pensais en effet aux réactions du jeune Sim, en 1923, me voyant soudain en pantoufles, en pyjama, en robe de chambre douillette, fumant ma pipe au fond d'un fauteuil.

N'aurait-il pas pensé à un de ces bourgeois ridicules de Labiche? Rien n'y manquait, pas même la tasse de camomille.

Il se passe au moins un curieux phénomène. Ce jeune homme lâché dans Paris, je le regarde de plus en plus comme un autre que je m'efforce de découvrir. J'en oublie que c'était moi. Parfois ses réactions m'émerveillent et parfois elles m'exaspèrent.

Mais, lui aussi, n'était-il pas déjà un petit-bourgeois quand, la pipe au bec, les mains dans les poches de son imperméable, il se tenait debout sur la plate-forme de l'autobus Madeleine-Bastille à regarder avec une curiosité jamais satisfaite les terrasses des cafés, les magasins de luxe qu'on trouvait alors sur les Grands Boulevards, la foule qui devenait plus populaire à mesure que l'on approchait du boulevard Saint-Martin puis qu'on dépassait la République? N'était-il pas, en somme, le prototype du provincial?

Les images m'entraient par les yeux, les sons par les oreilles, les odeurs par les narines. J'absorbais tout. J'aurais voulu tout absorber, surtout les femmes. Parfois, j'en étais presque malade de désir.

Deux après-midi par semaine, je faisais le tour des journaux galants auxquels je collaborais pour aller toucher mes piges. Si celles-ci atteignaient ou dépassaient cinq cents francs, je prélevais vingt francs pour mes plaisirs personnels et secrets. Tigy était

65

d'une jalousie presque maladive. Pendant plus de vingt ans que j'ai passés avec elle, j'ai dû mentir et me cacher. Je crois que cette tricherie quasi imposée est ce qu'un homme pardonne le moins à une femme.

Peu à peu, je me suis mis à connaître la faune des Grands Boulevards et même à connaître les prix courants, si je puis dire. A la terrasse de la Taverne Royale, rue Royale, par exemple, on trouvait, comme à la terrasse du Café de la Paix, près de l'Opéra, le dessus du panier, des femmes élégantes, discrètes, qui n'essayaient pas d'accrocher le client mais qui attendaient qu'on leur parle et qui tenaient à ce qu'on y mette des formes.

Celles-là m'étaient encore inaccessibles car le prix minimum était de cinquante francs. Au coin de la rue Godot-de-Mauroy et dans cette rue, on descendait à quarante, voire à trente, tandis qu'au boulevard Montmartre on pouvait avoir une compagne à vingt francs. C'étaient les miennes. Je n'allais que rarement jusqu'à la République où le prix descendait à dix.

Qu'est-ce que je cherchais? Je l'ai déjà dit. Ou plutôt je me suis déjà posé la question. Au fond, je n'ai jamais trouvé de réponse qui me satisfasse. Certes, il y avait une grande part de désir sexuel, de découvrir une autre chair, d'autres formes, une autre consistance de seins ou de hanches. Je m'efforçais aussi à provoquer la jouissance de ma partenaire mais je ne me fais pas d'illusions sur ce point, je sais que souvent cette jouissance n'était que feinte.

Je les tenais néanmoins dans mes bras. Je regardais leurs yeux de près, la palpitation de leurs narines, leur bouche entrouverte, et c'était un peu comme de communier avec une partie de l'univers.

C'est pour ça que je les aurais voulues toutes. Je souffrais littéralement de savoir qu'il y avait des millions de femmes au monde que je ne connaîtrais jamais et qui, toutes, auraient pu m'apporter quelque chose, qui toutes auraient pu augmenter une certaine plénitude à laquelle j'aspirais confusément.

J'aimais aussi l'autobus pour l'autobus et pour le spectacle de la rue qu'il m'offrait. De ce spectacle-là encore, j'avais faim. Chaque rue était différente, chaque rue avait sa personnalité. Elle vivait et, plus elle grouillait, plus je me sentais surexcité.

Il était rare que je me promène dans les beaux quartiers où cependant je travaillais et j'habitais. C'était la vraie rue qu'il me fallait, avec ses petites vieilles, ses vieillards solitaires, ses commères fortes en gueule, ses loges de concierge où régnait une odeur de cuisine mijotée.

Les immeubles de pierre à porte cochère d'où l'on voyait au bout de la voûte un chauffeur astiquer une voiture de maître ne m'intéressaient pas. D'ailleurs, les rideaux étaient clos aux fenêtres et les habitants de ces maisons-là se montraient peu dans la rue.

Dans mon langage personnel, « je partais en chasse ». En chasse d'humain. En chasse de vie. En chasse de femmes aussi, bien sûr, mais, que ce soit au Moulin Rouge, sur les Grands Boulevards ou ailleurs, c'était la même curiosité lancinante qui me poussait.

Tout seul, j'étais vide. La vie à deux ne me suffisait pas. C'était du monde entier que j'avais envie.

Pour aboutir à quoi? A un vieillard en robe de chambre qui regarde la télévision en buvant sa camomille. Est-il étonnant, dès lors, que ce vieillard-là éprouve le besoin, dix fois par jour, de retrouver des images que le jeune homme d'autrefois a contemplées avec des yeux émerveillés et de s'en émerveiller à nouveau?

Je suis un peu troublé depuis ce matin. Quand j'ai acheté mon magnétophone, que j'appelais mon jouet, j'imaginais de courtes dictées, de loin en loin, qui occuperaient une petite partie du temps libre d'un retraité.

Or, les images me sont venues à un rythme de plus en plus rapide. J'en ai découvert que je croyais avoir perdues à jamais. Il semble s'en créer chaque jour de nouvelles qui m'intriguent, car elles n'appartiennent pas au moi d'aujourd'hui mais à un moi lointain qui est presque devenu un personnage étranger.

Ce personnage-là, je m'efforce de le comprendre. Je me penche sur lui avec une certaine pudeur pour ne pas l'effaroucher comme je le fais avec mes fils. Parfois, je ne peux pas m'empêcher de le comparer à ceux-ci. Et les images se compliquent encore plus, car celles de jadis ont tendance à se mêler, voire à s'intégrer à celles d'aujourd'hui.

Je refuse cependant de mettre de l'ordre dans mes idées. D'ailleurs, je n'ai nullement l'intention de développer des idées. J'en reviens toujours au mot images, particulièrement celles qui me passent par la tête quand je commence à sombrer dans le sommeil soit de la sieste, soit de la nuit.

Il faudra pourtant bien que je démêle tout cela, sinon je ne serai pas satisfait de moi-même. On verra ce que cela donnera.

Toute ma vie, je me suis occupé des autres et j'ai essayé de les comprendre.

Maintenant que je m'efforce de me comprendre moi-même, je m'aperçois que je suis beaucoup plus riche que je ne le pensais.

Quand je me suis éveillé ce matin-là, sous le lanterneau de notre drôle de chambre, je ne me doutais pas que la journée allait être importante et que j'allais pénétrer tout de go dans un monde qui m'était totalement étranger et où chaque heure m'apporterait des expériences nouvelles.

Ici, à Lausanne, où je dicte, enfoncé dans mon fauteuil rouge, il tombe pour la première fois du crachin depuis plusieurs semaines et, sans raison précise, je me sens mélancolique. C'est un mot que j'emploie rarement. C'est un état d'âme qui ne m'est pas familier.

On dirait que le jeune Sim et moi-même ne sommes pas, ce matin, sur la même longueur d'onde et, si j'allais jusqu'au bout de ma pensée, je dirais peut-être qu'il m'irrite.

J'étais parti comme chaque matin pour l'impasse peu engageante au fond de laquelle se trouvait la Ligue. J'avais gravi les marches de l'escalier toujours poussiéreux et poussé la porte peinte en gris sale. Tout de suite, je remarquai que les deux jeunes filles et le jeune homme au visage rougeoyant me regardaient d'un œil malicieux.

— M. B. V... demande à vous voir tout de suite.

Je n'en croyais pas mes oreilles. C'était la première fois que j'allais le rencontrer autrement que par hasard et surtout à une heure aussi matinale.

Je descendis, le cœur battant, frapper à sa porte, entendis sa grosse voix qui me criait d'entrer. Il vissa son monocle dans l'orbite gauche et me regarda des pieds à la tête avec une certaine solennité.

— Il y a une tâche importante que je voudrais vous confier et je crois que vous en êtes capable. En tout cas, je vous fais confiance.

La solennité faisait partie du caractère de B. V... Rien de ce qui le touchait ou de ce qu'il touchait n'était ordinaire ou banal. Tout était d'une importance capitale, y compris son rôle d'écrivain et de politicien.

— Avez-vous déjà entendu parler du comte de T...?

Je cherchai dans ma mémoire, ne trouvai rien et l'avouai innocemment.

— C'est un homme extrêmement riche, extrêmement influent, qui appartient à la plus haute noblesse de France. C'est en grande partie grâce à lui que la Ligue des Chefs de Section et des Anciens Combattants peut vivre. Je l'ai vu hier. Il cherche un secrétaire. Je lui ai parlé de vous. Il vous attend ce matin à onze heures dans son hôtel particulier de la rue La Boétie.

Je ne trouvais rien à répondre. Le plus curieux, c'est que depuis quelques jours j'hésitais à quitter la Ligue pour essayer de vivre avec mes petits contes galants. Je n'en promis pas moins d'aller à onze heures rue La Boétie où, à mon coup de sonnette, un maître d'hôtel, vêtu comme les maîtres d'hôtel dans les films, m'ouvrit la porte.

Je voulus parler. Il ne m'en laissa pas le temps.

— Vous avez rendez-vous à onze heures, n'est-ce pas?

Et, comme je faisais un signe affirmatif, il décrocha un téléphone intérieur.

— C'est vous, Albert? La personne que M. le Comte attend est arrivée.

Après quoi, il me précéda dans un vaste escalier jusqu'à une très grande pièce qui devait être un bureau où régnait le plus grand désordre.

Quelques minutes plus tard, le comte de T... faisait son entrée, en robe de chambre de soie, les pieds chaussés de pantoufles en chevreau rouge.

— On vous appelle Sim?

Je balbutiai :

— C'est ainsi, en effet, qu'on m'appelle depuis que je suis entré dans le journalisme. Mon nom véritable est Georges Simenon.

— Je vous appellerai Sim.

Il ne doutait ni de mon acceptation, ni de ce dont il pourrait faire de moi.

A Liège, j'avais vu de ces gros hôtels particuliers en pierre de taille, jamais très éclairés, où vivaient les propriétaires des mines dont on voyait les terrils tout autour de la ville ainsi que les grandes usines dont les cheminées crachaient du feu. Les gens qui vivaient dans ces bastions, je ne les avais jamais vus de près. Je ne savais pas comment ils parlaient, comment ils mangeaient, comment ils vivaient.

Le comte de T... appartenait à ce monde-là et je l'avais devant moi, à moins de trois mètres, allumant une cigarette tout en m'examinant avec bienveillance.

— Je ne sais pas combien vous gagnez à la Ligue. Pour ma part, je vous donnerai quinze cents francs par mois. En outre, lorsque nous serons dans un de mes châteaux, vous serez logé et nourri. Vous êtes marié?

— Depuis deux mois.

Son front s'assombrit.

— J'aime moins ça. J'espère qu'au cours de nos voyages votre femme ne voudra pas nous accompagner?

Que répondre?

— Elle est peintre et vit beaucoup de son côté. Vous n'aurez pas d'ennuis avec elle.

C'était une petite trahison, bien sûr, ou un mensonge. Cela finirait d'ailleurs par s'arranger.

— Mon père est mort il y a deux ans. Ma mère est morte à son tour le mois dernier. Quant à mon frère, qui était mon aîné, et qui aurait dû s'occuper de l'héritage et reprendre le titre, il a été tué à Douaumont.

Un silence. Je m'efforçai de prendre un air de circonstance.

— Il y a dans cette pièce, disséminées au petit bonheur dans les tiroirs, des centaines de lettres que je n'ai jamais lues. J'ai besoin aussi de quelqu'un qui réponde au téléphone, qui prenne ma correspondance en sténo et la tape ensuite à la machine.

Une idée lui passa par la tête :

— Vous êtes sténographe ?

Ça, c'était plus difficile. Dire oui ou dire non ?

— C'est-à-dire que j'ai ma sténographie personnelle. A Liège, il m'arrivait de prendre ainsi des discours entiers d'hommes politiques et de les taper ensuite *in extenso*.

Un jeune valet de chambre en pantalon noir et en veste blanche, les cheveux roux, le teint clair, les yeux bleus, vint apporter un cocktail sur un plateau d'argent.

Ce matin-là, le comte de T... ne m'en offrit pas. C'était un bel homme, très grand, les cheveux et la moustache légèrement touchés de gris. Il passait d'une idée à l'autre comme sans y toucher et l'on sentait que pour lui ces détails avaient peu d'importance et que quelques minutes suffisaient pour les régler.

— Pouvez-vous commencer demain ?

— Cela dépend de B. V...

Il ne haussa pas les épaules. Sa mimique ne fut ni hautaine ni méprisante. Mais il est évident qu'un B. V..., malgré son monocle et ses romans, n'était qu'un petit personnage à qui il suffisait de donner des ordres. Et l'ordre, il le donna. Je commencerais à travailler le lendemain à neuf heures.

J'étais joyeux. J'invitai Tigy à faire un bon déjeuner dans un restaurant respectable. Je me demandais déjà comment je me ferais payer mon premier mois d'avance.

Depuis ce matin je me sens barbouillé. Est-ce parce que j'ai parlé de mon entrée, bien modeste, je pourrais presque dire par la porte de service, dans un monde nouveau où je ne devais rester que deux ans ? Je ne le crois pas. Cela n'a rien de triste. Au contraire, j'étais dans un état d'exaltation joyeuse et, pour la première fois, je me suis offert une jolie fille de la Madeleine, ce que je n'avais jamais osé jusqu'alors.

Je crois que la cause est toute différente. J'ai soixante-dix ans. J'ai travaillé toute ma vie d'arrache-pied. Je m'étais toujours imaginé qu'à vingt ans, puis à trente, puis à quarante, et ainsi de suite, il arrivait un moment où l'on pouvait faire ce dont on avait envie. Ce n'est pas vrai. A soixante-dix ans, je n'en ai pas encore le droit.

Un dimanche matin brumeux, ouaté, comme je les aime. Au fait, je les aime tous, j'aime tous les matins, qu'ils soient ensoleillés, grisâtres ou hachurés de pluie. Sans raison, je n'ai pas envie d'aller me promener ce matin et je jouis de la quiétude de mon appartement.

Un petit problème me tracasse, encore que le mot tracasser soit un peu fort. J'ai déjà parlé des images qui me viennent à l'esprit un peu avant de m'endormir. Cela dure depuis des années, peut-être depuis toujours, mais je n'y faisais pas attention.

Ce qui me frappe, c'est que ces images, jadis, étaient relativement peu nombreuses, comme les quatre sapins d'Embourg, la rue Puits-en-Sock et la chapellerie de mon grand-père, certaines promenades au bord du Loing, etc. Une vingtaine?... Une cinquantaine?...

Peu importe. Depuis que j'ai pris l'habitude de me servir de mon enregistreur, ces images se sont multipliées dans une proportion surprenante. Elles affluent à tel point que quelquefois on dirait qu'elles vont me déborder. Où étaient-elles avant? Et pourquoi, à présent, s'imposent-elles à moi avec une telle force?

Je ne les choisis pas. Je ne fais aucun effort, bien au contraire, pour les éveiller. Elles sont de toutes les sortes, des roses, des sombres, des tendres, des cruelles, et elles comportent parfois des personnages que je croyais avoir oubliés.

De plus en plus le petit Sim de Liège, puis de Paris, devient un être distinct de moi que j'interroge avec curiosité et parfois avec une certaine angoisse. Ces images, c'est lui qui les a enregistrées, à son insu. C'est son cerveau qui les a choisies parmi les millions d'images qui traversent le cerveau d'un homme.

Lorsqu'il n'y en avait que quelques-unes, presque toujours les mêmes, je pouvais comprendre que certains souvenirs m'avaient frappé, surtout pendant mon enfance.

Maintenant, il y en a trop et je m'efforce de me les expliquer. Car, en somme, je suis l'héritier du petit jeune homme qui se présentait chez le comte de T... et qui fêtait cette sorte d'ascension en allant choisir une jeune femme boulevard de la Madeleine.

Pendant presque toute une vie, ces souvenirs-là sont restés enfouis quelque part. Et voilà qu'à soixante-dix ans je les revis avec autant de force que je les ai vécus la première fois.

On dirait que c'est lui qui choisit et pas moi. Il m'entraîne dans une vie que parfois je ne reconnais pas, qui souvent me gêne, et je me demande si je ne ferais pas mieux de casser mon enregistreur.

Il est trop tard. C'est devenu plus qu'une habitude : un vice. J'ai

72

besoin, presque chaque matin, d'une confrontation avec ce gamin-là.

Est-ce que, pendant tant d'années, j'ai mené une vie artificielle, étrangère à moi-même, et est-ce maintenant que j'entre dans la réalité, dans la véritable vie? Est-ce qu'à force d'être les autres pendant plus de cinquante ans je n'ai pas oublié d'être moi-même?

En tout cas, je me désoriente comme si, soudain, je me découvrais un autre homme dont je trouve peu à peu, très loin, les racines.

Une pièce, basse de plafond, qui doit avoir trois mètres sur trois mètres cinquante. Les murs sont peints à l'huile. L'unique fenêtre donne sur la cour. La porte vitrée laisse apercevoir un corridòr où une lanterne aux verres multicolores jette une lumière étrange.

Un poêle à charbon à deux fours. Une table recouverte de toile cirée.

Dans un fauteuil d'osier, mon père, en bras de chemise, lit son journal. Dans un autre coin, ma mère, en tablier à petits carreaux, épluche des pommes de terre. Mon frère est déjà au lit. Renversé sur une chaise, j'ai les deux pieds dans le four et je lis.

Cela doit être une image du temps de guerre, car je ne vois ni n'entends de locataires.

C'est une des images qui me viennent naturellement à l'esprit.

Or, j'ai passé deux ans dans le sillage du comte de T... et il me faut un effort pour retrouver des souvenirs précis ayant une forme et une couleur.

Ce que je revois le plus nettement, c'est lui-même. La taille de mon père. Un beau visage au nez un peu fort, comme mon père d'ailleurs. Des cheveux grisonnants, je crois l'avoir dit, et de petites moustaches presque blanches.

Que faisait-il de ses journées ? Quels étaient ses intérêts dans la vie ? Quelles étaient sa véritable personnalité et son opinion sur les gens et les choses, j'aurais de la peine à le dire.

Il dormait beaucoup. Autant que j'en puisse juger, il se levait vers dix heures du matin, passait une heure dans son appartement, apparaissait vers onze heures dans le bureau où j'essayais de m'y retrouver dans le fatras d'une correspondance déjà vieille ou plus récente. Beaucoup de lettres de la Banque Rothschild, à Londres, sur très beau papier bleu, d'une calligraphie élégante. Des relevés de comptes. Des relevés de comptes aussi de banques parisiennes. Enfin, des factures, de Cartier, du plus grand fourreur de Paris, de maisons de luxe de Londres. Quelquefois il y avait quatre ou cinq factures pour le même achat. Je disais :

— Dois-je préparer un chèque?

Il me répondait :

— Cela ne presse pas.

Ces factures étaient souvent vieilles de deux ans. J'ai compris que, dans certains milieux, il était de bon ton, alors, de payer les factures le plus tard possible, non par manque d'argent, mais parce que cela prouvait au contraire qu'on en avait et que les fournisseurs, tailleurs, entrepreneurs, bijoutiers, etc., ne s'inquiétaient pas.

Les banquiers, je les ai vus. Leurs banques existent toujours. Il lui arrivait, à six heures du soir, d'en convoquer un par téléphone et de lui donner rendez-vous à dix heures du soir le même jour.

Tout cela, sans ostentation, naturellement, comme si ça allait de soi.

Naturellement aussi, il entretenait dans un de ses châteaux un Russe qui avait été très riche avant la Révolution et qui maintenant se trouvait sans ressources. Le Russe avait le même tailleur que lui et des comptes ouverts chez les mêmes fournisseurs. Tout cela parce que le comte de T..., vers 1910, avait été invité pendant deux mois à chasser en Russie.

Je retrouve, dans le fouillis de ma mémoire, des souvenirs qui me paraissent parfois étranges sinon inhumains.

Par exemple, il possédait, autour d'un de ses châteaux, une propriété d'environ trois mille hectares comportant vingt-huit fermes. Ces fermes étaient en métayage et certains métayers vivaient là de père en fils depuis six ou sept générations. L'un d'eux vient se plaindre que la grêle a fêlé deux de ses vitres. Le comte de T... lui répond tout naturellement :

— Un carreau fêlé n'est pas un carreau cassé.

Il ne se rendait pas compte de l'ahurissement dans lequel me plongeait cette réponse. Je découvrais un autre monde, pas nécessairement dur, mais tellement habitué à un genre de vie et de pensées qu'il n'imaginait pas que quoi que ce soit puisse changer.

A onze heures, il était toujours un peu somnolent. On apportait, non plus un seul cocktail mais deux, car j'avais acquis le droit à un cocktail, moi aussi.

La comtesse de T... était quelque part dans la maison ou dans le château, mais ce n'était que par hasard que je l'apercevais et il me semble que son mari ne la voyait pas beaucoup plus souvent que moi.

J'ai décrit notre cuisine, à Liège. Elle était à notre mesure. Nous nous y sentions à l'abri, au chaud, en famille. Il n'y avait pas besoin de parler pour qu'on se sente en contact l'un avec l'autre.

Pendant deux ans, je ne devais pas ressentir ces contacts. Tout était trop vaste. Tout était trop désordonné. Par exemple, dans le principal château, celui de Saint-Jean-des-Bois, il m'a fallu un an pour découvrir une grande pièce où vingt femmes et jeunes filles passaient leur journée à coudre les chemises du comte, à les laver et à les repasser.

Il y avait des gens partout, mais anonymes, des mannequins presque, accomplissant machinalement des tâches toujours les mêmes et recevant à peine, de temps en temps, un regard distrait du comte ou de la comtesse.

Est-ce que j'étais un de ces mannequins-là? Je ne le pense pas, malgré le peu d'importance réelle de mon rôle. Pour une raison ou pour une autre, le comte de T... me montrait, sinon une certaine affection, tout au moins de l'intérêt et de l'indulgence.

Par exemple, le premier matin au château de Saint-Jean, je me suis présenté à neuf heures au bureau comme je le faisais à Paris. J'ai trouvé le comte au milieu de la cour, en bottes et culotte de cheval. Il m'a regardé d'un air surpris, comme s'il y avait quelque chose d'étrange dans mon comportement, et il a fini par murmurer :

— Ici, on commence le travail à huit heures du matin.

J'ai rougi. J'ai encaissé. Quelques jours plus tard, alors qu'il était de fort bonne humeur et qu'il venait de me raconter une anecdote que j'ai oubliée, il a saisi légèrement une mèche des cheveux qui me tombaient sur la nuque. Il n'a fait aucun commentaire. Il s'est contenté de hocher la tête d'un air navré.

Cela signifiait évidemment que ma coiffure était de très mauvais goût et je me suis hâté d'aller me faire couper les cheveux.

Nous voyagions souvent, lui et moi, d'un château à l'autre, et alors je dormais dans la chambre voisine de la sienne, dans le lit qui devait être celui de la comtesse, et le matin c'était parfois lui qui venait me secouer légèrement l'épaule pour m'éveiller avec un sourire paternel.

Tout cela, dans ma mémoire, reste chaotique. Deux autres détails. Il lui arrivait de me dire, le matin :

— Harengs?

Je comprenais tout de suite. Il raffolait des harengs fumés qu'on ne lui servait pas d'habitude. Je les appréciais aussi. Alors, en l'absence de la comtesse et d'invités, nous faisions ensemble une orgie de harengs.

C'était une entorse aux bonnes règles, un peu comme une farce, car le hareng saur était alors le plat du pauvre.

Il avait hérité d'un château dans le Gers et il avait trouvé dans les chais plus de cent tonneaux d'un armagnac vieux de plus de cinquante ans. A la fin du repas, il y avait deux bouteilles à table : une bouteille d'une liqueur commerciale fabriquée dans les Pyrénées et dont il se délectait; une bouteille de vieil armagnac dont j'abusais quelque peu et qui me plongeait pour tout l'après-midi dans une somnolence béate.

Ce matin, j'ai été tenté de ne pas bavarder à mon micro, parce que je me sentais et que je me sens encore patraque.

Je le fais cependant, car depuis plus d'un mois que je bavarde ainsi tous les jours, c'est devenu un besoin et comme une drogue. Cela me donne l'impression de vivre sur deux plans : le plan quotidien, feutré, douillet, presque voluptueux, et un passé pour lequel selon les jours j'éprouve des sentiments contradictoires.

Lorsque j'avais quatorze ou quinze ans je me suis senti une passion : celle de bibliophile! Je me suis acheté, d'occasion, le manuel du libraire ou le livre du libraire, je ne sais plus, qui, pour tous les auteurs, donne la date de publication de leurs ouvrages, le format, etc.

A cette époque-là, il y avait à Liège cinq ou six libraires qui ne vendaient que des livres d'occasion. L'un d'eux m'intéressait particulièrement. C'était un gros homme à la mine réjouie qui vendait les livres avec toutes les roueries d'un marchand de bestiaux.

Ce qui l'intéressait surtout, c'était les ouvrages qui étaient au programme des écoles, des collèges et des universités. Quant au reste, il n'avait qu'une connaissance très approximative des auteurs, à moins que ceux-ci n'aient été publiés récemment sous couverture jaune.

Je fouinais. J'empilais des livres sur un coin de table. Je le faisais exprès de mélanger les éditions rares et les livres qui ne m'intéressaient pas. Lorsque je considérais la pile comme suffisamment haute, je l'appelais et je disais par exemple :

— Dix francs le tout?

Il hochait la tête, désignait un René Boyslève ou un René Bazin :
— Rien que celui-ci vaut quatre francs.

Alors, petit à petit, j'enlevais les livres auxquels il tenait, ne laissant que ceux qui m'intéressaient personnellement. C'est ainsi que j'ai acheté, par exemple, l'édition princeps des *Mémoires* de Casanova, l'édition princeps aussi des *Sermons* de Bourdaloue, sans compter des originales de Chateaubriand, de Lamartine, de Balzac, de Victor Hugo.

Ces livres-là, je ne les ai plus. Je les ai vendus les uns après les autres pour payer les camemberts du faubourg Saint-Honoré ou les filles du boulevard des Batignolles.

Si j'évoque ce souvenir aujourd'hui, c'est que j'allais, dans un des châteaux de T..., me trouver au milieu de véritables trésors. Mon bureau se trouvait dans un coin d'une immense bibliothèque qui sentait bon. Et, dans cette bibliothèque, s'alignaient les ouvrages que les comtes de T... avaient amassés génération après génération pendant près de quatre siècles.

On trouvait, entre autres, les premières éditions de Pascal, de ses amis de Port-Royal à côté des œuvres romantiques, le tout pêle-mêle, dans un désordre fascinant, car j'allais de découverte en découverte.

Un jour, j'en parlai à T... qui fut surpris d'apprendre qu'il possédait ces trésors, car il venait à peine d'hériter du château et il mettait rarement les pieds dans la bibliothèque.

Je lui ai proposé d'en dresser un catalogue et il a accepté, sans trop d'enthousiasme, plutôt, je suppose, pour me faire plaisir.

J'ai commandé le manuel du libraire et pendant plusieurs mois j'ai passé des heures chaque jour à feuilleter de vieux livres merveilleux.

Vers quatre heures, le comte de T... venait me dicter quelques lettres, comme sans y croire. On aurait dit qu'il ne croyait en rien de ce qu'il faisait, que ce soit la chasse, les dîners avec des hobereaux des environs ou de brefs voyages, en ma compagnie, dans un de ses autres châteaux.

Rêvait-il? Je n'en sais rien. Un léger sourire flottait toujours sur ses lèvres et il avait les paupières lourdes de quelqu'un qui sort à peine du sommeil. Vers six heures, dans le salon voisin, qui n'était séparé de la bibliothèque que par une large baie toujours ouverte, on servait une demi-bouteille de champagne et la comtesse venait s'asseoir près de son mari. Parfois, je les entendais murmurer quelques phrases, mais je compterais sur les doigts les conversations animées.

Quand j'évoque cette époque-là, ce milieu-là, j'ai une impression d'irréalité. A l'automne, on organisait de grandes chasses. J'étais chargé d'établir les cartes que l'on remettait à chaque invité pour lui indiquer sa place dans les différentes traques.

Je les revois prenant, avant de partir, quelques verres de vin blanc avec des sandwiches avant de quitter le château. Il y avait invariablement les deux ou trois banquiers du comte, qui portaient des noms aristocratiques. Les autres invités aussi, sauf un, petit et rondouillard qui, j'ignore pourquoi, était reçu à ces chasses. Il est vrai qu'il était très riche et qu'il possédait un vaste château historique.

A part les banquiers, personne ne faisait rien. Personne non plus ne paraissait passionné par tel ou tel côté de la vie. Ils venaient chasser comme on va à son travail. Ils déjeunaient parce qu'il fallait manger, se racontaient des histoires parce qu'il fallait bien dire quelque chose.

Je force peut-être un peu la note, mais, plus je les revois dans ma mémoire, plus il me semble avoir contemplé un monde mort.

Aujourd'hui, on pourrait le croire mort pour de bon, car il ne correspond plus à rien.

Eh bien, non! Il existe toujours, toujours aussi mort, mais pas vraiment mort.

Ce matin, j'étais maussade, mal dans ma peau, simplement parce qu'hier soir, j'avais trois dixièmes de plus de température, je veux dire trois dixièmes au-dessus de la normale. Ayant eu trois ou quatre bronchites en l'espace de deux ans, je vis dans la peur d'en avoir une à nouveau.

Est-ce à cause de cela que je me suis peut-être montré un peu sévère? Je n'entretiens aucune rancune, aucune antipathie vis-à-vis des gens dont j'ai parlé. Au contraire, le comte de T... est un des trois ou quatre hommes dont je me souviens avec le plus de plaisir, à cause de son indulgence qui a eu sur moi beaucoup d'influence.

Si lui et les siens, si tout ce monde vit comme en marge, dans un univers anachronique, est-ce leur faute? Ils trouvent naturel d'être différents, de se trouver à la place qu'ils occupent, de jouir des privilèges dont ils jouissent.

Je devais mieux le comprendre plus tard, lorsque j'ai rencontré un autre comte, qui habitait lui aussi un vaste château. Ce château comportait pour le moins vingt-cinq pièces dont certaines très grandes. Ce comte-là vivait avec sa femme et un enfant. Or, pour s'occuper de toutes ces pièces, de la cuisine, du nettoyage, du service, etc., il y avait en tout et pour tout une vieille cuisinière et un jardinier. Comme le parc à la française était de grandes dimensions aussi, le jardinier ne pouvait guère que donner de rares coups de main dans la maison.

Un jour, je me suis permis de demander au comte où il avait rencontré sa femme. Il m'a regardé avec un certain étonnement.

— Vous voulez dire comment je l'ai choisie?

Et comme je faisais un signe affirmatif il a repris :

— Dans nos familles, on ne choisit pas sa femme. Si nous recevons un héritage, cet héritage ne nous appartient pas, mais appartient à nos enfants, puis à nos petits-enfants, et ainsi de suite. Notre devoir est, non seulement de ne pas diminuer le patrimoine, mais de l'augmenter à chaque génération. Le mariage est une façon de l'augmenter.

Il devait m'ahurir bien davantage en ajoutant que c'était sa mère qui avait écrit à l'évêque pour lui demander s'il connaissait une jeune fille riche et titrée qui serait disponible pour son fils.

Le père, lui, du temps où il vivait au château, descendait parfois en ville avec la cuisinière pour faire le marché. Un jour, chez la poissonnière, il a commencé par commander du poisson pour la table des maîtres. Une fois le poisson pesé, il a ajouté :

— Et maintenant mettez-moi du poisson un peu défraîchi pour le personnel.

La poissonnière, forte en gueule, a saisi le cageot qu'il désignait et le lui a envoyé à la tête.

Lui non plus, je suppose, ne l'avait pas fait exprès.

Il faut des générations pour en arriver là.

Johnny m'a téléphoné hier soir pour me dire qu'il venait d'être reçu à Harvard.

Toujours le 4 avril. Plein de soleil. Malgré le vent et le froid, je suis pleinement heureux et il y a autant de joie que de soleil dans l'appartement.

J'emploie souvent le mot image et ce mot-là, dans mon esprit, inclut non seulement des sensations visuelles mais aussi les odeurs, les sons, le chaud ou le froid, la pluie ou la grisaille.

Pour moi, les images et les souvenirs sont deux choses différentes. Les images que nous gardons, en tout cas que je garde, n'ont pas été enregistrées volontairement mais l'ont été par ce qu'on appellerait le subconscient. Elles sont plus ou moins nombreuses. Ce sont elles qui marquent les différentes étapes de ma vie.

Les souvenirs, au contraire, sont parfaitement conscients et je pense que nous en avons tous un très grand nombre, que nous pouvons même les provoquer avec plus ou moins d'exactitude.

J'ai passé près de deux ans dans le château de T... Or, si j'en ai gardé un grand nombre de souvenirs, il ne m'en reste que très peu d'images, deux surtout.

D'abord, la grande cour derrière le château, sur la gauche. Elle était entourée sur trois côtés par des écuries car le père de T... faisait l'élevage de chevaux de course. T... lui-même ne conservait que quelques chevaux de monte, surtout pour sa femme, car je ne l'ai jamais vu en selle.

Dans cette cour se trouvait aussi la maison du régisseur, un homme qui m'a tellement impressionné que c'est d'après lui que j'ai créé le père de Maigret.

Il était grand, maigre, les traits burinés, toujours en bottes et en veste de velours. En réalité, c'était lui qui était en contact avec tout le domaine, allant même, à pied, une grande partie de la nuit, vers les foires des environs où les métayers vendaient leur bétail.

Dans une autre petite maison j'avais ce qu'on appelait ma chambre. J'étais censé être de service vingt-quatre heures sur vingt-quatre, dormir dans cette chambre et prendre mes repas chez le régisseur, où il sentait toujours bon la cuisine mijotée.

J'y prenais bien mes repas, mais je ne dormais pas dans ma chambre. Tout de suite après le dîner, je montais sur mon vélo et roulais aussi vite que possible le long d'un chemin bordé de grands bois et de champs où flottait presque toujours une légère brume. J'avais environ dix-huit kilomètres à parcourir pour atteindre une petite ville, un gros bourg plutôt, où j'avais loué dans un hôtel une chambre pour ma femme. C'est là que je dormais. Je devais me lever dès six heures du matin pour faire ma toilette et reprendre la route en sens inverse.

L'image, c'est la grande cour aux écuries d'abord. C'est aussi le chemin, surtout à l'automne, avec les bois se dessinant en noir, les champs qui venaient d'être labourés.

Combien de temps cela a-t-il duré? Je serais en peine de le dire. Un beau jour, T... m'a regardé avec une petite lueur d'ironie dans les yeux et m'a demandé :

— Vous êtes content de votre lit?

J'ai rougi. J'ai tout de suite compris que, depuis longtemps, peut-être dès les premiers jours, il savait que ma femme était dans un petit hôtel, à dix-huit kilomètres du château, et que j'allais la retrouver chaque nuit.

— Vous savez qu'il y a une maison à louer dans le village? Elle ne comporte que deux pièces, mais je suppose que cela vous suffit. Est-ce que votre femme sait cuisiner?

— Un peu...

Voilà pour les images. Je n'en garde pas d'autres. Je ne pourrais même pas décrire cette maisonnette que j'ai louée et où, pendant longtemps, nous avons dormi sur un matelas posé par terre. Je ne revois pas la table sur laquelle nous prenions nos repas. C'est à peine si, avec un effort, je peux revoir le village.

La cour, la route à vélo, c'est bien peu pour deux années et pourtant c'est à peu près tout ce qui me reste de cette époque-là. J'ai beaucoup appris. J'ai beaucoup vu. J'ai rencontré beaucoup de gens appartenant à un monde que je ne connaissais pas. Mais rien de tout cela n'est entré réellement dans ma peau.

84

Je continuais à écrire des contes, à la sauvette, comme chez B. V... Je les envoyais à Paris. Le nombre de journaux auxquels je collaborais ainsi augmentait peu à peu, les mandats aussi.

Un jour, je décidai de retourner à Paris où ces collaborations seraient plus faciles et plus nombreuses. J'en parlai à T...

Je crois que tous les deux nous avons éprouvé une certaine mélancolie à nous séparer et d'ailleurs je devais le revoir plusieurs fois au cours des années suivantes.

Au printemps, j'occupai une petite chambre rue des Dames, parallèle au boulevard des Batignolles qui avait marqué mes débuts à Paris.

Une autre période de ma vie commençait.

8 avril 1973.

C'est par hasard que j'ai regardé ce matin le calendrier après avoir écouté les nouvelles à la radio.

Il y a trois jours, j'ai reçu d'un de mes meilleurs amis de Paris une lettre qui m'a à la fois ahuri et peiné. Il y consacrait plus de quarante lignes aux jeunes d'aujourd'hui.

Cet homme est à la tête d'une grosse entreprise. Il est grand-père. Il est plus âgé que moi. Il a des petits-enfants plus âgés aussi que mon fils Pierre.

Il ne parle que de canailles aux cheveux longs et aux ongles noirs qui manifestent dans les rues faute de discipline.

Or, les lycéens de France viennent, pendant une semaine, de montrer leur lucidité Ils ont fait plusieurs manifestations. C'était les filles qui se chargeaient du service d'ordre et qui, des deux côtés des rues et des avenues, isolaient le cortège en se tenant par la main pour former la chaîne.

Les étudiants des universités ont fini par suivre le mouvement et par occuper certaines universités. Puis ce sont les syndicats ouvriers qui ont décidé à leur tour de se joindre aux lycéens.

Ce matin, à la radio, on donnait des extraits d'un discours du Président du Conseil qui menace les lycéens de les faire marcher au pas, qu'ils le veuillent ou non. Il est vrai que c'est un ancien colonel. Il y a beaucoup de colonels, aujourd'hui, à la tête des gouvernements, dans le monde entier. On dirait qu'une vague de fascisme se dessine. C'est surtout, je pense, une vague de peur.

Comment les lycéens ne seraient-ils pas écœurés et inquiets pour leur avenir après avoir vu à la télévision la dernière campagne

86

électorale et le grouillement d'intérêts malpropres dont elle s'est accompagnée, d'avoir vu aussi ces élus satisfaits qui ressemblent à des revenants d'un autre monde?

Ils continuent, comme aux États-Unis par exemple, où l'I.T.T. est plus forte que le gouvernement, à s'allier avec des financiers du même genre qu'eux-mêmes dans les différents pays. C'est une sorte de toile d'araignée financière, ou un grand filet de pêche qui s'étend de plus en plus sur le monde pour attraper les petits poissons que nous sommes.

Les lycéens l'ont compris. Ils sont écœurés. Si j'étais à Paris, je serais ravi que mon fils Pierre, à quatorze ans, descende dans la rue et prenne, avec ses camarades, ses responsabilités.

Ce qui m'ahurit, et dans la lettre de mon ami et dans les discours officiels, c'est l'aveuglement de toute une portion de ce qu'on appelle la société. Ils veulent coûte que coûte empêcher une révolution qui nuirait à leurs intérêts personnels, sans se rendre compte que la révolution est déjà là.

Car, si les financiers s'entendent de pays à pays, les travailleurs et les intellectuels commencent à s'entendre, eux aussi.

Ce n'est pas en prenant la fuite que tous ces industriels sauveront leur mise. Je lisais hier qu'une des plus grosses firmes allemandes d'appareils photographiques avait transféré ses usines à Singapour parce que ce pays ne connaît pas les impôts et que la main-d'œuvre y est dix fois moins chère qu'en Allemagne. Fiat fait la même chose en installant des usines en Amérique du Sud.

Tout cela est le signe, je pense, d'une maladie qui n'est peut-être pas encore déclarée mais qui s'aggrave d'une façon sourde.

Je ne m'occupe pas de politique. Elle m'écœure. Si je fais aujourd'hui des réflexions qui y touchent, c'est que je pense à ces centaines de milliers de jeunes lycéens qui ont eu le courage et de regarder la réalité en face et de faire entendre leurs protestations.

Cela est-il arrivé déjà dans l'Histoire? Je ne le crois pas. En tout cas, je les admire.

Picasso est mort hier.

Depuis le début de l'après-midi, des gens s'en sont donné à cœur joie, à la radio, à la télévision, et ce matin dans les journaux.

La France possède un ministre de la culture. Culture de quoi? Ce n'est pas précisé dans le titre. Mais on a choisi pour ce poste, dans le nouveau gouvernement, l'écrivain le plus arriviste, le plus bête de toute sa génération. Si ses livres sont mauvais, il n'en est cependant pas responsable, car il les a fait écrire par des nègres. Cela l'a mené à l'Académie française.

Et, hier, on a pu le voir prononcer, sur Picasso, un discours ampoulé qui, récité de la même manière à Bobino ou dans n'importe quel music-hall, aurait été considéré comme un excellent numéro comique.

Bien entendu, comme toujours, on a eu soin, à peu près partout, de souligner le prix atteint par les toiles de Picasso, le nombre d'œuvres qu'il a produites pendant sa carrière, le prix aussi des moindres croquis griffonnés sur une table de café.

Est-ce vraiment ce qui intéresse le public? Est-ce le genre de nécrologie auquel un homme de l'envergure de Picasso avait droit?

Cela me met en boule. J'avoue que je suis indigné. Je ne me compare pas au peintre. J'espère cependant que ni Druon ni tous ceux qui ont parlé de Picasso n'auront l'idée de parler de moi.

Si seulement on pouvait laisser les gens mourir et être enterrés en paix!

J'avais enfin retrouvé une rue étroite, aux boutiques de toutes sortes, au bistrot familier, avec juste en face de l'hôtel une blanchisserie où des filles accortes, demi-nues, l'été, sous leur blouse, repassaient du matin au soir.

C'était à peu près l'atmosphère de la rue Puits-en-Sock, la rue commerçante du quartier que j'habitais à Liège. Aux étages, des petites gens, des petits métiers, des tailleurs, des fabricants de fleurs artificielles, que sais-je? Pendant les beaux jours, les fenêtres étaient ouvertes et tout cela formait un ensemble vibrant. On faisait partie d'un tout. L'hôtel lui-même était plein de vie et nous n'étions pas les seuls à préparer notre repas sur une lampe à alcool posée sur l'appui de fenêtre.

Tigy s'était remise, non à peindre, mais à dessiner, car il aurait été difficile de peindre dans une chambre aussi exiguë. En dehors du lit, elle ne comportait qu'une armoire à glace en sapin verni, un évier de porcelaine et deux chaises. Pas de fauteuil.

Il y avait encore une petite table peinte en blanc sur laquelle j'écrivais mes contes. Puis j'ai pris l'habitude d'aller les écrire dans un des bistrots du quartier. On me regardait curieusement, en se demandant ce que je pouvais bien faire.

Personne, bien entendu, ne connaissait les œuvres de Poum et Zette, d'Aramis, de Plick et Plock, de Georges Martin-Georges, etc.

Car, pour chaque journal, je devais avoir un autre pseudonyme. J'ai fini par en arriver à seize, tous inscrits très officiellement à la Société des Gens de Lettres.

Mon rêve était d'avoir un conte chaque semaine dans *le Matin*, comme Henri Duvernois. La directrice littéraire était Colette, qui avait épousé le directeur du *Matin*, Henri de Jouvenel. Elle recevait les manuscrits le mercredi. Je m'y rendis avec deux contes que j'avais écrits, pensais-je, dans le style des contes du *Matin*.

Le mercredi suivant, lorsque j'allai pour connaître le résultat de cette sorte d'examen, Colette hocha la tête.

— Trop littéraire, jeune homme. Beaucoup trop littéraire. Surtout, pas de littérature!...

Je fus un certain temps à comprendre ce qu'elle voulait dire : pas de *fausse* littérature.

Je me remis au travail. J'écrivis cette fois non pas deux contes mais trois et je les portai à nouveau à Colette. La semaine suivante elle était déjà un peu plus encourageante.

— C'est mieux. Mais encore trop de littérature, trop de mots rares, trop de phrases...

Enfin, un mercredi, elle retint un de mes contes. Maintenant, elle m'appelait :

— Mon petit Sim...

Je n'étais pas petit mais j'étais probablement le plus jeune de son équipe. Le conte parut. Puis j'en eus d'autres. Puis le jour vint où Colette m'annonça que je pouvais lui écrire un conte chaque semaine. Et, ce jour-là, je crois bien que je me suis saoulé. J'avais enfin atteint un but que je m'étais fixé depuis longtemps.

Boulevard des Batignolles, il y avait à cette époque un grand magasin qui existe peut-être encore : Luce. C'était un magasin d'alimentation. On y vendait des vins fins, des conserves de choix, des fruits exotiques, et aussi ce que l'on appelle maintenant des canapés, c'est-à-dire des bouchées au saumon, à la langouste, à des tas d'autres choses appétissantes.

Tigy et moi avons contemplé souvent cette vitrine, et, les jours fastes, lorsque j'avais vendu assez de mes petits contes, on achetait par exemple des coquilles Saint-Jacques préparées, de la salade de crabe à la mayonnaise, que sais-je encore? tout ce qui excitait ma gourmandise.

C'est vers ce moment qu'on créa, place Constantin-Pecqueur, à Montmartre, une fois par mois, la Foire aux Croûtes. Mon ami qui habitait toujours au fond de la cour, dans la rue du Mont-Cenis, y exposait et il entraîna Tigy à y exposer aussi.

Ici aussi, je revois du soleil mais filtré par le feuillage des arbres. Des peintres plus ou moins chevelus, plus ou moins jeunes, avec de larges chapeaux, exposaient des œuvres sans aucune valeur qui plaisaient aux petits-bourgeois du quartier : *Coucher de soleil à Deauville, Pêcheurs de crevettes près de Calais,* ou alors des titres plus prétentieux : *Mélancolie, Tristesse...*

Tigy se mit à dessiner des têtes de mauvais garçons que nous rencontrions lorsque nous allions nous promener rue de Lappe, où il existait cinq ou six bals musette. Rue de Bondy, nous achetions du bois déjà découpé pour les cadres. Nous encadrions donc tous ces mauvais garçons. Nous les suspendions à une toile de sac tendue entre deux arbres et... nous attendions.

Heureusement que je n'avais pas décidé de faire ma carrière comme commerçant. Il paraît que je restais là, près de notre étal, le corps tendu, le visage tiré, les yeux fouillant les traits des passants avec l'espoir que l'un d'eux allait enfin se décider à acheter.

Mais non! C'étaient les couchers de soleil sur la mer, les tristesse, etc., qui partaient comme des petits pains.

— Va donc te promener pendant que je garde les dessins, me conseillait Tigy.

Et je finissais par obéir, car je crois qu'elle avait raison en prétendant que je chassais le client.

J'avais découvert une petite brasserie très gaie, très confortable, très calme, dans la rue Caulaincourt. Un jour, après avoir lu plusieurs romans populaires, j'en commençai un, devant une table de marbre. Cela s'intitulait *le Roman d'une dactylo...* et cela devait être attendrissant. C'était impérieux dans ce genre de publication. Je finis ce petit roman en deux jours et j'allai le porter chez le principal éditeur de ces sortes de livres. Huit jours après, il me le payait. Je ne sais plus si c'était deux cents ou trois cents francs, mais j'étais satisfait d'avoir trouvé un nouveau débouché.

Je n'imaginais pas encore que, de ces romans, de deux mille, de dix mille ou de vingt mille lignes, j'allais en écrire plus de deux cents.

Je ne m'appliquais pas à faire mieux que les autres. Il s'agissait en effet de donner à un public déterminé, en particulier les petites cousettes et les jeunes vendeuses, la pâture dont elles avaient besoin.

Tigy a exposé plusieurs fois à la Foire aux Croûtes, vendant, une fois, une tête d'apache pour quarante francs.

Pendant ce temps-là, dans le café amical où Courteline se serait senti heureux, j'écrivais d'autres romans populaires.

Il était temps de trouver un logement plus confortable que notre chambre d'hôtel. On se mit en chasse, Tigy d'un côté, moi de l'autre, lisant les annonces, courant d'un coin de Paris à l'autre, et l'un de nous deux, je ne sais plus lequel, trouva enfin notre appartement de la place des Vosges.

Avant que je quitte Liège, un ami m'avait dit :

— Quand tu seras à Paris, ne manque pas d'aller voir R... C'est un des rares écrivains belges à avoir réussi là-bas...

J'avais des remords de ne pas lui avoir encore fait signe et un beau jour j'ai téléphoné au numéro que l'on m'avait donné. Une femme me répondit, la voix claire et joyeuse.

— R... ne peut pas vous répondre au téléphone, car il est sourd. Vous êtes marié ?

— Depuis deux ans.

— Venez donc avec votre femme dîner demain à la maison.

Elle me donna une adresse au bas de Montmartre, quelque part aux environs du square Saint-Georges.

J'y trouvai une femme accorte, plaisante, encore jeune, qui nous observa tous les deux avec bienveillance, avant de voir s'avancer un petit bonhomme maigrichon, en veston d'intérieur à brandebourgs, en pantoufles de feutre brun, qui tenait à la main un immense cornet acoustique en imitation d'écaille. Chaque fois qu'on lui parlait, il tendait le cornet vers la bouche de son interlocuteur.

L'appartement était petit, mais agréable, très bourgeois, avec beaucoup de bibelots, beaucoup de petits tapis. Je ne me souviens pas de ce qu'on nous a servi à dîner mais c'était de la bonne cuisine de famille et je m'en pourléchai.

R... me dit :

— En somme, vous êtes venu à Paris pour gagner votre vie avec votre plume.

Cela me paraissait prétentieux, mais je ne pouvais faire autre chose que d'approuver.

— C'est très compliqué et ça demande tout un apprentissage. Par exemple, pour avoir un conte dans *Sans-Gêne*, il faut d'abord qu'il soit de deux pages d'imprimerie et qu'il ne contienne rien d'immoral, à plus forte raison d'irréligieux. L'amour doit être traité avec beaucoup de délicatesse. Le vieux Ferenczi est intraitable sur ce point. Je lui donne un ou deux contes par semaine depuis plus de dix ans.

Il était maigre et son visage tranchait d'autant plus avec l'immense cornet acoustique qu'il ne cessait de manier. A Liège, il avait écrit quelques pièces de théâtre en patois et on les jouait encore de temps en temps, ce qui lui procurait un modeste revenu.

— A *Frou-Frou*, au contraire, vos contes peuvent être beaucoup plus lestes, de n'importe quelle longueur, et vous pouvez employer des mots interdits à *Sans-Gêne* comme : seins, ventre, croupe, etc. Pour ma part, je ne m'y suis pas habitué.

J'étais plongé soudain dans un monde irréel. Il faisait chaud. On nous avait servi de petits verres de liqueur. Nous étions chacun dans un fauteuil et la jeune Mme R... nous observait tour à tour, ma femme et moi. Je pense que, pour une raison obscure, ma femme ne lui plaisait pas.

— Je ne parle pas de *Paris-Flirt*, qui est le plus vulgaire de ces hebdomadaires. D'ailleurs, c'est le journal qui paie le plus mal, quand il paie. Il leur arrive de vous faire revenir trois fois pour soixante francs. Quant à *Gens qui rient*, c'est une autre histoire. Ils sont sérieux mais n'ont pas une politique définie. Certaines audaces sont admises, d'autres pas, on ignore pourquoi...

Et, entrant dans le vif du sujet, il me demanda :

— Savez-vous construire un conte?

Je préférai hocher la tête.

— Bien entendu, il faut d'abord trouver le sujet, un sujet fort, aussi nouveau que possible. Il m'arrive d'en chercher un pendant deux ou trois jours, assis dans mon fauteuil ou accoudé à la fenêtre. Ensuite, on dresse un plan. Il y a l'exposition, nécessairement brève mais nette, car c'est elle qui doit amener le déroulement de l'action. Un peu de dialogue, après cette exposition, donne de la vie au récit et...

Je ne pouvais ni éclater de rire ni me mettre à pleurer. C'était ça, pour lui, la littérature!

Je n'ai jamais mis plus de dix à quinze minutes à trouver un sujet de conte, plus d'une demi-heure à trois quarts d'heure à l'écrire, même pour son fameux *Sans-Gêne* ou je publiai bientôt autant de contes qu'il m'en passait par la tête.

Maintenant, les paroles du petit bonhomme à l'immense cornet acoustique m'émeuvent. Car, dans les années suivantes, j'en ai découvert des centaines comme lui. On pourrait les appeler les tâcherons de la littérature. Se prennent-ils entièrement au sérieux comme il le paraît, je me le demande? Assez au sérieux, en tout cas, pour ne pas chercher d'autre issue.

Des années plus tard, j'en ai revu, les cheveux blanchis, qui écrivaient encore leurs petits contes ou leurs petits romans populaires et qui, chaque semaine, faisaient deux ou trois fois la tournée des éditeurs spécialisés.

Cette tournée me procurait mes meilleurs après-midi. Comme pour *le Matin*, chaque journal avait son jour pour recevoir les manuscrits et son jour pour les payer. Les locaux, souvent exigus et poussiéreux, étaient dispersés aux quatre coins de Paris. *Sans-Gêne*, par exemple, était à Alésia et il me fallait prendre le tramway No 10. Un autre avait une sorte de bureau-dépôt dans un sous-sol du quartier Voltaire.

Il y en avait rue Saint-Martin et dans les immeubles de la rue du Croissant consacrés du haut en bas à la chose imprimée.

Je découvrais des escaliers incroyables, des fenêtres de guingois, des métiers de toutes sortes logés dans ces maisons. Rue du Croissant, c'était l'activité fébrile, la bonne odeur d'encre d'imprimerie, la bousculade sur les paliers et dans les escaliers, car on y imprimait plusieurs quotidiens.

Sauf pour la rue d'Alésia et, plus tard, pour la rue du Saint-Gothard, où siégeait Fayard, je faisais toutes ces courses à pied, le nez en l'air, à m'imprégner de la vie qui coulait autour de moi. Tout me frappait. Tout s'enregistrait, l'apostrophe pittoresque d'un gamin des rues, la dispute entre une marchande des petites charrettes et sa cliente.

De temps en temps, quand j'apercevais un bistrot obscur d'où sortaient des bouffées de vin, j'entrais et buvais soit un saumur, soit un beaujolais, que le patron tirait au tonneau.

Le matin, ce n'était pas un travail mais une joie d'écrire de petits contes comme en jonglant et il m'arrivait souvent d'éclater de rire au beau milieu d'un passage. Les tournées de l'après-midi étaient encore moins un travail. C'était au contraire une joie toujours renouvelée d'aller le nez au vent, émerveillé par tout ce que je voyais, par l'apostrophe d'un gamin de la rue, par la trogne d'un clochard, par l'escalier branlant qui menait chez un de mes éditeurs et par la maison où tous les petits métiers étaient représentés.

Il y avait des bureaux sérieux, comme chez Fayard, chez Ferenczi. Mais il y en avait d'autres qui semblaient sortis d'un roman d'Eugène Sue ou de Balzac. Dans ceux-là, on ne voyait pas d'employés, ni de dactylos. Rien qu'un bonhomme plus ou moins mal foutu qui profitait de la vogue de ces hebdomadaires et qui, dans un an ou deux, vendrait peut-être des cravates à la sauvette au coin des rues.

Tout était beau. J'avais l'impression de découvrir la vraie vie. Le moment arrivait enfin, vers la fin de l'après-midi, où je pouvais chercher ma récompense, toujours la même : une femme. Cela allait du boulevard Sébastopol à la porte Saint-Denis, du boulevard Montmartre au boulevard de la Madeleine, selon la récolte, et il y avait enfin les appartements feutrés qui n'étaient désignés à l'attention des amateurs que par une plaque portant le mot « Massages ».

C'était pour les jours fastes.

Nous occupions une vaste pièce, très haute de plafond, comme toutes les maisons de la place des Vosges, avec deux fenêtres qui donnaient sur une cour pavée au fond de laquelle quelques arbres et quelques arbustes mettaient une note de verdure.

Cette pièce servait à peu près à tout. Un divan tenait lieu de lit. Une grande table était à la fois mon bureau et la table de salle à manger. Enfin Tigy avait maintenant un vrai chevalet massif à la place du chevalet de campagne qui lui avait servi jusqu'ici.

Nous disposions d'une seconde pièce un peu moins large que nous avions divisée en deux. Une partie était la cuisine, l'autre partie le cabinet de toilette. Faute de pouvoir y installer une baignoire, nous nous baignions dans un grand tub en zinc et nous nous douchions à l'aide d'une éponge.

Nous étions à la frontière de ce que l'on aurait pu appeler alors le ghetto. C'était l'ancien Marais, où l'on n'avait pas encore remis à neuf les vieux hôtels particuliers peuplés d'artisans qui travaillaient surtout l'or et les diamants.

Les amis de la rue du Mont-Cenis sont venus nous voir pendant un mois ou deux. Nous sommes allés à Montmartre quelquefois, nous aussi.

Puis, sans raison apparente, la scission est devenue plus profonde. Une nouvelle tranche de notre vie commençait, axée, non plus sur la bohème de Montmartre, mais sur la bohème, les bistrots, les deux ou trois boîtes de nuit, les marchands de tableaux de Montparnasse.

Tigy peignait beaucoup, surtout de très grandes toiles qui nous coûtaient les yeux de la tête, mais je n'osais rien dire.

Je travaillais, moi aussi, car les éditeurs de romans populaires prenaient toute ma copie et je continuais à écrire des contes.

Je continuais aussi à marcher. Quand j'y pense, je me rends compte, à soixante-dix ans, qu'où que je me sois trouvé, j'ai marché toute ma vie. C'était pour moi une nécessité : aller droit devant moi, le nez au vent, à humer les odeurs, à écouter des bruits, à happer des bribes de conversations et à me remplir les yeux d'images.

Le quartier du Marais, que je viens d'appeler le ghetto, s'y prêtait mieux encore que la rue des Dames ou que la rue du Mont-Cenis. Parmi la population, il y avait beaucoup d'étrangers, presque tous juifs, venant de tous les coins de l'Europe. Ils avaient leurs magasins et même, rue des Rosiers, deux bordels.

Je crois que tout cela a changé, comme la population de la place des Vosges et de l'île Saint-Louis. La place des Vosges est maintenant habitée par des vedettes, des producteurs de cinéma et des financiers. Il en est de même de l'île Saint-Louis dont nous allions, le soir, faire le tour.

Mais où n'allions-nous pas ? Tout était neuf, tout était passionnant, tout était à enregistrer, tout était un peu comme notre patrimoine.

Un jour par semaine, nous nous rendions au cinéma, non pas en ville, comme nous disions pour désigner les Grands Boulevards et les Champs-Elysées, mais au cinéma Saint-Paul, dans notre quartier, où nous reconnaissions des visages aperçus pendant la journée. Et, à l'entracte, entre les deux films, on allait boire un verre dans un bar voisin en attendant la sonnerie annonçant la fin de l'entracte.

Quelques mois plus tard, nous devions louer un second logement au deuxième étage. Il se composait d'une pièce aussi vaste que celle du rez-de-chaussée, d'une cuisine exiguë et, enfin, d'une salle de bains.

Tigy ne voulait toujours pas d'enfants. Nous avons acheté un chien. Un grand danois que nous promenions le soir autour de l'île Saint-Louis et qui a vécu plus de douze ans avec nous.

Le hasard devait aussi, la même année, nous fournir une bonne. Une amie, qui avait une villa au-dessus de la falaise, non loin de Fécamp, nous avait invités à passer la voir. Nous avons rencontré chez elle une gamine de dix-sept ans dont notre amie n'avait plus besoin et nous l'avons ramenée à Paris.

Son prénom était Henriette. Après deux ou trois mois, comme son visage s'arrondissait et pâlissait en même temps, je lui ai dit un jour qu'elle ressemblait à une boule de gui.

On a fini par l'appeler Boule. On l'appelle toujours Boule, car, si elle n'est plus chez moi, elle est chez Marc, mon aîné, qu'elle a vu naître, et soigne les enfants de Marc, qu'elle a vus naître aussi.

La vie de Montparnasse allait commencer pour nous, avec d'autres horaires, d'autres amis, d'autres intérêts.

Je n'ai pas l'intention de raconter l'histoire, ni même d'évoquer le Montparnasse des années 20 et des années 30. Pas plus que je n'ai eu l'intention de raconter l'histoire de Montmartre et de la place du Tertre.

Je voudrais qu'il n'y ait ici que des instantanés et, dans mon idée première, ils auraient dû se trouver dans le désordre, comme on dit pour le tiercé ou comme les personnages, oncles, tantes, cousines, grand-mères, etc., d'un album de famille.

Il se fait qu'instinctivement, presque à mon insu, j'ai suivi un ordre à peu près chronologique et cela me mécontente, car cela ne correspond pas à mon intention. Je ne voudrais surtout pas que ce que je dicte ainsi pour mon plaisir ressemble à un roman.

Contrairement à ce qu'il m'est arrivé de déclarer aux journalistes qui m'interviewaient, cela ne me manque pas du tout de ne plus écrire de romans, bien au contraire, et je crois que, même si je le voulais, je serais incapable d'en écrire aujourd'hui.

Comment Tigy et moi sommes-nous entrés dans la vie de Montparnasse, je n'en sais rien et j'ignore quand nous y sommes allés pour la première fois. A moins que ce ne soit quand nous sommes allés boulevard du Montparnasse, où il y avait alors un grand magasin d'articles pour peintres, et où nous avons acheté ce monument de chevalet que nous avons planté ensuite au milieu de la grande pièce du rez-de-chaussée, place des Vosges.

Je me revois aussi, un matin, vers dix heures, pénétrant à la *Rotonde* où trois ou quatre femmes attendaient. C'étaient des modèles professionnels que les peintres venaient choisir avant de se mettre au travail. Je les ai examinées l'une après l'autre. J'ai demandé à l'une si elle n'était pas maigre et elle s'est contentée de soulever sa robe jusqu'au nombril.

Un endroit que nous devions beaucoup fréquenter le soir était le *Jockey*, au coin de la rue de Chevreuse. La boîte était exiguë, bourrée à craquer toutes les nuits d'un mélange d'artistes, de modèles, de riches Américaines aux longs cordons de perles en sautoir.

Trois Hawaiiens formaient l'orchestre. Je ne sais pas comment on arrivait à danser, ou plutôt à se coller les uns contre les autres dans une quasi-immobilité.

L'air était envahi de fumée. On descendait au lavabo par un escalier qui n'était guère moins raide qu'une échelle.

Kiki, le fameux modèle, était la reine.

Nous parvenions tant bien que mal à nous asseoir et nous passions des heures à regarder et à respirer l'atmosphère.

A quoi pouvions-nous penser pendant tout ce temps-là? Je me le demande aujourd'hui. De voir des visages, de voir bouger, de savoir que nous étions à Montparnasse nous suffisait.

Nous rentrions à pied place des Vosges. Nous avons toujours beaucoup marché et, lorsque nous allions rue du Mont-Cenis, nous y montions et nous en descendions à pied aussi.

C'est une habitude que j'ai eue toute ma vie et que je conserve encore aujourd'hui. A la campagne, où j'ai habité le plus souvent, au bord de la mer, ici le long du lac, j'ai marché.

J'ai marché aussi à bord des paquebots. A cette époque-là, on mettait quarante-deux jours pour aller à Sydney, pas beaucoup moins pour aller à Tahiti. Le matin, je me levais de très bonne heure et je faisais le tour du pont vingt, trente ou quarante fois. Il n'y avait que le capitaine à en faire autant parce qu'il craignait, en restant sur sa passerelle, de grossir.

La *Rotonde* était le rendez-vous des peintres et j'y ai connu Pascin, Kisling, qui est devenu un de mes meilleurs amis, plus rarement Vlaminck, qui, lui aussi, est devenu un de mes grands amis et avec la famille de qui je continue à être en rapport.

Vlaminck était le seul à ne pas boire. Les autres buvaient beaucoup lorsqu'ils avaient de l'argent, comme moi-même. Lorsqu'ils n'en avaient pas, ils se contentaient d'un café-crème devant lequel ils restaient installés pendant toute la soirée.

J'étais un gamin qui venait d'une ville bien sage. Je découvrais un carrefour où on entendait parler toutes les langues et où, dans un minuscule restaurant qui ne payait pas de mine, on pouvait manger tous les plats russes.

Je crois qu'un même phénomène s'est produit après la Seconde

Guerre à Saint-Germain-des-Prés. Cette vie-là, je ne l'ai pas connue, car j'étais alors aux États-Unis.

J'ai vu, vers 1923 ou 1924, les peintres traverser le boulevard pour aller s'installer à la terrasse du *Dôme*. On était toujours sûr d'y trouver quelqu'un à qui parler. A ceux qui me demandaient ma profession, je ne pouvais répondre qu'évasivement, car ils n'auraient pas compris qu'un auteur de romans populaires et de petits contes galants puisse avoir d'autres ambitions.

En effet, tous ceux que j'ai connus dans les antichambres des éditeurs ont blanchi sous le harnais, continuant à écrire, année après année, les mêmes histoires qui arrachaient des larmes aux concierges sentimentales.

Si je n'avais pas de profession avouée, ma femme en avait une : elle était peintre, avec un P majuscule.

Moi, j'étais le mari.

Ce matin-là, dont je me souviens pour je ne sais quelle raison, je n'ai pas écouté le chant de la fontaine qui, place des Vosges, était juste devant nos fenêtres, ni les trilles des oiseaux voletant d'arbre en arbre.

Nous avions la gueule de bois et même une très méchante gueule de bois car la veille, rue du Mont-Cenis, nous avions bu force grappa, un alcool qui donne des lendemains pénibles. Incapables de travailler, nous sommes partis à pied, Tigy, notre chien Olaf et moi, le long de la Seine avec, un bon moment, sur notre droite, les grilles noires de la Halle aux Vins. Plus loin s'alignaient des quantités de tonneaux que venait de débarquer une péniche et nous nous sommes assis sur une grosse pierre, à suivre vaguement des yeux le débarquement. Il faisait gris. Un de mes rares souvenirs en grisaille. Mais il ne pleuvait pas et je revois une petite fille en robe rouge jouer sur le pont de la péniche.

Nous avons continué de marcher et nous nous sommes arrêtés seulement à Charenton, où le canal de la Marne rejoint la Seine.

Qu'est-ce que nous avons bu, dans ce bistrot où il n'y avait que des mariniers? Je l'ai oublié mais je me souviens que notre retour a été moins pénible et que, près de la Halle aux Vins, nous nous sommes arrêtés dans un autre bistrot où deux hommes en bleu portaient des sacs sur leur épaule.

Cette époque-là a été éblouissante. Dire quand elle a commencé m'est impossible. Dire quand elle a fini aussi. Tout était exaltant, y compris, quand il m'arrivait de m'éveiller la nuit ou très tôt matin, le bruit léger de la fontaine.

Un itinéraire nous était devenu familier. Nous traversions la

100

place, puis la rue Saint-Antoine toujours grouillante. La rue Saint-Paul, étroite et vieillotte, nous conduisait à la Seine et, en traversant un bras de celle-ci, nous arrivions dans l'île Saint-Louis.

De là, une assez laide passerelle en fer nous menait près des jardins de l'archevêché.

Encore un pont. Le boulevard Saint-Michel qui me rappelait tant de lectures. Puis le jardin du Luxembourg.

Des étudiants, des étudiantes étaient assis sur les petites chaises jaunes. Des nounous gardaient les enfants. Nous traversions le jardin de biais et, à l'autre bout, c'était déjà Montparnasse, la rue Vavin, le boulevard Raspail.

Je peux encore imaginer chaque pas de cette promenade mais l'idée ne m'est jamais venue de la refaire comme un pèlerinage. Les marchands de tableaux étaient nombreux, surtout des amateurs, et nous allions d'une boutique à l'autre, nous arrêtant longuement devant chaque toile. Après quoi, invariablement, nous nous retrouvions assis à la terrasse du *Dôme*. C'est là que j'ai aperçu pour la première fois Foujita, qui était déjà célèbre et qui devait devenir, avec sa femme Yuki, un habitué de la place des Vosges.

Nous vivions pour vivre. En réalité, rien n'avait d'importance, rien n'était dramatique, rien n'était vraiment sérieux.

Si. Une seule chose. Le nombre de pages que je devais écrire à la machine chaque jour. Les romans populaires étaient mal payés, certes. Aux environs de mille ou de quinze cents francs pour dix mille lignes; deux mille francs pour les romans de vingt mille lignes.

J'écrivais vite. Je pouvais abattre mes quatre-vingts pages par jour quand je le voulais. C'était souvent un enchantement. Surtout les romans pour les jeunes, c'est-à-dire les romans d'aventures. L'éditeur Tallandier avait deux collections, une collection bleue réservée à l'aventure, une collection rouge réservée aux sentiments, et quels sentiments!

J'écrivais pour les deux collections mais ma préférence allait à la collection bleue. Je m'étais offert le Grand Larousse et, pour écrire *Se-Ma-Tsien-le-Sacrificateur,* par exemple, il me fallait lire tout ce qui était dit sur le Tibet et sur les contrées voisines. Huit jours après, je me trouvais en plein Congo, notant le nom des plantes, des animaux, des différentes tribus. Venait le tour de l'Amérique du Sud, de l'Amazone.

J'ai voyagé ainsi dans le monde entier, assis devant ma machine, dans un rayon de soleil que dispensaient généreusement nos hautes fenêtres. J'avais une bouteille de vin blanc à portée de la main. J'en buvais parfois une gorgée. Je commençais tôt le matin, à six heures d'une façon générale, et je terminais en fin d'après-midi.

Cela représentait deux bouteilles. Et quatre-vingts pages.

De sorte que nous avions des jours fastes. A quelle date a eu lieu l'Exposition des Arts Décoratifs ? J'hésite entre 1925 et 1926.

Nous nous y rendions au moins deux fois par semaine et c'est là que nous avons décidé de l'ameublement de l'appartement du second étage.

La pièce principale était un grand bar dont le dessus, au lieu d'être en bois, était en verre dépoli, éclairé par une rangée de lampes qui se trouvaient en dessous. Les rideaux étaient de velours noir. Enfin, j'avais acheté un projecteur de théâtre permettant d'envoyer un faisceau lumineux blanc, rouge, bleu ou jaune dans n'importe quel coin de la pièce.

Je jouais à la vie. Je jonglais. Tout m'amusait. Tout m'enchantait.

Sans pourtant perdre de vue le but que je m'étais fixé : écrire des romans.

Pas des romans pour une collection bleue, rouge ou verte. Des romans qui exprimeraient ce que j'avais envie d'exprimer.

Je ne me sentais pas mûr. Souvent, le soir, j'écrivais « pour moi », comme je disais alors. C'était des récits de huit à dix pages que je ne tapais pas à la machine mais que j'écrivais à la main. Régulièrement, après une heure ou une heure et demie de travail, j'étais obligé d'aller vomir, comme j'ai dû le faire tant de fois plus tard.

Place des Vosges — Montparnasse. Un monde. Un monde lumineux, léger, exaltant. J'étais sûr de moi, sûr de l'avenir. Je me disais :

— Dans deux ans, je commencerai vraiment à écrire.

Et ma conviction était telle que je ressentais une satisfaction comme si c'était déjà fait.

Quant à Tigy, deux étages plus bas, au rez-de-chaussée, elle peignait. Nous étions allés rue de Lappe, dans les différents musettes, où nous embauchions des garçons ou des filles qui venaient poser. C'était moins loin et plus facile que d'aller les chercher à Montparnasse.

Une fois encore, peut-être deux, Tigy a exposé place Constantin-Pecqueur, mais je ne me souviens pas qu'elle ait vendu l'une ou l'autre de ses œuvres.

Elle en a vendu deux, pourtant. A cette époque-là, on parlait beaucoup de fortunes que des gens réalisaient ou avaient réalisées en achetant des peintures très bon marché et en les revendant très cher. Des petits-bourgeois qui n'y connaissaient rien essayaient de tenter l'aventure.

C'est ainsi que nous avons eu un client, le seul. Il ne devait pas avoir dépassé la quarantaine. Il regarda longuement un grand nu et en demanda le prix.

— Mille francs, répondit Tigy.

Nous étions persuadés qu'il allait fuir. Non seulement il n'a pas fui, mais il a désigné une seconde toile, je ne sais plus laquelle, et il l'a achetée pour huit cents francs.

Je ne pense pas qu'il ait fait fortune. Ce que je sais, c'est que, le soir même, nous décidions d'aller passer quelques mois dans une île. Nous ignorions laquelle. Mon Larousse, une fois de plus, nous a tirés d'affaire. Nous avons piqué le nom de Porquerolles, en face d'Hyères et de Toulon.

Nous partions, Tigy, Boule, Olaf et moi.

Je rentre de la ville où je suis allé faire un achat et où je me suis offert une pipe. C'est généralement pour moi une petite récompense que je m'offre à une occasion ou à une autre. Aujourd'hui, c'est simplement un signe de bonne humeur. Bonne humeur n'est pas assez, car il y a en moi une sorte de délectation.

Cela tient-il à ce que j'ai raconté ce matin à ce micro? Je le pense. Presque chaque jour, ces quelques phrases improvisées éclairent ma journée.

C'est ma vie, en somme, qui renaît, mais beaucoup plus belle, plus exaltante sans doute qu'elle n'a été réellement. Elle est décantée. Elle s'est débarrassée en cours de route de toutes les scories, de tous les moments maussades, des inquiétudes, des doutes.

Ce qui reste, c'est ce que la petite boîte mystérieuse dans ma tête a bien voulu garder et c'est pourquoi cela me paraît si savoureux. C'est en vain que je chercherais des pans d'ombre, des parties sombres ou angoissantes.

Comme je l'ai dit, je crois, quand j'ai commencé ces soliloques, je ne trouve plus en moi que du soleil et de la joie.

Dimanche. Dimanche des Rameaux. Je le sais parce que je l'ai entendu dire hier à la radio.

Je rentre de ma promenade matinale. Les rues sont vides. De loin en loin, une silhouette isolée dans la longue perspective du trottoir. De rares voitures.

104

Les cloches, comme tous les dimanches.

Mais je n'ai vu personne avec des brins de buis à la main. Lorsque j'étais enfant, chacun, à la messe, apportait son buis pour le faire bénir et, de retour à la maison, posait un brin dans les bénitiers que l'on avait dans toutes les chambres.

Y a-t-il encore des bénitiers dans les chambres? Place-t-on encore une coupe remplie d'eau au chevet des morts, avec un brin de buis que chaque visiteur prend à la main pour dessiner une croix au-dessus du cadavre?

Cinquante ans seulement et tant de petits détails de la vie qui ont changé. Je crois que c'est plus symptomatique que les cortèges et les manifestations bruyantes.

Si j'étais encore romancier, j'en ferais probablement tout un chapitre : ma descente vers la Méditerranée.

A la gare de Lyon, le Train Bleu. Le luxe des wagons-lits. Des valises Vuitton. Des voyageurs pas comme les autres.

Bien entendu, je ne voyage pas en wagon-lit. Je dors. Sommeil fiévreux. Vers Montélimar, je colle le visage à la vitre et, dans des champs pelés, je découvre des amandiers. Je dis des amandiers parce que ce sont les premiers que je vois de ma vie. En réalité, il s'agit peut-être de pêchers mais j'ai vu ailleurs des pêchers en fleur.

Il faut que ce soit le Midi et que je sois dépaysé.

A la presqu'île de Giens, non loin de Toulon, je vais embarquer sur un bateau blanc dont le capitaine s'appelle Baptiste. Son prénom n'a pas d'importance. Il en a pour moi.

Tous les détails sont importants parce que c'est un jour de découvertes. On aperçoit l'île de Porquerolles étendue au soleil, sa verdure sombre, quelques carrés blancs surmontés de rouge qui sont des maisons.

Le port avec ses quelques bateaux de pêche.

Tout cela m'a fortement ému. Il me semblait que les gens eux-mêmes étaient différents de ceux qu'on rencontre ailleurs.

A cette époque-là, il n'y avait que trois hôtels, dont deux très petits autour de la place entourée d'eucalyptus. Mais ce n'est pas là que je suis descendu. Tigy et moi, coltinant nos bagages, y compris ma machine à écrire, avons marché jusqu'au bout de l'île, jusqu'à

106

un endroit appelé le « Grand Langoustier » où on nous a loué, sous les arbres, une minuscule maison de deux pièces précédée d'une véranda faite de cannisses. Boule était avec nous. Olaf aussi.

Nous allions vivre plusieurs mois dans cette maisonnette et la véranda allait devenir mon bureau. En culotte courte, le torse nu, je tapais des contes, des romans. Après quoi nous nous enfoncions dans un maquis aux sentiers étroits, aux arbustes tordus, aux fortes odeurs de plantes provençales dont je ne me rappelle pas les noms.

Nous allions aussi nous promener le long des rochers qui surplombaient la mer et c'est là que j'ai connu une des expériences les plus bouleversantes de ma vie.

Je savais qu'il existait des poissons dans la mer. J'en connaissais certaines espèces pour les avoir vues dans les poissonneries et pour en avoir mangé. Je n'imaginais pas leur vie.

Soudain, je la découvrais. L'eau était limpide, transparente. On pouvait voir la tête d'un congre à l'affût dans son trou. On pouvait voir aussi les girelles multicolores nager par bancs et tout à coup affolées par un poisson plus gros qui les mangeait. Il y avait les crabes, les langoustes, les raies, les murènes, que sais-je encore ?

Nuit et jour, ces poissons se guettaient les uns les autres, selon leur grosseur et selon leurs moyens de défense, pour s'entre-dévorer.

On m'avait appris, enfant, que la nature était harmonieuse et paisible.

Ici, elle n'était ni harmonieuse ni paisible. Chaque poisson, chaque coquillage devait être sans cesse sur ses gardes sous peine d'être déchiqueté et dévoré. Une insensibilité totale. Rien qu'un perpétuel appétit.

Ces beaux poissons dont on admire les reflets dans un rayon de soleil passent leur vie, en réalité, dans une lutte contre la mort.

J'aurais dû le savoir. Je le savais, d'une façon théorique, comme tout le monde. Mais ici, sous un ciel bleu, dans une mer bleue, c'était mille drames auxquels j'assistais chaque jour.

Cela me troublait. Cela bouleversait toutes les idées que je me faisais sur le monde et sur la nature. Mais j'étais irrésistiblement attiré vers ces rochers d'où je pouvais assister à la véritable vie du monde.

Je ne l'ai jamais oublié.

Je me suis posé alors une question qui paraîtra naïve : Est-ce que les gens aux valises Vuitton que j'avais vus monter dans les wagons-lits n'étaient pas de gros poissons ?

Si mes souvenirs, mes images, étaient des cartes postales, il y en aurait peut-être une vingtaine pour mon premier séjour à Paris, de la gare du Nord au faubourg Saint-Honoré; puis une dizaine, pour un temps, plus long cependant, chez le comte de T...

C'est Porquerolles qui fournirait le plus de ces cartes postales. Pas seulement la promenade du matin pour voir arriver le bateau et débarquer les victuailles; pas seulement le vin blanc à la terrasse de chez Maurice, pas seulement non plus mes interminables parties de boules avec les pêcheurs. Tout cela est un peu effacé dans ma mémoire alors que me restent avec une netteté extraordinaire les images de la mer, celles dont je ne me lassais pas. Je courais les calanques et je me penchais sur l'eau tantôt plate, tantôt soulevée à un rythme lent et j'observais la vie des poissons, avec toujours le même malaise.

Que c'était loin du calme reposant d'une prairie verte où paissent quelques vaches blanches et noires ou blanches et brunes !

Ici, c'était à tout instant la guerre, une guerre sans merci. C'était tout le temps aussi l'attente, le qui-vive. Je ne pense pas que dans la vie des poissons, des crustacés, voire des coquillages, il y ait un seul instant d'apaisement.

Le danger est partout. Les uns sont mieux armés que les autres. Certains ont des piquants, d'autres l'avantage de leur vitesse. Mais, grands ou petits, aucun répit ne leur est accordé.

Je me demande s'ils dorment.

Malgré moi, je me laissais aller à des comparaisons avec la terre ferme. Bien sûr que, dans la forêt aussi, dans les champs, dans les rivières, la même lutte se poursuit entre les différentes espèces.

Il me semble pourtant que ces animaux-là ont parfois des moments de détente, de vraie ou de fausse sécurité.

Des cartes postales un peu troubles, donc. Toute une pile. D'autant plus que, dans les années suivantes, j'allais revenir à Porquerolles. J'allais y avoir une maison, avec ma propre jetée et mon bateau, un « pointu » comme ceux des pêcheurs. J'allais avoir aussi pour matelot Tado, le meilleur d'entre eux, et, ensemble, nous ajouterions à cette hécatombe.

A cette époque-là, cela ne me gênait en rien de ramener dans nos filets quarante ou cinquante poissons. Plus beaux, plus colorés ils étaient, plus grand était mon ravissement.

Aujourd'hui, je ne comprends plus. Qu'allais-je faire dans cette mer qui m'était étrangère et pourquoi, sous prétexte de sport, détruire encore ceux qui ne cherchaient qu'à se détruire?

Je n'aurai pas la naïveté de comparer cette lutte perpétuelle avec celle des hommes. C'est trop facile. Ce qui est difficile, c'est de penser à eux avec optimisme.

Je suis maintenant un vieux poisson et je voudrais que tous les poissons, jeunes ou vieux, petits ou grands, puissent vivre en paix sous le soleil.

Le matin, d'habitude (quand est née cette habitude?) je vais marcher une heure environ. C'est en rentrant que je m'installe devant ce micro. Non par obligation. Non parce que je veux m'exprimer coûte que coûte, mais par une sorte de besoin, de manie peut-être.

Aujourd'hui j'ai eu une crise, comme je dis, ce que je n'avais plus eu depuis longtemps. Légers vertiges. Avec comme une barre au front. Et une petite douleur à la poitrine.

Je n'ai pas voulu sortir. Je me suis contenté de lire *la Tribune de Lausanne* et, trois ou quatre fois, il m'est arrivé de revenir en arrière parce que je n'avais pas enregistré ce que je croyais avoir lu.

Quelque chose me tracassait. Au fond, je savais bien quoi. Lorsque le vertige a disparu et que la petite pointe à la poitrine s'est atténuée, je me suis assis devant mon enregistreur.

Pourquoi! Pour parler de poissons. Pour répéter ce que tout le monde sait, c'est-à-dire qu'ils se mangent entre eux, les plus gros s'attaquant de préférence aux petits.

Mais j'aurais pu bavarder sur n'importe quel sujet. Ce qui me manquait, c'était mon micro.

N'est-ce pas ridicule? Je suis ainsi l'esclave d'un certain nombre d'occupations inutiles auxquelles je me livre quotidiennement à la même heure. Il y a des horloges électroniques partout dans la maison et, sans les regarder, je sais l'heure qu'il est.

Si telle chose n'est pas faite au moment voulu (voulu par qui?) je me sens grognon, insatisfait, et toute l'ordonnance plus ou moins harmonieuse de ma journée s'en trouve bouleversée.

N'en est-il pas ainsi pour tout le monde? J'ai beaucoup lu

Montaigne lorsque j'étais jeune. C'était mon livre de chevet. Je me souviens d'un des passages qui m'a le plus frappé.

Alors que des événements dramatiques que j'ai oubliés, siège ou guerre civile, se déroulaient à Bordeaux dont il était le maire, il parlait dans ses cahiers du fonctionnement de sa vessie.

C'est un peu ce que je viens de faire ce matin.

Je ne bavarderai pas aujourd'hui à ce micro. Pour me punir. Me punir de quoi? De m'être laissé aller insensiblement à m'asseoir chaque jour à la même heure dans mon fauteuil rouge et à mettre mon magnétophone en route, d'avoir ajouté une manie à toutes mes manies.

L'année de mon premier contact avec Porquerolles, l'île comptait environ cent quarante habitants appartenant surtout à trois familles. On disait, comme au Moyen Age : Gaucher-barbu, Gaucher-tabac, Guercy-bistrot, Guercy-coiffeur, etc.

La place était immense, en terre battue, en pente légère, entourée d'eucalyptus. Tout en haut, une petite église bâtie jadis par la marine ressemblait à un jeu de cubes.

Ce matin-là, il faisait chaud. Des petits groupes d'hommes et de femmes stationnaient devant une maison dont la fenêtre était ouverte et on entendait :

— Oh!... Oh!... Aïe!... Putain de Sainte Mère!... Je t'en mettrai encore des cierges à l'église... Je ne devais pas souffrir... Et voilà que tu me laisses tomber...

» Aïe... Oh!... Je t'en mettrai encore, des cierges!...

Les gens écoutaient en commentant, les uns riant, les autres hochant la tête. C'était Adèle qui accouchait et les cris, les imprécations, les injures à la Vierge se succédèrent toute la matinée.

De temps en temps trois ou quatre hommes entraient chez Maurice pour boire un verre de vin blanc et revenaient prendre leur place devant la fenêtre.

112

C'est une des images de l'île qui m'a le plus frappé, car elle en illustre l'esprit.

Il y avait un vieillard qui se laissait pousser les cheveux et la barbe pendant toute l'année. Au printemps, il entrait tout habillé dans la mer, car il ne se déshabillait jamais, et il se rasait. Il dormait sur un banc. Quand il faisait vraiment trop froid, il allait se coucher dans une petite pièce appartenant à la mairie et où il n'y avait qu'une table et une chaise.

On ne savait ni son nom ni d'où il venait. L'été, en bordure de mer, il cherchait dans le sable des vers à tête dure qu'il vendait aux pêcheurs.

Quand on eut cessé de le voir pendant une dizaine de jours, le maire et moi avons eu l'idée d'aller voir dans le cagibi. Il fut impossible d'y entrer, tant il y avait de mouches. Le vieux était là, debout, les bras appuyés à la table. Il était mort.

Tout cela, c'est non pas seulement Porquerolles, mais c'est la Méditerranée. Une insouciance, une gaieté apparente. Et, sous ce faux-semblant, une vision plus ou moins tragique de la vie.

Par la suite, cette Méditerranée, je devais bien la connaître. Avec mon bateau, j'en ai fait le tour, allant de port en port. Il n'y avait à peu près pas de tourisme. On pouvait voir les habitants tels qu'ils sont.

Chaque fois je retrouvais le même enthousiasme et je me promettais de venir m'installer pour toujours, que ce soit en France, en Italie, en Grèce, en Tunisie, que sais-je?

Puis, après quelques mois, j'étais pris de rancune devant ce peuple nonchalant gorgé de soleil et de chaleur. Je me retrouvais l'homme du Nord qui avait besoin de ciel gris et même de journées pluvieuses, besoin aussi d'une activité organisée.

Ce combat entre l'homme du Nord et le Méditerranéen a duré des années, je pourrais dire toute ma vie, et, maintenant encore, si la Méditerranée n'était pas devenue un rendez-vous de touristes, je serais peut-être tenté d'y vivre.

Après quelques mois de Paris ou d'ailleurs, une simple bouffée chaude, une odeur d'eucalyptus ou de romarin créent chez moi le besoin de me précipiter vers le sud et, comme alors rien ne me retenait nulle part, je sautais dans ma voiture et prenais la route.

Porquerolles m'a marqué. Je n'y remettrai plus les pieds. J'y suis passé par hasard vers 1956 et je n'ai trouvé qu'une vaste exploitation des loisirs.

Où est-il le temps des Gaucher-barbu, Gaucher-tabac et tous les autres?

En tout cas, il n'y a plus place là-bas pour moi.

Jeudi Saint. Il pleut. Ce n'est pas ce qui me barbouille mais un souvenir de Porquerolles qui m'est revenu hier soir en m'endormant. Un des rares, sinon le seul désagréable que j'aie de l'île, et j'ai hâte de m'en débarrasser.

Je ne suis pas pudibond. Au contraire, j'aurais tendance à l'être trop peu, mais, si la sexualité ne me gêne pas, je n'aime pas non plus qu'elle s'accompagne de vulgarité.

Dans le port, un grand yacht était amarré. Le propriétaire ne venait que quelques jours par an. Le reste du temps deux matelots, des réfugiés russes, jeunes tous les deux, y vivaient. A eux deux, ils s'étaient payé un phonographe.

Comment le groupe s'est-il formé petit à petit? J'aurais de la peine à le dire aujourd'hui. Toujours est-il que nous partions la nuit tombée, vers onze heures ou minuit, au bord de la mer, et je revois entre autres les pins parasols, je sens sous mes pieds le tapis élastique d'aiguilles de pin.

On jouait des disques. On dansait. C'était de la poésie de carte postale. De temps en temps, un couple s'écartait et, quand il revenait, on n'y prenait pas garde.

Souvent, vers deux heures du matin, quelqu'un proposait de se baigner. J'avoue que ce quelqu'un était assez souvent moi. Nous n'avions pas de costumes de bain. Nous étions donc douze ou quinze corps nus à nous élancer dans la mer et à nager.

C'est devenu banal aujourd'hui. A cette époque-là, c'était assez exceptionnel.

114

Une nuit que nous barbotions ainsi, nous avons entendu une voix qui appelait du rivage. Je me suis précipité. J'ai reconnu un personnage guindé qui, toujours solitaire, se promenait le long des plages de l'île.

— Y a-t-il parmi vous deux femmes qui habitent le *Grand Hôtel*?

La voix était sévère et l'homme ne cachait pas sa répulsion de se trouver devant un interlocuteur tout nu. Je ne savais pas moi-même de quelles femmes il parlait car les groupes se formaient sans soucis de présentations.

Je retournai à l'eau pour demander si les deux femmes en question se trouvaient là. L'une d'elles est venue avec moi jusqu'au rivage et, comme moi, elle ne cachait rien.

— Êtes-vous la mère d'un petit garçon?

Le monsieur était de plus en plus dégoûté. Elle dit oui.

— Madame, je voudrais que vous veniez tout de suite. Votre fils hurle depuis une demi-heure et on vous cherche partout.

J'ai enfilé un pantalon, elle a endossé une robe et nous avons suivi le sévère personnage.

Le *Grand Hôtel,* en réalité, n'était pas grand. Il y avait quand même un rez-de-chaussée et deux étages de chambres. Quand nous nous sommes engagés dans l'escalier, toutes les portes étaient ouvertes et des touristes indignés ou indignées nous regardaient avec fureur, certains en émettant des commentaires peu flatteurs.

Un gosse de trois ou quatre ans hurlait, en effet.

— Attendez-moi, me demanda la jeune femme.

Je restai sur le palier pendant qu'elle calmait l'enfant, et c'est moi maintenant qui devais faire face à l'opprobre général. Quelques minutes plus tard l'enfant était endormi et sa mère réapparaissait en me disant :

— Allons!

C'est alors qu'une grosse femme à cheveux gris s'interposa.

— Ah! non! Vous n'allez pas retourner à vos orgies pendant que cet enfant se remettra à crier.

Tout bas, la jeune femme me dit :

— Attendez-moi dehors. Je viens tout de suite...

Elle est venue, dès que les portes des chambres ont été refermées. Puis, chemin faisant, nous avons fait l'amour.

Je n'ai pas honte à proprement parler mais cela me déplaît d'y penser. Pourtant, il y a eu beaucoup de nuits comme celle-là, le petit garçon en moins.

Pourtant aussi, ces nuits-là me sont restées à la mémoire pour une raison toute différente : grâce au phonographe de nos deux

115

matelots, je découvrais le jazz, Louis Armstrong, Ted Lewis et tous les autres de La Nouvelle-Orléans dont j'allais devenir un fanatique.

Au fond, quand j'y réfléchis, ce qui me gêne, dans ces souvenirs, c'est la fausse poésie, voire la fausse sexualité.

Vendredi Saint.

Hier, j'étais patraque. Un simple rhume ; ce rhume a suffi pour me donner le cafard et pour me faire accorder à des incidents assez quelconques une importance exagérée.

Au fond, cela remonte à mon enfance. J'ai été un petit garçon modèle. Je me levais à cinq heures et demie du matin pour aller servir la messe de six heures à l'hôpital proche. En classe, chez les Petits Frères des écoles chrétiennes, j'étais le chouchou. Par exemple, j'avais le grand honneur d'être préposé au poêle que je chargeais de charbon toutes les demi-heures ou toutes les heures. C'était moi aussi qui disposais de la sonnette dont je me servais pour annoncer le moment des prières dans toutes les classes. Enfin, j'étais toujours premier.

Lorsque j'ai fait ma communion solennelle, au collège des jésuites, j'étais si mystique que les larmes me venaient aux yeux rien que de contempler la vierge en plâtre.

Ce n'est que plus tard, vers les quinze ans, que la révolte est venue. Je ne prétends pas avoir compris tout de suite que la morale n'existe pas, qu'elle diffère d'un pays à l'autre, d'une époque à l'autre, et qu'elle est encore une fois en train de changer.

J'ai donc mené une vie très libre, sans arrière-pensées ni remords. Il n'en reste pas moins que, de loin en loin, j'éprouve une sorte de malaise, comme un sentiment de culpabilité. C'est le petit garçon qui remonte à la surface. Alors, je me sens barbouillé.

Heureusement, cela ne dure pas et ma vraie vie, ma véritable personnalité, reprend le dessus.

Il est quand même étonnant qu'à soixante-dix ans on soit encore à la merci, ne fût-ce que quelques heures, de vagues impressions remontant de la lointaine enfance.

Cela m'a souvent inquiété en regardant mes enfants. Cela m'inquiète encore. Je me demande quel souvenir ils garderont de tel ou tel moment de leur vie avec moi et quelle influence cela aura plus tard sur leur propre existence.

Je suis à l'affût de certains regards, de certaines intonations révélatrices. Je les sens qui s'éloignent et se rapprochent, qu'ils hésitent à leur tour, qu'ils ne savent pas à quel point précis se stabiliser.

Tout cela, à cause d'un rhume, qui n'est pas guéri aujourd'hui!

Matin de Pâques et soleil. La vie est belle. Je veux commencer les fêtes par une anecdote ou plutôt par une remarque qui m'amuse.

Lorsque je bois, même modérément, j'ai des réveils pénibles, pas tant physiquement que parce que j'ai des remords.

Depuis quelques mois que je ne bois plus, j'ai exactement les mêmes réveils. Alors, d'instinct, j'ai les mêmes remords.

Ma fille est venue passer quatre jours pour les fêtes de Pâques. Elle retourne à Paris cet après-midi. Je suis très tenté d'en parler mais il vaut mieux que je résiste à cette envie. Les enfants tiennent une grande place dans ma vie. A cause de cela, il faut que je réfléchisse sur ce que je dirai et ce que je ne dirai pas de l'un et de l'autre. Comme j'aimerais vider mon cœur!

Je crois qu'il y a bien quatre ou cinq jours que je ne me suis pas servi de cet appareil. Pourquoi? Je n'en sais rien. Ou plutôt je soupçonne que la vie a été si douce, si bonne, si savoureuse que j'ai été tenté de lui garder sa pureté sans chercher à la compliquer.

Ce qui m'a donné cette humeur légère, c'est surtout, évidemment, que je n'ai pas eu le moindre vertige. Je touche du bois. Vivre libre, avec un corps qui ne vacille pas, des pieds qui ne cherchent pas leur place sur le pavé du trottoir, quelle merveille!

Aller en ville, se mêler à la foule sans risquer de bousculer une vieille dame...

Et beaucoup de petites choses plus personnelles dont je parlerai peut-être un jour.

En attendant, des événements politiques bouleversent le monde. Aux États-Unis, l'affaire de Watergate remet en cause la crédibilité de Nixon. On révèle jour après jour de nouveaux scandales touchant aux sociétés multinationales. En France, le gouvernement

118

tape du poing comme s'il était déjà fasciste. Tout cela passe par-dessus nos têtes et nous avons l'impression que, malgré tous les moyens d'information d'aujourd'hui, on nous traite en petits garçons et qu'en fin de compte journaux, radio, télévision ne font que lever un tout petit coin du voile.

Ce matin, après avoir lu *Newsweek,* je me suis demandé par quel miracle il existait encore des millions, des dizaines de millions d'honnêtes gens, de braves gens au monde.

Surtout qu'il n'y a plus, comme jadis, la notion du péché pour les garder sous tutelle.

C'est un peu mélancolique de revoir en pensées l'histoire de deux mille ans ou davantage et de constater que quelques poignées d'hommes, aujourd'hui comme à n'importe quelle époque, décident de la vie et de la mort des autres.

Même ces pensées-là ne m'enlèvent pas aujourd'hui plus qu'hier ou avant-hier ma joie de vivre. Il y a un rayon de soleil à côté de mon pied. Il y a la tache blanche d'une joue et un profil ombragé à deux mètres de moi.

N'est-ce pas pour nous, les petits, ceux qui ne prétendent pas gouverner le monde, que la vie est belle et juteuse?

Je viens d'entendre une phrase qui m'enchante et que je veux noter tout de suite par crainte de l'oublier :

— On ne peut pas dormir et que les heures restent là.

J'avais quinze ans. Ou quinze ans et demi. Ou quatorze ans et demi. J'ai une mémoire assez extraordinaire, la mémoire des menus détails, des odeurs, des sons. Je peux sans peine reconsti-tuer une scène telle que je l'ai vécue il y a trente ou quarante ans.

Seulement, cette mémoire n'est pas chronologique, si je puis dire. Il m'est difficile de situer les événements dans le temps. Et moi qui attache tant d'importance à mes enfants, je suis incapable de dire non seulement quel mois, mais en quelle année ils sont nés.

En tout cas, c'était vers la fin de la guerre. La guerre de 1914-1918, bien entendu. Il pleuvait. Je me trouvais dans le grenier où je m'étais installé un bureau rudimentaire : un vieux fauteuil, une table de bois blanc et une chaise bancale.

Ma mère avait découpé dans une courtepointe rouge et jaune une sorte de robe de chambre qui ressemblait plutôt à une robe de moine, couleur à part, et cela me donnait le sentiment d'une certaine importance.

Dans mon grenier non chauffé, drapé dans ma courtepointe, je devenais un poète et j'écrivais des vers.

Je ne les ai pas gardés. Ils ne devaient pas valoir lourd. Il en est un dont je n'ai jamais oublié le thème ni le premier vers.

119

Mélancolie du haut clocher,
Si haut que...

J'ai oublié la suite, mais j'en connais l'essence. Le haut clocher se penchait avec envie sur les maisons basses qui l'entouraient, blotties les unes contre les autres, avec des ruelles où jouaient des gamins, des femmes qui s'interpellaient de seuil à seuil, des marchandes qui annonçaient leur marchandise d'une voix aiguë.

Je ne crois pas que je me comparais à ce clocher-là, un clocher bien laid d'ailleurs, car l'église Saint-Nicolas, ma paroisse, est probablement la plus laide de Liège.

C'était plutôt les petites rues qui me fascinaient, le coude à coude, la chaleur humaine, le fait, pour des hommes, de ne pas se sentir seuls mais d'appartenir à *leur* rue, à *leur* quartier dont ils franchissaient rarement les limites. Je ne sais pas pourquoi cette image du grenier m'est revenue. Peut-être parce que j'ai toujours été attiré par deux aspirations différentes?

C'est possible.

Place des Vosges, je recevais des amis dont certains étaient des peintres ou des cinéastes illustres.

Tout de suite après, je faisais aménager, à Sartrouville, une barque de cinq mètres qui pouvait se couvrir d'un taud et même se fermer la nuit. Au milieu, ma machine à écrire dans sa caisse de bois que j'avais fait faire me servait de siège. A l'arrière, un moteur auxiliaire de deux chevaux. Le bateau s'appelait le *Ginette*. Il traînait derrière lui un canoë contenant matelas, couvertures, batterie de cuisine, et une petite tente pour Boule.

En fait, nous étions quatre. Il y avait Tigy et moi, Boule et notre chien Olaf qui devenait toujours plus grand et plus lourd.

Dans cet équipage, nous avons accompli le tour de France par les rivières et les canaux. C'est une des découvertes les plus étonnantes que j'aie faites. En effet, les villes et les villages, pour la plupart, ont leur véritable face, leur visage d'origine, du côté de l'eau. Le chemin de fer, la grand-route montrent une face banale : les pompes à essence, les magasins d'articles de sport, les Prisunic, les succursales de banques...

J'aimais mieux les quais, surtout quand il s'agissait de rivières peu importantes où les femmes, à genoux, lavaient leur linge dans le courant.

Le soir, nous cherchions un endroit isolé, à l'orée d'un bois, le plus souvent. Nous dressions la tente où Olaf et Boule dormaient, et nous édifiions la cabine en toile du *Ginette* pour ma femme et moi.

Vers quatre ou cinq heures du matin, Boule venait m'éveiller avec une immense tasse de café. C'était mon tour d'occuper la tente. Ma machine à écrire prenait place sur une table pliante et pendant deux ou trois heures je tapais un ou deux chapitres de roman.

Je me souviens entre autres avoir tapé ainsi pendant plusieurs heures sur un quai de Lyon où les badauds s'arrêtaient avec étonnement.

Je me souviens, dans le canal du Midi, m'être rasé très tôt le matin en me servant de la vitre d'une maison comme d'un miroir. J'étais en short. Peu à peu, il me sembla que l'image se troublait ou plutôt qu'une autre image se substituait en partie à la mienne.

En effet, la fenêtre s'ouvrit brusquement, une grosse femme en bigoudis et en robe de chambre me demanda avec à la fois une certaine crainte et de la stupeur :

— Mais qu'est-ce que vous faites donc là ?

Et moi de répondre tout naturellement :

— Je me rase.

Nous nous sommes arrêtés assez longtemps au Grau-du-Roi où le *Ginette* était ancré à une centaine de mètres de la plage, ce qui obligeait Boule, pour nous apporter le café du matin, à marcher dans l'eau presque jusqu'au cou.

Il nous est arrivé, le soir, d'aller au casino. Nous nous sommes habillés sous la tente dressée sur la plage. Au retour, nous nous sommes dévêtus et c'est dans une candide nudité que nous avons rejoint notre abri du *Ginette*.

Il faisait très chaud. Je commençais à écrire au lever du soleil. Les moustiques, énormes, comme le sont tous les moustiques de la Camargue, ne tardaient pas à m'assaillir. J'ai acheté une étamine dont je me couvrais jusqu'aux genoux. Et, sous cette étamine, tout en tapant à la machine, je fumais ma pipe. Jusqu'au matin où l'étamine prit feu, menaçant, non seulement de me roussir les cheveux, mais de mettre le feu à la tente.

Est-ce un souvenir gai ? Est-ce un souvenir mélancolique ?

Avec le recul, il m'est difficile de répondre. Nous connaissions des moments pénibles, par exemple, à certaines étapes où nous étions loin d'un village, d'aller remplir un tonneau de dix litres d'eau potable.

Drôles ou pénibles, tous ces souvenirs me restent comme quelque chose de constructif. Je voyais des gens qu'on ne voit pas d'habitude. J'avais avec eux des rapports qu'on n'a pas d'habitude non plus.

Près d'Épernay, il a plu en déluge pendant huit jours. Tout était mouillé, notre matelas, nos vêtements, le chien et nous-mêmes.

Impossible de dresser la tente et de cuisiner sur un feu de bois. Nous mangions de la charcuterie, du pain, du fromage. Devant nous des péniches étaient amarrées et une marinière venait de temps en temps nous regarder du haut de son bateau.

Un jour, enfin, elle s'est décidée. Elle est descendue sur la berge, s'est glissée à bord du *Ginette* et nous a invités à venir manger un bon dîner chaud.

C'était la première fois que je mangeais du cabri et c'est resté un de mes meilleurs souvenirs gastronomiques. Le souvenir aussi d'une atmosphère simple, cordiale, sans phrases inutiles.

Premier mai 1973. J'espère qu'il y en aura beaucoup d'autres et que nous nous retrouverons dans le même cadre avec la même atmosphère chaleureuse. Nous sommes en train de fêter des tas de choses, y compris la joie de vivre.

Enfin elle est arrivée.

Je suis resté quatre jours seul. Je savais que ce serait dur. Cela l'a été au-delà de ce que je craignais. Je n'ai rien fait. Je n'ai rien lu que j'aie retenu. Je me suis traîné d'un fauteuil à l'autre et, par deux fois, j'ai parcouru une centaine de mètres dans la rue sans rien voir.

Et pourtant, c'était d'une solitude relative. J'avais auprès de moi Pierre, mon fils de quatorze ans, et Iole, son ancienne gouvernante, devenue maintenant notre cuisinière.

Seulement, une personne manquait. Ça m'a rappelé que j'ai beaucoup écrit sur la solitude. Des critiques m'ont autrefois baptisé le romancier de la solitude. Peut-être parce que je la comprends bien, que j'en ai eu longtemps l'expérience, que j'ai toujours peur de la connaître à nouveau.

Je ne parle pas de la solitude plus ou moins philosophique de l'homme vis-à-vis d'un univers qui l'écrase. Je ne parle pas non plus en ce moment de cette impossibilité pour les êtres de communiquer entre eux.

Dans la rue, dans un train, n'importe où, j'ai toujours reconnu les solitaires. Ils ne marchent pas comme les autres. On dirait qu'ils ne portent aucune joie, aucune étincelle en eux, qu'ils soient femmes ou hommes.

Cela n'a pas d'importance que leurs pas les conduisent ici ou là.

123

Ils ne regardent pas les passants puisqu'ils savent que ceux-ci ne peuvent rien pour eux. Je m'attends toujours à ce qu'ils esquissent le geste de la main vers le cœur qui est le geste type des cardiaques.

N'est-ce pas pour échapper à cette solitude-là que je me suis marié une première fois à un âge où l'on ne pense d'habitude qu'à des aventures? C'est possible. Dans ce cas-là, j'ai raté. Tigy et moi avons vécu plus de vingt ans ensemble. Nous avons beaucoup voyagé, traversé beaucoup d'aventures. Mais, combien de fois, combien de minutes ai-je senti que nous étions deux à penser, à sentir et à vivre au même rythme, presque de la même respiration?

Jamais, je crois, et c'est bien pourquoi pendant toute cette période je n'ai pas cru à l'amour, pourquoi aussi je multipliais les occasions de me distraire, que ce soit sur un continent ou sur un autre.

Ma deuxième femme ne m'a pas donné cet espoir-là. Notre liaison, car cela a été plutôt une liaison, a été basée sur une attirance sexuelle, sur une soif d'une certaine frénésie, mais, à mon insu, elle était encore plus absente d'amour ou de ce qui pourrait y ressembler que la première.

Voilà près de dix ans que je ne l'ai pas vue et je ne la reconnaîtrais probablement pas dans la rue. Nos rapports ont lieu par l'intermédiaire des avocats, ce que je préfère encore.

Je cherche le nom à donner au contraire du mot solitude. J'aimerais en trouver un qui ne soit pas le mot amour, par trop galvaudé et trop incomplet.

Peut-être ne peut-on connaître ce sentiment-là, cette plénitude-là qu'à partir d'un certain âge. On vit ensemble tous les moments de la journée et de la nuit. On pourrait presque se passer de parler car chacun a compris avant que l'autre ait ouvert la bouche.

N'être plus seul au monde!

Quelle merveille et comment les gens n'y pensent-ils pas plus souvent?

Je regarde par exemple des joueurs de cartes, au café. On dirait de vieux amis. Ils sont peut-être allés à l'école ensemble. Ils ont des quantités de souvenirs en commun. Ils élèvent la voix. Ils rient. Et cependant chacun est comme enfermé dans son petit cube de lumière tamisée. Retirons les cartes. Retirons le tapis vert et les demis et il ne reste rien que des hommes un peu ivres.

Je pourrais en dire autant de trois ou quatre femmes mangeant des gâteaux dans une pâtisserie. Elles babillent. Elles jacassent. Dans une heure, chacune, sur le trottoir, retrouvera sa solitude.

Ces quatre jours que j'ai passés seul m'ont beaucoup appris. Ils ont augmenté aussi ma compréhension des humains, l'immense pitié que j'ai pour eux tous qui marchent sans fin ou qui s'enferment entre quatre murs avec eux seuls pour compagnie.

J'ai entendu parler d'êtres forts capables de se suffire à eux-mêmes. Ont-ils vraiment existé? Ne sont-ils pas devenus des aigris, de ceux dont l'art et la littérature nous ont laissé des témoignages poignants de désespoir et de détresse?

Mes idées ne sont pas très nettes là-dessus. Je ne désire d'ailleurs pas qu'elles le deviennent car c'est un problème qui me donnerait des remords si je l'élucidais.

J'ai soixante-dix ans. Il y a à peine quelques années que je ne suis plus seul. Égoïstement, je savoure mon bonheur, heure par heure, minute par minute, et j'aime mieux ne pas essayer de comprendre.

Nous venons de faire la sieste. Elle a duré une heure et demie. En nous endormant, nous nous tenions la main. Lorsque nous nous sommes éveillés, nos mains étaient toujours jointes.

Souvent, lorsque je ferme les yeux pour la sieste, je me mets à jouer avec l'ombre et la lumière et presque toujours ce sont des images du Canal du Midi qui me reviennent à l'esprit.

C'est certainement le plus beau de France. Il date de Colbert. Il est le seul au monde, je pense, à comporter une écluse circulaire, avec quatre portes, de sorte que l'on peut passer du nord au sud comme de l'est à l'ouest.

Les berges sont plantées de platanes et les feuilles jouent à la fois au-dessus de la tête et sur l'eau où les reflets s'allongent ou s'élargissent.

Pour moi, c'est le vrai Midi, bien plus vivant et moins artificiel que la Côte d'Azur.

A-t-il beaucoup changé depuis 1925 ou 1926? J'espère que non. Les péniches qui le parcouraient à cette époque-là étaient encore tirées par des chevaux et leur écurie était aménagée à bord.

La vie y était lente. Les bateaux qui se dirigeaient vers Bordeaux étaient chargés de vin. Au retour, ils ramenaient du charbon.

Et, à chaque écluse, se déroulait le même petit trafic. L'éclusier s'amenait avec sa cruche qu'on remplissait de vin ou avec son seau qu'on remplissait de charbon. Pour sa part, il offrait des fromages de chèvre, un poulet ou un chevreau.

Le vin, je me le procurais dans des pompes qui ressemblaient à des pompes à essence où on remplissait ma bonbonne pour quelques francs.

C'était paresseux. C'était chaud et frais tout ensemble. On passait sans cesse de l'ombre à la lumière et parfois on avait l'impression de pénétrer dans un tunnel.

Les villages étaient loin. Le canal vivait vraiment sa vie propre et on était presque étourdi par le bruit et le mouvement de la foule lorsqu'on devait traverser une ville comme Carcassonne.

J'ai d'autres cartes postales dans la tête. De temps en temps je les regarde un peu comme un jeu de cartes. Un canal encore : le Canal du Berry. J'ai lu il y a quelques années qu'il avait été mis en vente et j'aurais aimé me l'offrir. C'est le canal le plus étroit. En ce temps-là, où j'avais toute ma vigueur, je pouvais le franchir d'un bond.

Les bateaux, qui s'appelaient des flûtes, n'avaient pas plus d'un mètre cinquante de large. De temps en temps on se trouvait devant un pont et, en tirant sur une chaîne, on en élevait dans le ciel le tablier de bois.

Des villages aussi, mais presque toujours à une certaine distance. Un monde doux, silencieux, qui avait le goût des noisetiers et des fermes d'alentour.

Je travaillais toujours sous la tente, où ma machine qui cliquetait devait fort étonner les oiseaux. Elle étonnait aussi les mariniers et les rares paysans de passage.

J'ai écrit ainsi des dizaines de romans, peut-être deux ou trois cents contes, mais je ne sais plus lesquels.

Nous avons retrouvé le Loing où, déjà, il y avait un peu plus d'animation, puis la Seine nous a ramenés à Paris.

Des tâches. Des feuilles en mouvement. Des odeurs que je n'ai jamais retrouvées.

Si le monde pouvait être tous les jours comme ça!

Ce matin, je suis barbouillé, sans raison. Hier soir, j'ai eu du mal à m'endormir alors que j'avais eu une journée pleine et magnifique, avec des petites joies presque à toutes les heures.

Mon malaise tient peut-être à ce que, pour une raison que j'ignore, j'ai pensé au couple. J'ai la chance extraordinaire, maintenant, de faire partie d'un couple parfait. Il a fallu que j'atteigne presque soixante-dix ans pour cela.

Je pense à tous les autres couples. Pendant toute ma vie, ça a été une sorte de hantise. J'ai déjà parlé, je crois, des stores éclairés, le soir, dans les rues obscures de Liège, et des silhouettes qu'on y voyait parfois passer. Je les regardais avidement. J'imaginais un homme et une femme vivant là, dans un univers clos, au milieu d'objets familiers, s'épaulant l'un l'autre, s'aidant l'un l'autre à vivre.

J'ai toujours aussi eu une sorte de pincement au cœur, d'envie, lorsque je voyais un couple embrassé dans une encoignure.

Mais après?

J'ai appris à me poser cette question-là, ou plutôt l'existence m'a enseigné tout au moins une partie des réponses.

Depuis mon enfance, le confort a augmenté pour une certaine proportion des êtres humains, une proportion bien basse si on la compare au monde entier. Le confort. Une voiture. Un peu d'argent.

Cela aide-t-il à faire un couple? J'ai rencontré des couples malheureux, déchirés, dans des milieux pour lesquels les questions matérielles ne se posaient pas.

Faire vivre ensemble, en harmonie, un homme et une femme qui quelques jours, quelques mois, quelques années plus tôt, ne se connaissaient pas. N'est-ce pas un miracle? Quelle est au juste la proportion de ceux qui réussissent? Il y a un peu plus de quarante ans, un gynécologue me disait que, d'après l'expérience qu'il tenait de ses malades, quatre-vingts pour cent des femmes seulement connaissaient la jouissance.

Il est vrai qu'alors la vie de la plupart des femmes était un harassement perpétuel. Cinq, six, huit enfants. Les nourrir trois fois par jour, les habiller, laver leur linge, nettoyer l'appartement. Dans les campagnes, s'occuper en outre de la volaille.

La plupart des hommes, avant de rentrer dans un univers qu'ils ne sentent pas le leur, vont se réconforter au bistrot.

Qu'est-ce que cet homme et cette femme peuvent se dire? Qu'ont-ils en commun? Ils sont aussi fatigués l'un que l'autre et ce n'est pas étonnant que la femme remette à plus tard l'étreinte de son mari, ou qu'elle la subisse avec impatience et mauvaise humeur.

C'est l'envers des chansons, l'envers des rêves qu'on fait à vingt ans.

Et encore, à vingt ans on ne rêve pas du couple. On rêve de l'aventure. L'aventure d'un soir, d'un mois ou de six. On a peur de la responsabilité que l'on prend en se chargeant d'un être humain.

Qui y pense, au fond? Amour, amour, amour...

Alors que ce qui compte c'est une véritable tendresse, une véritable communauté, une même joie de la vie en commun.

J'y pense aussi lorsque je vois un couple de vieillards (j'oublie que j'en suis un) traverser la rue bras dessus bras dessous.

N'est-ce pas encore un mythe? Philémon et Baucis?

J'ai rencontré beaucoup de couples jeunes et vieux au cours de ma vie. Je pourrais compter sur les doigts ceux qui sont allés jusqu'au bout et j'en compterais davantage qui, en vieillissant, ont entretenu une sorte de haine cuite et recuite à petit feu.

Voilà ce qui me barbouille depuis ce matin, des images de gens que je ne connais pas, à qui rien ne m'attache, mais auxquels je ne peux pas, moi heureux, m'empêcher de penser.

Si j'en étais capable, il y a un livre que j'aimerais écrire : *A la recherche d'une nouvelle morale.*

Nous sommes, me semble-t-il, à une des périodes de l'histoire où l'homme se cherche de nouvelles bases, qui dépendent en grande partie de son genre de vie.

Et je me demande si les nombreux déséquilibres qui affectent les hommes d'aujourd'hui et que les médecins essaient, souvent sans

128

succès, de guérir, ne tiennent pas à ce manque d'une morale en harmonie avec la réalité.

Cela viendra. Une morale s'imposera peu à peu. Qui sait ce qu'elle sera?

Depuis deux ou trois semaines, je lis l'autobiographie de Gertrud Stein. Je ne la lis pas d'une façon continue, mais par petites gorgées. Je ne pourrais pas dire que ce sont des gorgées gourmandes. En effet, ce livre, à tort ou à raison, ne cesse de m'irriter. Une femme parle d'elle. C'est très bien. Je suis curieux de ce qu'elle a à en dire. Mais elle parle surtout, comme dans certaines rubriques des journaux du soir, des gens qu'elle rencontre, tous plus ou moins célèbres, et ce qu'elle nous dit d'eux, ce ne sont pas des choses profondes qui nous permettraient de les mieux connaître, mais de véritables potins.

Les meilleures pages sont au début, sur les Picasso, les Braque, les Matisse jeunes.

Elle souligne leur misère dans des termes qui me déplaisent, leurs différends conjugaux qui me déplaisent encore plus, et ces images bâclées, destinées à prouver que Madame Gertrud Stein a découvert toute la peinture contemporaine, n'ajoutent rien à la veritable image des peintres dont elle révèle surtout les travers.

Cette lecture me fait réfléchir. Depuis quelques mois, j'ai pris l'habitude de dicter tous les deux ou trois jours, parfois tous les jours, les images qui me sont passées par la tête, plus rarement les idées, car je n'ai jamais eu beaucoup d'idées.

Normalement, pour situer telle ou telle expérience que j'ai faite à vingt ans, à vingt-cinq ans, à trente ans, je devrais, moi aussi, citer des contemporains qui étaient mes amis d'alors, qui, pour ceux qui vivent encore, le sont encore et sont devenus plus ou moins illustres.

Ce serait pittoresque, mais une sorte de pudeur m'empêche de m'y résigner. Parler des gens sans les connaître à fond, sans connaître toutes leurs motivations, n'est-ce pas un peu leur voler quelque chose d'eux-mêmes?

Je sais que c'est à la mode.

Dès qu'une personnalité quelconque est mise en valeur par un exploit littéraire, pictural, sportif, que sais-je, on écrit un livre sur lui et parfois il accepte de le signer.

J'ai bien réfléchi. Je renonce à parler, même anecdotiquement, des Pagnol, des Achard, des Vlaminck, des Foujita, des Paul Colin, des Derain, des Picasso, de tous ceux auxquels je me suis frotté à une période ou à une autre de ma vie.

Cela me donne l'impression de rester tout seul et nu. D'autant plus qu'en réalité ce n'est pas de moi que je voudrais parler. Je voudrais, comme je l'ai déjà dit, me faire un album d'images, ces images que, j'en suis persuadé, chacun porte en soi, qu'il ignore souvent et qui pourraient tellement l'aider dans les moments difficiles.

J'ai eu, il y a très longtemps, lorsque j'avais des chevaux, des vaches, des brebis, des canards, un contact direct avec la nature.

Étais-je trop jeune? Je n'en ai pas profité. L'an dernier, en me promenant autour d'Épalinges, ma compagne est allée cueillir quelques violettes que je n'avais pas vues au pied d'un buisson.

Ces violettes-là, je les ai tout de suite comprises, elles ont tout de suite pris place dans mon être intime.

J'ai l'avantage d'habiter une partie de Lausanne qui est comme un vaste jardin, avec des terrains de sport, des piscines, des promenades de plusieurs kilomètres le long du lac.

Tout cela est non seulement devenu réel pour moi, mais c'est devenu comme mon pain quotidien. Mon premier soin, en pantoufles, est d'aller regarder par les fenêtres. Et, selon le temps, selon la brise, de décider d'aller à gauche, vers Ouchy, ou à droite, vers Saint-Sulpice.

Chaque brin d'herbe compte, chaque nuance du vert sur le gazon. Comme, lorsque nous côtoyons des villas entourées de petits jardins, nous passons presque la tête à travers les barreaux pour contempler quelques brins de muguet.

C'est la suite d'une longue, d'une très longue évolution, qui passe par le jet d'eau de la place des Vosges, par les fonds marins de l'île de Porquerolles, par le Canal du Midi et par celui que je traversais à pieds joints dans le centre de la France.

Tout cela est bon, comme l'odeur chaude d'une boulangerie. C'est du réel. Et, je l'espère, personne au monde ne peut me le prendre.

C'est cela qui est ma vie aujourd'hui, qui est ma joie.

Voilà à peine dix minutes que j'ai terminé la dernière phrase et, le temps de bourrer une pipe, j'éprouve à nouveau le besoin de saisir mon micro. Une pensée en entraîne une autre. J'ai parlé des anecdotes et des croquis que l'on pouvait faire des personnes que l'on a rencontrées.

Cela correspond à peu près à mes préoccupations de ces derniers temps. Les gens dont on donne ainsi une image ne sont évidemment plus les mêmes dix ans, vingt ans après. Le Marcel Achard de 1973 ne ressemble pas au Marcel Achard de 1925. (Voilà que moi aussi je cite un nom!)

J'ai une excuse : c'est pour en arriver au couple, dont j'ai parlé déjà, ou plutôt au mariage. Deux êtres jeunes, pleins d'espoir, d'exubérance, se rencontrent à vingt-deux ou à vingt-cinq ans. Ils se marient. Ce mariage, vis-à-vis de la religion catholique, doit durer jusqu'à leur mort. Vis-à-vis des autorités civiles de la plupart des pays, il est très difficile et très coûteux de le défaire.

Or, comment nos deux personnages vont-ils évoluer? Car ils vont évoluer, et plus rapidement qu'ils ne le pensent, physiquement, moralement, intellectuellement, affectivement... Ils vont évoluer dans toutes les fibres d'eux-mêmes...

L'homme, fringant à vingt-cinq ans, ne sera plus le même lorsque, à quarante, il se sentira des responsabilités. La femme aura changé, elle aussi, dans un sens qu'il était impossible de prévoir lorsque c'était une frêle jeune fille.

Ces deux êtres-là continuent-ils encore à constituer un couple? Je parle d'un couple complet, d'un vrai, où tout est en commun, où

132

les joies de l'un sont les joies de l'autre et même où les pensées de l'un sont les pensées de l'autre.

Cela devrait être la base du mariage tel que l'entendaient nos parents. Mais nos parents, qui n'avaient pas le divorce à leur disposition, étaient-ils heureux? L'ont-ils été jusqu'au bout?

On parle beaucoup de deuxième, de troisième, de quatrième âge. Dans lequel ou lesquels de ces âges-là l'union se sera-t-elle produite et dans lequel aura-t-elle commencé à se dissoudre?

J'ai rencontré, moi aussi, des couples de vieillards qui paraissaient pleins d'attentions l'un pour l'autre. Je n'ai pas toujours été dupe. Au contraire, il m'a paru souvent que c'était une attitude, une attitude pour sauver les meubles coûte que coûte.

J'ai connu des Anglaises d'âge moyen ou d'âge mûr, boulottes, vêtues de clair, le teint rose, un grand chapeau de paille sur la tête, qui passaient leur journée à soigner les fleurs de leur jardin.

Aimaient-elles vraiment les fleurs? Je n'en sais rien. C'est possible.

Mais il y avait longtemps qu'elles avaient cessé d'aimer leur mari.

Je viens de recevoir un télégramme qui ne me touche pas personnellement, qui n'a rien à voir avec moi, et pourtant j'en suis barbouillé. C'est en effet un télégramme comme j'en recevais très souvent à Épalinges et c'est un peu de cette vie-là, que je n'aime plus, qui vient de pénétrer dans la maison. J'ai hâte de l'en chasser.

Hier, j'ai pour une fois ouvert ma porte. Jusqu'ici, j'avais évité toutes les visites. J'étais heureux et sans besoins dans le petit cadre que je me suis aménagé.

Il s'agissait d'un ami, de mon meilleur ami, probablement. Il est intelligent. Il travaille dans l'édition. Cela aurait dû m'intéresser. Or, pendant plus de trois heures et demie, je me suis senti dans un monde irréel. Ce monde-là, Paris, les éditeurs, les journaux m'apparaissaient et m'apparaissent encore comme des préoccupations saugrenues. Mon vrai monde est ici, un univers que j'ai découvert, justement, le jour où j'ai cessé d'être un romancier.

C'est sans doute la décision la plus importante que j'aie prise dans ma vie. C'était peut-être aussi comme un coup de poker. Ou je m'effondrerais, ou je me rongerais, ou je découvrirais une nouvelle existence.

Heureusement, la troisième hypothèse s'est révélée la bonne. Non seulement je ne cherche plus de contacts, mais je ne peux plus les supporter, même physiquement. Hier, j'aurais voulu être aimable, agréable, m'intéresser à la conversation. J'ai fait tous les efforts possibles pour cela mais je crains bien de ne pas avoir réussi.

En tout cas, en ce qui me concerne, cela n'a pas été une réussite. Je me suis couché à neuf heures comme les autres jours.

134

D'habitude, je m'endors presque immédiatement. A minuit, je ne dormais pas encore.

Et, ce matin, je pense malgré moi à toute cette effervescence qui ne me concerne pas et avec laquelle j'ai tranché une fois pour toutes.

Vivement notre bonne petite vie!

Voilà un certain nombre de jours, je ne sais pas combien, car je ne me préoccupe plus du calendrier, que je n'ai pas bavardé avec mon micro. Cela a commencé dimanche dernier lorsque j'ai su que je ne pourrais pas éviter deux visites. Il y a près de six mois que je les refuse. La visite de dimanche était celle d'un de mes meilleurs amis. Celle de mercredi aussi. Mais toutes les deux avaient un rapport avec la littérature.

Je me demande si je ne suis pas devenu allergique à tout ce qui est littéraire. Cela me rappelle un passé lointain, et les souvenirs que j'en ai me paraissent étrangers.

Il y a une autre visite cet après-midi, plus ou moins littéraire encore. Après, je referme la porte et je reprends notre vie à T... et à moi.

Les deux expériences passées ont été désastreuses. Elles m'ont replongé dans un monde que je ne veux plus connaître, dans des préoccupations dont je me suis débarrassé une fois pour toutes.

J'ai revu des gens pour qui l'herbe n'existe pas, ni les glycines, ni le visage sans cesse divers des gens qui passent. Un monde artificiel. Je n'y ai pourtant pas beaucoup vécu. J'ai passé la plus grande partie de ma vie à la mer ou à la campagne, mais je n'en appartenais pas moins à la « chose littéraire ».

Maintenant plus. Je ne veux pas exagérer. Je ne veux pas non plus être pessimiste. J'ai envie de dire que je suis presque honteux de tous ces livres que j'ai écrits, de ces centaines de milliers de lignes que j'ai tapées les unes après les autres au prix d'un effort épuisant.

Pourquoi?

Hier après-midi un télégramme m'annonçait que l'université de Liège m'a nommé docteur *honoris causa*. J'en suis satisfait, je l'avoue, parce qu'il s'agit de ma ville natale, avec laquelle, depuis l'âge de dix-neuf ans, je n'ai pratiquement plus eu de contacts. Ce n'est pas le titre qui compte. C'est que des hommes d'une autre génération se souviennent de moi.

Je viens de refaire ma promenade du matin. Cette fois, elle a été bonne, pleine de sérénité et de joie de vivre. J'espère que cela continuera et qu'on ne va pas de nouveau casser mon petit bonheur pour des raisons futiles qui ne me regardent pas.

Demain, j'espère aller revoir ce qu'on appelle ici la « Vallée des Enfants », un parc admirable où il y a entre autres une roseraie qui doit être en fleur.

136

Il faut que je me défende mieux. Il faut que j'aie le courage de garder ma porte fermée, même à mes meilleurs amis. Justement parce que ce sont des amis, ils n'ont rien à me dire et je n'ai rien à leur dire non plus.

J'ai passé soixante-dix ans à mener une vie active, pour ne pas dire trépidante. Toute heure sans mouvement me paraissait une heure perdue. J'ai appris, depuis quelques mois, à savourer mon activité intérieure, qui me paraît tellement plus importante et tellement plus pleine!

Au fond, ce n'est peut-être qu'un retour aux sources. Pendant mon adolescence, je n'étais jamais aussi heureux que dans mon grenier, enveloppé dans ma robe de chambre en courtepointe.

Lorsque j'étais jeune, je me gavais de Mémoires historiques et de correspondances anciennes. Pour moi, les lettres de Dostoïevski étaient plus passionnantes que les œuvres de l'auteur.

Il y a six mois seulement, et à peu près quand j'ai cessé d'écrire des romans, je me suis mis à lire des Mémoires récents et j'en ai été assez surpris. Un mot y revenait sans cesse, un mot dont j'avais de la peine à préciser le sens : le mot ami.

Je découvrais ainsi qu'en réalité, depuis mon enfance, je n'ai pas eu d'amis. A l'école primaire, certes, j'ai eu des camarades de jeux. J'en ai eu moins au collège des jésuites où les élèves, tous plus fortunés que moi, formaient un clan qui m'était inaccessible.

Il y a bien eu La Caque, ensuite, mais je n'en faisais partie que d'une façon en quelque sorte théorique et j'étais le moins assidu aux séances.

Ensuite, Paris... J'écrivais des petits contes et des romans populaires. Il est évident que ce n'était pas une carte de visite et certains devaient se demander si je n'étais pas un fils à papa à qui on envoyait de quoi vivre.

Je m'interroge fort sérieusement sur cette question. Ce n'est pas de ma part une indifférence vis-à-vis d'autrui, bien au contraire. J'aime les hommes. J'ai passé ma vie à essayer de les comprendre. Mais de les comprendre vraiment, pas au fil de relations plus ou moins lâches.

A mes yeux, l'amitié aurait été quelque chose de grave, de solide, et non ces liens superficiels qui naissent et meurent dans les milieux littéraires.

C'est pourquoi sans doute j'ai peu fréquenté ces milieux. En somme, quand, à soixante-dix ans, je me demande qui j'ai fréquenté, je retrouve davantage de pêcheurs, de paysans avec qui je buvais le coup et je faisais la belote au bistrot.

Timidité? L'explication ne me paraît pas la bonne. Au fond, je crois que l'homme qui aime vraiment la femme est presque fatalement un homme sans amis. Or, j'aimais la femme, dès un âge très tendre. Je rêvais du couple, seule union dans laquelle j'avais envie, parfois une envie douloureuse, de me fondre.

Je ne l'ai pas rencontré avec Tigy et j'ai cherché un succédané dans les bras d'un certain nombre de professionnelles.

Je n'ai pas rencontré ce couple-là non plus avec ma seconde femme.

J'ai fini par le rencontrer, pourtant, tel que je l'avais rêvé, avec tous ses attributs, toute sa tendresse, toutes ses exaltations et toute sa merveilleuse confiance. Mais j'avais dépassé l'âge de soixante ans. Je n'en ai pas moins reçu le bonheur qui est encore le mien aujourd'hui, bien qu'il me fasse trembler lorsque je me regarde dans la glace.

A cause de ces quelques lignes, écrites avec une complète sincérité, beaucoup de gens vont m'en vouloir. Ils croiront à une froideur de ma part, à une sorte d'insensibilité, alors qu'il n'en est rien.

Aux diverses époques de ma vie, j'ai rencontré et côtoyé des gens que j'ai beaucoup aimés mais qui, par la suite, se sont trouvés entraînés loin de moi. Peut-on parler d'amis? et peut-on parler d'amis à Paris en particulier où, dans les milieux littéraires, on emploie ce mot pour quelqu'un qu'on a rencontré deux fois?

C'est par respect, en somme, pour les êtres humains que je refuse cette facilité plus ou moins amoindrissante.

Au fond, tout ce que je viens d'essayer maladroitement de dire, c'est que, sauf en ce qui concerne mes dix dernières années, j'ai toujours été un homme seul.

Et, de cette solitude, j'ai appris à avoir une peur panique. J'ai même appris à la reconnaître sur certains visages que j'entrevois dans la rue et, chaque fois, j'évite de me retourner pour éviter de blesser la susceptibilité exaspérée du solitaire.

A cette époque-là existait encore dans l'étroite rue Saint-Martin une maison haute, étroite, peinte en blanc. Assez tard le soir, on s'y présentait, le plus souvent en smoking ou en habit. Moyennant cent francs, les messieurs recevaient un loup de feutre noir et un bout de carton. Il ne restait plus qu'à s'engager dans l'escalier en colimaçon.

Il devait y avoir six ou sept chambres dont les portes étaient toujours ouvertes. Six ou sept lits. Et, sur ces lits, des couples. Ceux-ci se formaient et se déformaient. On passait d'une chambre à l'autre. Tout était permis. Ce qui prouve que le relâchement des mœurs dont on parle tant aujourd'hui est d'hier et même d'avant-hier.

Ces personnages, qui étaient souvent des personnages importants, sillonnaient aussi le bois de Boulogne et des signaux lumineux leur indiquaient où, ce soir-là, avait lieu la partouze.

La même liberté, ou presque, régnait dans beaucoup d'ateliers de Montparnasse et parfois les soirées de la place des Vosges ne se terminaient guère autrement.

En somme, cet hiver-là, je menais de front trois vies différentes. Il y avait d'un côté ces nuits érotiques. Il y avait, tout de suite après, mes pages de roman à taper fébrilement à la machine. Il y avait enfin mes voyages à peu près hebdomadaires à Fécamp.

Notre tour de France avec le *Ginette* m'avait mis en goût. J'avais décidé de faire construire un vrai bateau, un cotre solide et trapu comme ceux des pêcheurs de Fécamp. J'allais en surveiller jalousement la construction.

Ce n'était pas un yacht. C'était un bon gros bateau de mer capable de résister aux coups de tabac.

Je descendais d'habitude dans une petite auberge où il n'y avait que deux chambres et que, le soir, fréquentaient les pêcheurs de l'endroit qui sentaient encore la marée.

C'est dans cette auberge que j'ai failli me mettre dans un mauvais pas. J'avais beaucoup bu. Je montai me coucher par un escalier tortueux et, voyant la robe rose de la serveuse pénétrer dans une mansarde, je l'y suivis.

J'étais étonné de la voir se débattre. Puis la porte s'ouvrit et le patron m'appela discrètement sur le palier.

— Attention! Elle n'a pas quinze ans et demi...

Je n'ai jamais eu le goût des tendrons. C'est le hasard qui, cette nuit-là, m'avait amené dans cette chambre, le hasard et l'alcool. J'avoue que j'ai regagné hâtivement ma propre chambre.

Mon bateau prenait forme. Le grand jour arriva où je l'amenai à l'embouchure de la Seine pour l'amarrer à la pointe du Vert-Galant, à Paris. C'est là que le curé de Notre-Dame vint en grande pompe le baptiser.

Le bateau s'appelait l'*Ostrogoth*. Je traversai la Belgique, puis la Hollande pour me trouver en mer du Nord et gagner Brême puis Wilhelmshaven, l'ancien port de guerre allemand.

Nous étions trois à bord, ma femme, Boule et moi. Tous trois en ciré jaune. J'allais oublier Olaf qui, couché de tout son long sur le

140

pont, me jetait des regards désespérés comme pour me demander quand on allait retrouver un sol plus ferme.

Cette vie me plaisait. Je tapais mes romans dans une cabine bien chauffée où Boule faisait la cuisine. Nous nous sommes retrouvés au retour dans le nord de la Hollande et avons décidé d'hiverner. Le port, adorable, où au lieu de portes dans les murs épais des remparts il y avait des écluses, s'appelle Delfzjil.

Je m'amarrai à un endroit tranquille. Le lendemain, je me promenai en cherchant un nouveau sujet de roman et c'est là qu'est né le premier Maigret : *Pietr-le-Letton*.

C'est là aussi que se dresse maintenant la statue en pied du commissaire.

Delfzjil, tout au nord de la Hollande, à la frontière allemande, est une des villes les plus étonnantes que je connaisse. Les murs, qui ressemblent à des fortifications, sont en réalité des digues car souvent dans l'Histoire la mer du Nord a envahi la ville.

C'est pourquoi les portes qui franchissent ces digues sont des écluses qu'on peut fermer en cas de danger.

Les rues sont pavées de briques roses. Les maisons sont roses. Il y règne un calme auquel on n'est plus habitué et l'on voit venir de loin, dans la perspective d'une rue, un ou deux passants.

Le matin, j'allais boire un genièvre dans un petit café luisant de propreté après quoi je regagnais l'*Ostrogoth* où je m'installais dans la cabine.

Pietr-le-Letton n'était pas un chef-d'œuvre. Il n'en a pas moins marqué dans ma vie une sorte de charnière.

J'avais écrit des douzaines de romans populaires et des centaines de contes pour apprendre mon métier. Quand j'ai relu *Pietr-le-Letton*, je me suis demandé si je n'avais pas accédé à une nouvelle étape et c'est ce qui s'est passé.

Ce personnage de Maigret, que je n'avais que dessiné à larges traits, je m'efforçai de lui donner une vie plus personnelle. Les trois romans qui suivirent, *les Demoiselles de Concarneau, le Pendu de Saint-Pholien* et je ne sais plus lequel, me parurent dignes d'être publiés, non plus dans une collection populaire, mais dans ce que j'appelais à part moi une collection semi-littéraire.

Je pris le train pour Paris. Je confiai les quatre romans au père Fayard, qui passait pour avoir un flair infaillible. Il me convoquait quelques jours plus tard pour me dire :

— En somme, qu'est-ce que vous avez voulu faire? Vos romans ne sont pas de vrais romans policiers. Un roman policier se déroule comme une partie d'échecs dont le lecteur doit posséder toutes les données. Rien de tel chez vous. Votre commissaire n'est pas infaillible. Il n'est ni jeune ni séduisant. Quant aux victimes et aux assassins, ils ne sont, eux, ni sympathiques ni antipathiques.

« Enfin, cela finit toujours mal. Pas d'amour. Pas de mariage.

« Comment voulez-vous accrocher le public avec ça? »

Je tendis la main pour reprendre mes manuscrits. Il m'en empêcha.

— Tant pis! Nous allons perdre beaucoup d'argent mais je veux tenter l'expérience. Envoyez-moi six autres romans. Lorsque nous en aurons une provision, nous commencerons à les publier à raison de un par mois.

Je suis retourné à Delfzjil où j'ai retrouvé mon bateau avec soulagement. Je m'y sentais chez moi. Et je me mis à écrire jour après jour ce qu'on a appelé ensuite les romans Maigret.

Puis je traversai la Frise afin de passer l'hiver dans le minuscule port de Stavoren où, chaque matin, je devais commencer par casser la glace autour du bateau. On citait cet hiver comme un des plus froids de mémoire d'homme. C'était merveilleux d'être au chaud dans la cabine et de sentir l'odeur des frites ou d'un lapin au vin blanc que Boule nous préparait.

Le bateau une fois bien amarré, Olaf ne faisait plus sa longue figure. Il prenait ses habitudes et allait se promener dans le village. Les pêcheurs s'étaient aperçus qu'il adorait le poisson. De leur bateau plein, ils lui lançaient des harengs vivants qu'Olaf avalait d'une bouchée. C'est curieux que Maigret soit né dans cette atmosphère-là, alors que toutes ses enquêtes, ou presque, allaient se dérouler à Paris.

J'avais pris goût au bateau. Je rêvais déjà d'en avoir un autre équipé pour la Méditerranée.

J'ai fait hier une découverte, si l'on peut dire : c'est que, dans ces notes hâtives, comme dans mes romans, j'emploie souvent les mots « petit garçon » en les appliquant à moi-même.

Je sais, comme tout le monde, que c'est de l'enfance et de l'adolescence que nous tirons le principal de notre acquis.

Mais, en ce qui me concerne, ce ne sont pas tant les souvenirs qui comptent. En réalité, je suis resté, à soixante-dix ans, le petit garçon et l'adolescent que j'ai été, et je continue à penser, à sentir, à comprendre comme un petit garçon. Je l'ai fait toute ma vie, sans m'en rendre compte, et c'est pourquoi je parle de découverte. Certes, j'ai de multiples souvenirs d'enfance, d'une précision peut-être assez exceptionnelle. Mais ce ne sont pas ces souvenirs-là qui comptent : c'est l'être que je suis resté.

En est-il ainsi des autres hommes ? Je n'oserais pas, par pudeur, leur poser la question. L'important, à mes yeux, c'est que je ne sois jamais devenu une grande personne et que mes réactions soient les mêmes que lorsque j'avais moins de quinze ou seize ans. Et encore ! A seize ans, cela commence à se brouiller.

Cela signifie-t-il que je suis un attardé mental ? C'est possible. Pendant des dizaines d'années, j'ai accompli certains gestes, j'ai parlé, j'ai discouru, j'ai pris des responsabilités sans jamais que cela devienne pour moi une réalité.

La réalité, j'y reviens, c'est le petit garçon. On en rira peut-être. Je suis pourtant à peu près sûr de ne pas me tromper.

A soixante-dix ans j'agis, je pense, je me comporte comme l'enfant d'Outremeuse.

Il y a une période de ma vie, une partie de ce qu'on appelle les années 30, dont je garde un mauvais souvenir et même un arrière-goût dans la bouche. Pourtant, en apparence, ça a été les années les plus brillantes et la plupart des gens en auraient été enchantés.

Les Maigret étaient à peine lancés qu'ils étaient traduits dans une dizaine de langues et que les droits cinématographiques de trois d'entre eux étaient vendus.

J'ai acheté une énorme Imperial Chrysler et j'ai engagé un chauffeur. J'ai loué une villa à Antibes, où il n'y avait encore qu'une douzaine de villas.

Je m'habillais chez un des meilleurs tailleurs de Paris et, le soir, je passais un smoking pour aller au Casino.

Si je m'étais vu, à ce moment-là, n'aurais-je pas éclaté de rire?

J'avais aussi loué une sorte de petit château près de La Rochelle et j'entreprenais de nombreux voyages, en Russie, en Turquie, en Afrique équatoriale où les pistes étaient à peine tracées.

Enfin, à Paris, je m'étais trouvé dans un milieu nouveau pour moi.

Je suis bien obligé de parler d'un homme pour qui, d'ailleurs, j'ai gardé beaucoup d'affection : Eugène Merle. Celui-ci, vers la fin de la guerre, avait lancé un hebdomadaire satirique, *le Merle blanc,* qui avait obtenu un succès considérable. Il avait aussi lancé un hebdomadaire léger, *Frou-Frou,* qui n'avait pas moins de succès et auquel j'ai collaboré.

Merle, comme la plupart des propriétaires de journaux, avait acheté un château à cinquante kilomètres de Paris. Il y tenait table ouverte tous les dimanches. Je devins bientôt un des commensaux réguliers. Chez lui, on rencontrait, dans une atmosphère de familiarité qui m'étonnait, des ministres, des banquiers, des hommes d'affaires plus ou moins véreux, des écrivains et parfois des journalistes.

La liberté des conversations, à table, déroutait le naïf que j'étais resté. Ces gens discutaient librement de leurs petites affaires, qui étaient souvent de très grosses affaires, et qui, presque toutes, frisaient l'illégalité.

Tout cela avec un parfait naturel, comme s'il avait été question des choses les plus banales du monde.

Je n'emploierai pas le mot cynisme. Il est beaucoup trop faible, infiniment trop faible.

En somme, ce qui se traitait dans ces conversations semblait aller de soi. C'était l'envers du décor. On y découvrait que ce que l'on avait lu la veille dans les journaux était faux et ne tendait qu'à tel ou tel résultat. On apprenait que le propriétaire d'un grand quotidien faisait et défaisait les ministres à son gré.

144

Je retrouve, d'ailleurs, à travers les journaux, ce genre d'affaires-là depuis quelques années.

Aux dimanches d'Avrainville, l'affaire Stavisky ne surprenait personne et la moitié des invités au moins avaient touché.

Sans honte. Sans vergogne. Tant pis si le reste de la France n'était fait que d'imbéciles. Et c'est alors que se passe l'épisode que je considère comme le plus honteux de ma vie. J'avais fait un saut à Liège pour voir ma mère. Je me souviens que nous marchions, bras dessus bras dessous, dans la rue du Pont-d'Avroy quand je lui ai dit à peu près :

— Vois-tu, mère, il n'y a que deux sortes de gens sur terre : les fesseurs et les fessés. Je préfère être du côté des fesseurs.

Ces mots-là, aujourd'hui, me remplissent encore d'amertume et continuent à m'humilier. J'étais mal parti. J'imitais les personnages importants que je rencontrais chaque semaine. J'assistais aux soirées en habit.

Bref, j'étais en train de sombrer.

Je ne sais pas ce qui m'a sauvé. En tout cas, cette période-là n'a pas duré longtemps. J'ai entrepris le tour du monde. Je suis revenu m'installer à Paris, boulevard Richard-Wallace, où on trouvait des acteurs ou des producteurs à tous les étages.

Pendant quelque temps encore, j'ai enfilé mon habit chaque soir. Puis, tout d'un coup, j'ai sauté dans ma voiture et je suis parti pour la Hollande. Je cherchais une petite maison au bord de la mer, loin des plages et des casinos. A mesure que je descendais la côte vers la Normandie, puis la Bretagne, je m'apercevais que tous les endroits où la mer était accessible étaient surpeuplés.

Je me suis arrêté enfin près de La Rochelle, près du petit château dans lequel j'avais vécu quelques ans plus tôt.

Ce n'était plus un petit château que je cherchais. C'était au contraire une maison simple et rustique, la maison, comme je disais alors, où l'on aimerait avoir été passer ses vacances chez sa grand-mère.

C'est ainsi que je me suis installé à Nieul-sur-Mer. Tigy y vit encore.

Il est des périodes, comme mes vingt premières années, dont je garde un souvenir presque stéréoscopique et dont je peux reconstituer les moindres événements dans leur ordre précis. Je suppose que c'est le cas de tout le monde.

D'autres périodes m'ont laissé beaucoup de souvenirs, très vivants, comme les années de 20 à 30, mais déjà avec un certain flottement en ce qui concerne la chronologie.

Pour les années 30 à 40, je ne dirai pas que c'est un trou, mais je ne les reconnais pas, je ne me reconnais surtout pas et je ne me sens pas les vivre. Je pourrais me tromper de deux, de trois ans, sans que cela fasse de différence.

La terrasse du *Fouquet's,* par exemple. Il m'est arrivé d'y passer toutes mes fins d'après-midi à une des tables de la terrasse, à côté de rangs d'acteurs et de producteurs. Qu'est-ce que je faisais là? Je n'en sais rien. A onze heures du soir, ou à minuit, il m'arrivait alors de me faire conduire au Bourget avec Tigy, de demander quel était le premier avion en partance et de m'envoler pour Prague, pour Budapest, pour n'importe où, sans même emporter de bagages.

Tout cela reste nébuleux. Il y a eu les autres voyages, les plus longs, qui me laissent des images fragmentaires, une bande de singes qui nous poursuivaient dans la forêt africaine et la paisible traversée du Pacifique, l'Australie, un Tahiti qui n'était pas encore transformé en piège à touristes.

Quelle année ai-je loué le château de la Cour-Dieu, dans la forêt d'Orléans, avec une chasse de dix mille hectares? J'ai organisé une

146

battue. J'ai eu le malheur de blesser un chevreuil que j'ai été obligé d'achever et, depuis lors, je n'ai plus touché un fusil.

Les pluies inlassables de Buenaventura, en Colombie, et des oiseaux de paradis dans les forêts de l'Équateur.

Tout est vrai. Tout a été vécu. J'ai envie d'ajouter : pour rien.

Comme c'est pour rien que je me retrouvais quelques mois plus tard assis sur la même chaise jaune à la terrasse du *Fouquet's*. Comme c'est pour rien que je me remettais en habit pour assister à Dieu sait quel cocktail.

Ce qui me reste, c'est Porquerolles où j'ai eu une maison pendant cinq ou six ans et où je m'étais acheté un « pointu », les bateaux de pêche du pays. J'avais un matelot. Nous passions des nuits en mer. Et les après-midi on jouait aux boules avec les habitants.

On dirait qu'après une période fiévreuse j'éprouvais un besoin inné de me détendre, de revenir à la mer ou à la terre.

En tout cas, si on me demandait quelles années de ma vie j'aimerais revivre, ce ne sont pas celles-là. Et pourtant, où que je me trouvais, j'écrivais mes six romans par an.

Qu'est-ce que je cherchais, pendant ces années 30, en courant de château en bistrot, d'un continent à l'autre, en passant quarante jours d'affilée sur un paquebot pour me rendre à Sydney, en installant ma machine à écrire dans les endroits les plus divers et parfois les plus reculés du monde?

Curieusement, à cette époque-là, je ne me posais pas la question. Cela me paraissait naturel. J'avais envie de vivre, de vivre toutes les vies, d'être à la fois paysan, marin, homme de cheval, Parisien élégant aux Champs-Élysées.

Ce n'est que maintenant, longtemps après, que je me pose sérieusement la question. Ce que je sais, par exemple, c'est que je ne cherchais pas à me rassurer. De l'assurance, j'en avais plutôt trop.

Je ne cherchais pas non plus des aventures, des paysages, des endroits pittoresques. Je ne cherchais pas la culture, pour parler comme aujourd'hui, car je ne visitais ni les musées ni les monuments historiques.

Au fond, je crois que je cherchais l'homme. C'est une recherche qui m'a toujours passionné et, à soixante-dix ans, je me rends compte que j'y ai consacré inconsciemment ma vie.

Une partie de belote avec le boucher et deux mareyeurs dans un bistrot de Nieul-sur-Mer avait autant d'importance pour moi que l'arrivée en rade d'Istamboul qui était alors un des plus beaux ports du monde.

Une promenade à cheval à travers la campagne vendéenne me

147

donnait autant de satisfactions et de plénitude qu'une soirée parisienne.

Je n'ai jamais mené, vraiment, une existence mondaine. En dehors des personnages connus que je rencontrais par hasard chez Eugène Merle, j'ai évité tout ce que l'on appelle le beau monde, comme si je sentais que cela ne comptait pas dans cette quête de l'homme.

Car c'était l'homme ordinaire, avec ses petites joies et ses gros soucis qui m'intéressait. J'ai connu, dans le Centre africain, des tribus les moins évoluées. On m'avait mis en garde sur les dangers d'approcher certaines peuplades.

J'y suis allé quand même, sans bravade, et je me suis senti parfaitement à l'aise parmi ces gens qui vivaient encore nus. Plus à l'aise que parmi les dîneurs dans la salle à manger d'un paquebot de luxe.

J'ai une certaine peine à m'expliquer. Je sens ce que je voudrais dire mais je ne trouve pas facilement les mots.

Pourrais-je parler d'époque négative? D'une sorte de saccage de toutes les idées préconçues et même, pourquoi ne pas l'avouer, d'un genre de vie auquel, pauvre type de fabricant de romans populaires au début des années 20, il m'était arrivé de rêver.

En somme, comme si je révisais une page de roman, je rayais les uns après les autres les mots inutiles, les personnages inutiles, tout ce qui est artifice et faux-semblant.

Je cherchais l'homme, l'homme tout nu, l'homme face à lui-même, et je l'ai rencontré sous toutes les latitudes. J'enrageais lorsque j'entendais des Blancs bien nantis parler avec mépris des « canaques », comme on disait alors, ou bien des sauvages.

C'est ainsi, en une dizaine d'années harassantes, incohérentes, que j'ai découvert qu'il n'y a pas de canaques, qu'il n'y a pas de nègres, qu'il n'y a pas de sauvages.

J'ai eu tort de dire que j'avais un peu honte de ces années-là. Je n'en suis pas fier. Je n'aimerais pas les revivre. Je crois maintenant qu'elles étaient nécessaires. Et la plus grande découverte qu'elles m'ont permis de faire, c'est l'humilité.

Nous avons de l'âge de dix ans environ jusqu'à l'âge de vingt ans pour créer les rêves qui devront nous servir toute notre vie. Or, cette création ne dépend pas de nous.

Depuis que j'ai cessé d'écrire, il m'arrive de lire des livres contemporains de Mémoires, c'est-à-dire des histoires écrites par mes contemporains sur mes contemporains. Auparavant, en effet, je me limitais aux Mémoires et aux correspondances historiques.

Ces livres que je parcours aujourd'hui provoquent toujours chez moi le même malaise. En effet, sous prétexte qu'on a connu un tel ou un tel depuis l'âge de vingt ans, on révèle, non seulement ses travers, mais parfois ses confidences.

Même s'il s'agit de gens célèbres ou très connus sur lesquels des échos paraissent dans la presse ou dans une « certaine » presse, je suis chaque fois choqué.

C'est pourquoi, dans ces bavardages au micro qui sont devenus chez moi une manie, j'hésite de citer des noms, sauf quand c'est absolument nécessaire.

Certes, ces notes verbales ne sont pas destinées à la publication. Mais j'ai une première expérience de ce genre de décision.

Quand, en 1959, j'ai écrit des notes personnelles dans des cahiers, je m'étais juré qu'elles ne paraîtraient jamais. Ces cahiers sont restés pendant dix ans dans un de mes tiroirs sans que personne ne les lise. Puis, sur l'insistance d'un ami, j'ai fini par les laisser publier sous le titre *Quand j'étais vieux*.

Cette fois-ci, je suis vieux pour de bon. Me tiendrai-je davantage parole? Je n'en sais rien.

C'est pourquoi j'évite tous les noms que je pourrais citer, y compris ceux de gens dont je n'ai envie de dire que du bien.

Je ne suis pas un chroniqueur. Je ne suis pas non plus un journaliste. Or, les anecdotes que l'on peut raconter, même sur des gens que l'on croit bien connaître, sont nécessairement inexactes ou faussées.

Mes personnages de romans m'appartiennent. Pas mes amis.

A plus forte raison les gens que j'ai reçus une fois à ma table ou chez qui j'ai été reçu.

Hier, en dînant, j'observais Pierre, mon plus jeune fils, qui a quatorze ans, et j'évoquais mes trois autres enfants, plus âgés, qui se sont déjà envolés.

Cela m'a fait penser à une phrase que j'ai dite il y a quelques jours sur l'importance des souvenirs d'enfance sur le restant de la vie.

Il se fait par hasard que chacun de mes quatre enfants aura des souvenirs d'enfance différents, non seulement par le cadre, mais encore par le genre de vie.

Marc, l'aîné, qui a trente-quatre ans et qui habite non loin de Paris, a passé sa petite enfance à Nieul-sur-Mer, près de La Rochelle. Il peut, chaque fois qu'il le veut, retourner aux sources, puisque la maison que j'avais aménagée en croyant y vivre de longues années est encore occupée par sa mère.

La guerre nous en a chassés. Nous avons d'abord habité pendant deux ans un immense château de Vendée où il avait un parc et un bois à sa disposition. Puis, toujours en Vendée, à Saint-Mesmin-le-Vieux, j'ai aménagé une fermette, avec trois vaches, des quantités de poules, de pintades, de canards, d'oies, de dindons.

Les éditeurs disposaient de très peu de papier. C'est l'époque pendant laquelle j'ai le moins écrit. Marc travaillait le potager à côté de moi. Il m'accompagnait aussi aux champignons. J'avais un double poney et un bogey qui nous conduisait dans les campagnes d'alentour. Il y avait aussi, à proximité, une rivière où nous allions pêcher.

Or, aujourd'hui, Marc emmène ses enfants aux champignons et les conduit à la pêche.

150

Lorsqu'il avait six ans, nous sommes partis pour les États-Unis et nous y avons vécu dans des endroits fort différents, un temps en Floride, puis en Arizona, puis en Californie, enfin dans le Connecticut où j'ai acheté une propriété de quarante-cinq hectares, persuadé, une fois encore, que j'y passerais le reste de ma vie.

Le pauvre Marc me demandait :

— Dis-moi, Dad, quand est-ce que je passerai plus d'un an dans une école et que je pourrai garder les mêmes amis ?

Il ne savait pas que nous ne resterions pas plus de cinq ans dans notre maison du Connecticut.

J'ai divorcé. Je me suis remarié. Johnny est né et c'est là qu'il a connu sa première école, l'école maternelle, où je le conduisais chaque matin. Il parlait anglais et refusait de parler le français.

Ma fille, Marie-Jo, est née à Lakeville aussi et y a passé deux ans avant que je décide, sans raison précise, de rentrer en Europe avec tous les miens.

Les souvenirs américains de Johnny sont restés vagues. C'est pourtant dans une université californienne qu'il se trouve en ce moment et il va entrer à Harvard.

En Europe, il a d'abord vécu deux ans à Cannes, puis nous sommes tous venus en Suisse.

Comment ces souvenirs chaotiques ont-ils fini par se fixer dans leur esprit ? Je n'en sais rien et je suppose qu'ils ne se posent pas encore la question. Marc retourne de temps en temps aux États-Unis et s'y sent chez lui. Quant à Johnny, il ignore encore si, après Harvard, il fera carrière en Europe ou en Amérique.

A Lakeville, nous avions des bois presque inextricables et deux ruisseaux à truites.

A Cannes, nous avions une villa somptueusement conventionnelle dont je me suis vite lassé.

Johnny et Marie-Jo n'ont commencé, en somme, à vivre leur vie propre qu'au château d'Échandens, près de Lausanne, d'abord, puis dans la maison que j'ai fait construire il y a dix ans à Épalinges.

Elle est en vente.

Il n'y a que Pierre, depuis qu'il a quatorze ans et le droit de rouler à vélomoteur, à se rendre encore à Épalinges, non pas à cause de la maison, qui est fermée, mais parce qu'il y a une petite amie.

En Arizona, par exemple, où Marc a vécu trois ans, il passait le plus clair de son temps à cheval, était capable d'aller chercher le bétail dans le désert et, ensemble, nous nous amusions à tirer avec un colt sur une vieille planche.

Johnny, en Suisse, n'a pas eu le droit de s'exercer au tir car, ni à

Échandens, ni à Épalinges, notre propriété n'était entourée de murs.

Lequel d'entre eux puisera dans ses souvenirs les meilleures images ?

Marie-Jo est à Paris. Elle suit les cours d'une école d'art dramatique. Elle a vingt ans.

Je ne sais pas non plus quels seront ses souvenirs à elle.

Il m'arrive d'essayer de les imaginer pour eux. Je ne peux évidemment que me tromper.

Si on m'avait demandé quand j'avais seize ans quels seraient les souvenirs qui marqueraient ma jeunesse, j'aurais été incapable de le dire.

A plus forte raison suis-je incapable de le faire en ce qui concerne mes enfants, et pourtant c'est toute leur existence, dont je ne connaîtrai qu'une petite partie, qui est en jeu.

Hier, j'étais frappé par le fait que chacun de mes enfants a passé son enfance et son adolescence dans une atmosphère différente de sorte que chacun d'eux gardera des souvenirs différents.

J'oubliais naïvement qu'il y a bien plus grave. Chacun des quatre, en effet, a connu un père différent. Lorsque Marc est né, je n'avais pas quarante ans. Je menais une vie physique extrêmement active. Je lui ai appris à monter à vélo, à cheval, à lancer une balle de base-ball comme à se servir de la batte, bref, il a connu un homme en pleine vigueur qui pouvait se mêler à ses jeux.

Johnny est né dix ans plus tard. J'avais dépassé la cinquantaine. J'ai pu lui donner, dans notre propriété de Lakeville, ses premières leçons de ski. J'ai pu encore participer à quelques-uns de ses jeux, mais, à Cannes, où je menais ce qu'on appelle une vie mondaine, c'était un chauffeur qui le conduisait à l'école, puis au collège, et, si nous nagions ensemble dans la piscine, il m'a vu plus souvent en smoking ou en habit qu'en short.

(Tout à l'heure, je me suis trompé, j'ai parlé de la cinquantaine. Ce n'est pas exact. J'avais quarante-six ans.)

A Épalinges, enfin, nous nous sommes beaucoup promenés tous les deux, mais je sentais que, pour lui, j'étais déjà ce que l'on appelle aimablement un homme d'un certain âge.

Marie-Jo est née peu avant notre départ des États-Unis. C'est une petite fille sauvage qui est arrivée en Europe. J'avais toujours rêvé d'avoir une fille et j'ai pu, pendant quelques années, jouer le rôle que je désirais jouer.

C'est moi qui courais les magasins pour l'habiller. Les enfants ne portaient pas encore de blue-jeans, en Europe, et c'était une joie pour moi de lui acheter de fraîches robes brodées ou de dentelles, de la coiffer comme si elle était un personnage de la comtesse de Ségur.

Je lui ai appris à nager, à elle aussi. Trois ans de suite nous avons passé de longues vacances au Burgenstock où il y avait chaque après-midi, vers cinq heures, un thé dansant et j'ai eu le plaisir de lui apprendre la valse.

J'étais pourtant de plus en plus un homme mûr, et même très mûr. Je travaillais beaucoup. J'étais assailli par les journalistes, la radio, la télévision, mais c'était un plaisir pour elle. Elle s'asseyait sagement dans un coin et suivait le déroulement des opérations.

Pour Johnny, j'avais répété avec lui, sur sa demande, toutes ses leçons. Pour Marie-Jo, je me suis contenté des leçons de grammaire et de latin. Je retrouvais les mêmes mots que j'avais fait réciter à son frère et je finissais par les connaître par cœur.

Elle me parlait beaucoup de ses lectures et elle a été la seule des quatre à se passionner très tôt pour mes propres livres qu'elle me commentait par la suite.

Marc, lui, n'avait jamais lu un mot de moi avant de devoir étudier certains de mes textes à l'école américaine de Lakeville.

Johnny avait une vie très personnelle, presque solitaire, et il ne s'est servi de la salle de jeux d'Épalinges que quand sa sœur a commencé à y donner des parties.

A présent, il me reste Pierre. Il a quatorze ans et j'en ai soixante-dix. Je n'ai pas roulé à vélo avec lui. Je n'ai pas joué à la balle ou au ballon non plus. Tout au plus avons-nous nagé ensemble dans notre piscine, mais, à sept ou huit ans, il me battait déjà largement.

Je me sens avec lui autant d'affinités qu'avec les autres. Nous discutons franchement de tous les sujets. A lui aussi, je fais répéter les mêmes vocabulaires latins que je faisais répéter à Johnny et à Marie-Jo.

Je n'en ai pas moins mon âge. Je n'ai jamais pu me mêler à ses jeux. Aujourd'hui, nous vivons ensemble dans notre appartement de l'avenue de Cour et, comme je l'ai fait pour les autres, je lui laisse une entière liberté. C'est lui qui établit les programmes de ses journées et qui choisit ses amis. Il a sa propre télévision et ses programmes ne sont pas de ceux que je pourrais supporter pendant une heure.

Depuis un mois, c'est-à-dire depuis le jour de ses quatorze ans fixé par la loi suisse, il a son vélomoteur et disparaît des demi-journées entières sans que je lui demande compte de l'emploi de son temps.

Dans deux ou trois ans, le volet se refermera sur son enfance. Ses souvenirs se seront fixés.

Quels seront-ils pour lui en ce qui concerne son père ? Quels seront-ils pour les autres ?

Comme tous les parents, je suppose, ce n'est pas sans une certaine mélancolie que je pense à la vie que chacun mènera plus tard, une vie que j'aurai aidé chacun à bâtir avec mes faibles moyens.

On pourrait croire, après les réflexions que je viens de faire, que je suis un homme malheureux ou insatisfait.

C'est tout le contraire. La vie que je m'étais faite les dernières années d'Épalinges, la vie surtout que je me suis faite dans l'appartement de l'avenue de Cour, me procure une sérénité que je n'avais jamais connue et des joies qui, l'une après l'autre, remplissent mes journées. Cela tient pour la plus grande part à T..., ma compagne, qui ne me quitte pas un instant et dont, de mon côté, j'ai besoin à tous les instants.

Je n'écris plus de romans. Cela ne me manque pas. Au contraire, cela me paraît ahurissant d'avoir consacré près de cinquante ans de ma vie à me mettre dans la peau des autres.

Maintenant, je suis enfin dans la mienne. Je suis maître de mes pensées et de mes humeurs. Chaque heure apporte son morceau de bonheur et je sais enfin que je ne suis pas seul.

Je viens de parler longuement de mes enfants. Je les aime profondément, je dirais même un peu trop passionnément.

Lorsque le premier, Marc, est parti pour se marier, il a laissé en moi un grand vide. Puis cela a été le tour de Johnny, de Marie-Jo, bientôt de Pierre, car, à mon âge, les années passent vite.

J'ai compris qu'il était égoïste de se raccrocher à eux, qu'il était impossible aussi qu'à leur âge ils comprennent.

Il me restera, si je vis assez longtemps, l'appartement de l'avenue de Cour, ses coins intimes, ses objets qui ont chacun leur place, mes gestes presque rituels.

Il me restera surtout T... Grâce à elle, je suis enfin un homme heureux.

155

Depuis quelque temps j'ai tendance à me dire qu'en vieillissant je deviens maniaque. En effet, dans notre appartement de l'avenue de Cour, mes occupations, mes gestes sont en quelque sorte minutés.

Or, j'ai réfléchi. A Épalinges, sauf les jours d'interview, de radio, de télévision, mes journées étaient uniformes aussi et c'était rare que je descende à Lausanne pour un achat, ou tout simplement pour marcher pendant une heure sur les trottoirs de la ville.

J'ai cherché plus loin dans mes souvenirs.

A Cannes, par exemple, je n'ai pour ainsi dire jamais raté le marché Forville, où j'allais aux provisions.

Or, à Nieul, il y a plus de trente ans, j'allais chaque jour aussi aux provisions à La Rochelle et je sellais un de mes chevaux à peu près à la même heure pour accomplir le même périple à travers champs.

A Lakeville, à dix heures du matin, j'allais invariablement chercher mon courrier et ensuite je me rendais au supermarché.

Je pourrais remonter plus loin. J'ai toujours eu un emploi du temps assez rigide, que je m'imposais sans raison précise.

Si! cette minutie avait une raison, celle de mes romans. Les premières années de Paris ont été plus bohèmes mais je n'en écrivais pas moins, toujours à la même heure, un certain nombre de pages de roman populaire par jour.

Les Maigret sont venus ensuite et, à bord de mon bateau, j'avais une discipline aussi, commençant mon chapitre dès six heures du matin.

Il y a eu des différences dans ma façon d'écrire. Mes premiers romans étaient faits de chapitres de quinze pages dactylographiées. J'écrivais trois de ces chapitres par jour, puis deux.

A mesure que la longueur de ma production quotidienne se rétrécissait, mes romans devenaient plus denses.

La plus grande partie d'entre eux a été écrite à une cadence de vingt pages par jour. Vingt pages exactement. J'ignore pourquoi. Je ne réglais pas l'action ou les dialogues sur cette longueur d'onde mais, automatiquement, je m'arrêtais à la vingtième page.

Même mes promenades avaient un certain rythme, une certaine longueur.

A Épalinges, j'avais trois circuits et je choisissais chaque jour l'un des trois selon le temps, la température.

Ici, je fais la même chose, aux mêmes heures, presque dans le même temps, longeant le lac, tantôt vers Ouchy, tantôt vers Saint-Sulpice.

Ce n'est donc pas en vieillissant que je suis devenu maniaque. Je découvre que je l'ai été toute ma vie.

156

Il est vrai qu'un employé de banque, une vendeuse de magasin se lèvent chaque matin à la même heure, prennent le même autobus, travaillent le même laps de temps. Cela me rassure. Je ne suis pas un phénomène. Comme tout le monde, ou à peu près, je tourne en rond dans mon petit cirque.

Et cela m'enchante.

J'ai rompu si naturellement avec mon activité de romancier, j'allais dire avec mon métier de romancier, que j'éprouve de l'étonnement, sinon une certaine irritabilité, en ouvrant le courrier du matin. Pour un peu, je jetterais tout en vrac dans le panier à papiers.

J'ai gardé un secrétariat, non pas dans mon appartement, non plus dans l'immeuble que j'habite, mais à l'autre bout de Lausanne, et je n'y mets jamais les pieds. C'est par téléphone que je travaille avec ma secrétaire. Je lui donne succinctement les réponses à faire aux lettres que j'ai reçues. Elle me lit celles qu'elle a reçues de son côté et je lui indique aussi les réponses.

Il arrive des lettres de tous les pays du monde, et toujours la même chanson : droits de traduction, droits de radio, etc., sans compter les lettres parfois touchantes de lecteurs ou, comme ce matin, celle d'un personnage du Centre africain qui me demande de lui donner trois millions cinq cent mille francs suisses.

Tout cela est si loin, maintenant! Au fond, je n'aurais pas eu besoin d'écrire pendant tant d'années. Ma quête de l'homme, ma volonté farouche de le comprendre ne nécessitaient peut-être pas la création de personnages.

La preuve c'est que, maintenant, sans rien écrire, je poursuis cette quête avec plus d'intensité et de passion que jamais.

Une passion qui est devenue personnelle, puisque je ne ressens pas la nécessité de communiquer les petites découvertes que je puis faire.

Mon seul contact avec l'extérieur, c'est ce micro qui est devenu mon confident, mais que personne ne connaîtra peut-être jamais.

158

Je parlais hier de mes manies. Par exemple, celle de noter sur une enveloppe jaune double format les noms de mes personnages, leur adresse, leurs relations familiales, etc., bref, ce que j'appelle un plan de roman. Or, c'est par hasard, à Delfzjil, à bord de l'*Ostrogoth,* que j'ai saisi une enveloppe jaune de ce format-là et que j'y ai griffonné des notes.

J'y suis resté fidèle pendant plus de cinquante ans et, dans certains pays ou dans certains villages, c'était un problème ardu de trouver une enveloppe de ce genre.

Une autre manie est de nettoyer soigneusement ma machine à écrire avant un nouveau roman et d'en changer le ruban. Une autre encore d'installer à côté de mon bureau, la veille au soir, une petite table roulante pour y poser mon thé et mon verre.

Cela devient en fin de compte un petit monde que j'ai remplacé sans heurt, sans regret, sans mélancolie, par un autre petit monde où j'ai l'impression que je m'enrichis davantage.

Ce matin, j'ai lu dans le magazine américain *Time* un grand article consacré à l'exposition d'Avignon consacrée aux deux cents dernières toiles et dessins de Picasso.

Il avait entre quatre-vingt-dix ans et quatre-vingt-douze lorsqu'il a réalisé ces œuvres. Le critique américain leur dénie toute valeur artistique et regrette que ces œuvres soient montrées.

Cela m'a peiné. J'ai connu Picasso. Je comprends que, comme d'autres peintres ou écrivains il ait voulu travailler jusqu'à son dernier souffle.

Je comprends d'autre part l'opinion du critique.

Je suis encore loin de mes quatre-vingt-dix ans. J'ai pris, si l'on peut dire, mes précautions à l'avance, puisque j'ai cessé d'écrire à soixante-dix ans. Je l'ai annoncé par une seule interview et j'ai donné comme principale raison à ma nouvelle inactivité les vertiges que provoque une maladie de Ménière, qui est une affection de l'oreille sans gravité mais très douloureuse.

Cette explication est vraie. En grande partie tout au moins. Pour atteindre à la vérité totale il faudrait que j'ajoute que je commençais à douter de moi et que l'effort toujours plus grand que me demandaient mes romans finissait par m'épuiser.

N'aurais-je pas été tenté d'écrire avec moins d'intensité, moins de rage, ai-je envie de dire, pour faire vivre mes personnages?

Je n'ai rien perdu de mon métier. Après plus de cinquante ans, cela ne se perd pas. J'aurais pu longtemps encore écrire des romans sans que le public voie la différence avec les anciens, mais moi, j'aurais su que c'était en quelque sorte des faux Simenon.

Je ne sais pas pourquoi j'ai pensé ce matin que, de toutes nos fonctions, la plus mystérieuse en même temps que la plus merveilleuse est la mémoire.

Non seulement elle enregistre, mais elle filtre nos souvenirs sans que nous n'y puissions rien.

De sorte que nous ne vivons pas une, mais dix, vingt, cent vies, toutes plus ou moins différentes. Sans raison, un déclic se produit en nous et nous voilà revivant, avec des variantes, tel ou tel événement de notre existence, en particulier de notre enfance.

C'est si vrai que parfois je me demande si l'événement que je revis ainsi est plus vrai que celui que j'ai vécu jadis, dans sa crue réalité.

Le grand mystère, c'est ce filtrage dont nous n'avons pas conscience et qui se produit à toutes les minutes de notre vie. Pour le moment, j'ai mon bureau sous les yeux. J'en vois les détails, j'en apprécie la couleur, le vernis. Mais ce bureau-là est-il plus vrai que celui dont je me souviendrai un jour, sans l'avoir voulu ni cherché?

Les souvenirs d'enfance que nous retrouvons à différents âges sont-ils plus fidèles que les heures que nous avons vécues étant enfants?

Les animaux aussi, on le découvre de plus en plus, ont une mémoire. On prétend qu'elle est moins subtile, moins perfectionnée que la nôtre. Et, pourtant, l'oiseau migrateur est capable de ce qui nous est impossible : retrouver, à des milliers de kilomètres, le nid qui a été le sien l'année précédente.

Un avantage de l'inaction qui est la mienne actuellement est justement de revivre des vies multiples et toujours différentes. Même s'il en est que l'on voudrait oublier.

Est-ce que notre mémoire, plus visionnaire que nous-mêmes, éliminerait les images et les événements inutiles pour ne garder que ceux qui ont une certaine importance?

Je crois que c'est tout le contraire. Par exemple, j'ai vécu pendant quelques mois un grand amour qui aurait pu changer le cours de ma vie. C'était en 1935 ou en 1936. J'étais à bord d'un paquebot qui revenait tranquillement d'Australie. Il s'y trouvait une jeune fille d'un peu plus de seize ans, relativement banale, qui m'éblouissait. Je lui faisais une cour pressante et Tigy, qui participait à ce voyage, n'a pas manqué de s'en apercevoir.

Elle en a beaucoup souffert. Dans son amour? Je n'en suis pas sûr. Peut-être dans la crainte de perdre un certain genre de vie.

La traversée a duré quarante-deux jours. Par la suite, nous avons encore correspondu, elle et moi, alors qu'elle se trouvait à Londres.

160

J'étais bien décidé à divorcer pour l'épouser.

Or, il me reste d'elle juste une image et encore est-elle floue. Elle était assise sur le pont, avec la mer tout autour, et, le visage penché en avant comme celui d'une écolière, elle cousait.

En dehors de ma mère, j'avais vu peu de femmes coudre. Est-ce pour cela que ce soit la seule image qu'il me reste?

Je croyais vivre des moments dramatiques, remettre ma vie en jeu, et je garde en tout et pour tout un visage flou penché sur un travail de couture.

En revanche, une autre image est restée très précise, très vivace dans mon souvenir, alors qu'en réalité il s'agissait d'un incident sans importance.

J'habitais Tahiti. J'avais donné une fête pour tout le village et l'on servait le punch dans des tonneaux. Tout le monde était sur la plage qui touchait presque la maison. A un moment donné, j'y suis rentré en compagnie d'une jeune Tahitienne. Elle a retiré son paréo et nous avons fait l'amour.

C'est elle qui a entendu un léger bruit de pas. D'un élan, sans hésiter, elle a sauté par la fenêtre, toujours nue, cette fenêtre étant à plus de trois mètres du sol.

Elle ne s'était pas trompée sur les bruits de pas. C'était Tigy qui venait voir ce que je faisais. Elle ne s'est doutée de rien. L'incident est donc banal, sans conséquence. Pourtant je revois avec une netteté photographique le corps nu de la jeune Tahitienne s'élançant d'un bond sans souci de l'endroit où elle tomberait.

L'image floue de la jeune fille que j'ai failli épouser. L'image stéréoscopique d'un jeune corps se précipitant vers une fenêtre.

Où donc se fait ce tri? Qui en est l'ordonnateur? Qui en est le responsable?

C'est une des quelques questions qui me trouble et je n'y ai pas trouvé de réponse.

La nuit dernière, je me suis levé brusquement et je me suis dirigé vers la porte.

— Où vas-tu ? m'a demandé T...

J'ai répondu tout naturellement :

— Il faut que j'aille à l'école.

— Il n'est pas encore l'heure. Couche-toi. Je te réveillerai à temps.

Je venais d'avoir une crise de somnambulisme. J'en ai eu toute ma vie. Lorsque j'étais enfant, et jusqu'à l'âge de dix-sept ans, il y a eu des barreaux à ma fenêtre. En effet, plusieurs fois, mes parents m'ont retrouvé, en chemise de nuit, pieds nus, dans la rue.

A cette époque-là, mes crises étaient très fréquentes. Les médecins disaient que cela passerait avec l'âge.

Or si, en effet, les crises se sont espacées, je n'ai jamais cessé d'en avoir. Une fois, vers l'âge de douze ans, j'ai descendu les deux étages qui conduisaient à la cuisine et j'ai refait en entier le devoir que j'avais fait la veille. J'ai été fort surpris, le matin, de trouver dans mon cahier deux fois le même devoir.

Le plus curieux, c'est que ces choses-là m'arrivent encore à soixante-dix ans. Ce ne sont pas des crises angoissantes. Elles sont plutôt inattendues, comme ce qui s'est passé la nuit dernière.

Mes quatre enfants sont somnambules, avec plus ou moins de fréquence et d'intensité. C'est Marc, mon aîné, qui en a le plus souffert. Il se promenait dans la maison, à Lakeville, les yeux écarquillés, en criant :

— Je suis mort... Ne voyez-vous donc pas que je suis mort ?

Son fils, à son tour, est somnambule. Tous ont hérité aussi de mon aérophagie.

Cela m'a fait penser à ce que je disais il y a quelques jours de notre mémoire. Je ne sais pas si je vais me répéter. Cela doit m'arriver, car je ne réentends jamais les bobines enregistrées et je n'ai pas relu *Quand j'étais vieux*.

Cette question de la mémoire m'a toujours passionné et même un peu effrayé. Jung en parle beaucoup, lui aussi, plus doctement que moi, bien entendu, étant donné que je ne suis pas un scientifique.

Il parle surtout de ce qu'il appelle la mémoire tribale, très distincte de notre mémoire consciente. Comme beaucoup de spécialistes d'aujourd'hui, il parle aussi de notre cerveau primaire, un cerveau dont nous avons hérité à travers les siècles et sur lequel nous n'avons aucun contrôle.

Ce cerveau-là, cependant, dirige un certain nombre de nos actions et de nos réactions.

— C'est bien là ce qui m'effraie.

Nous vivons dans une société où il est supposé, à la base des institutions, que nous sommes responsables de nos faits et gestes, sauf de rares cas psychiatriques graves qu'admettent plus ou moins les tribunaux. Et encore !

Alors ? Prétendons-nous vraiment avoir une pleine conscience et une pleine responsabilité de nos actions ?

Personnellement, je ne le crois pas et je m'effraie en pensant aux milliers, aux millions d'hommes et de femmes qui ont été condamnés et exécutés pour des gestes dont ils n'avaient pas conscience.

Écrire! Je parle d'écrire des romans, d'essayer de faire vivre des personnages.

Pourquoi?

Il y a cinquante ans que je m'use à essayer de faire vivre des hommes, en somme, à chercher des hommes qui me soient fraternels.

Et c'est aujourd'hui seulement que je viens d'avoir la réponse à la question que je me posais si souvent : Pourquoi écrire?

Parce que, pendant tant d'années, j'ai été insatisfait. Adolescent, j'étais déjà insatisfait. J'ai continué à l'être par la suite au cours des années. Alors, j'ai cherché un monde où je trouverais comme un frère. Ce frère, deux cent quatorze ou deux cent quinze fois, j'ai essayé de le créer sans y parvenir.

Et puis, soudain, j'ai été heureux, je me suis senti en paix avec moi-même, avec le monde, avec un être qui n'était pas un personnage de roman.

Et je n'ai pas eu besoin d'écrire un deux cent seizième roman.

J'ai parlé ce matin de ma crise de somnambulisme de la nuit dernière, lorsque je me suis relevé brusquement pour aller à l'école. C'est la première fois que je fais un rêve de ce genre, mais je remarque, depuis un certain nombre de mois, que lorsque je dors je deviens un homme sans âge. A travers le voile du sommeil, je me sens jeune. Est-ce que c'est commun aux gens de mon âge?

Peut-être. Je n'en sais rien. C'est une de ces questions qu'une pudeur nous empêche de poser à nos amis.

Même jour. Après-midi.

« F. A. » Ces lettres transparentes pourraient figurer dans beaucoup de ces bavardages. Si je les y insère aujourd'hui c'est à cause de ma découverte de ce matin. Car, de plus en plus, cela me paraît être une découverte, une découverte de mon moi, de mon conditionnement, des raisons d'un genre de vie que j'ai choisi pendant longtemps. Choisi ou subi?

Je sens que ces questions me trotteront encore par la tête et que j'y reviendrai.

Maintenant, je suis trop merveilleusement détendu pour penser.

Aussi loin que je me souvienne, j'ai toujours évité autant que possible d'employer le mot amour. C'est en effet un mot vague, surtout en français. On y aime sa femme, ses enfants, les pommes frites, rouler en voiture, jouer au bridge ou aux boules, que sais-je?

J'ai fini, après cinquante ans, par découvrir ce qui, dans mon esprit, mériterait le mot amour. J'ai remarqué en particulier que les femmes qui emploient ce mot-là avec passion ou avec emphase n'ont aucun sentiment vis-à-vis de l'objet de ce soi-disant amour.

Maintenant, il me serait difficile d'en parler, et encore plus difficile d'employer ce mot-là que je finis par détester. Vivre avec quelqu'un nuit et jour, le fait qu'une séparation d'une heure devienne presque un drame et trouble même le physique, le fait d'ouvrir la bouche et d'entendre une autre voix dire ce qu'on allait dire, le fait aussi de n'avoir aucune arrière-pensée, de retrouver la candeur de l'enfance, voilà ce que j'ai eu la chance inespérée de trouver.

Lorsque je dis inespérée, ce n'est pas un mot en l'air. On n'arrive pas à mon âge sans avoir rencontré un grand nombre de couples, plus ou moins provisoires ou plus ou moins définitifs.

Cette communauté-là, telle que je la vis aujourd'hui, je ne l'ai jamais rencontrée.

Je ne suis pas divorcé de ma seconde femme parce que cela entraînerait trop de complications. Elle a disparu de ma vie, sauf en ce qui concerne les chèques et les avocats.

J'ai la chance de sentir le temps s'écouler dans une sécurité totale, dans une harmonie qui dure vingt-quatre heures sur vingt-quatre.

Ce n'est pas une passion sénile. Bien au contraire. Mais, bon Dieu, pourquoi faut-il attendre tant d'années pour obtenir enfin ce que je mets au-dessus de tout : la sérénité ?

Certains, il y a déjà longtemps, m'ont appelé le romancier de la solitude. Et si j'essaie de me souvenir vaguement des romans que j'ai écrits, je pense en effet que la plupart de mes personnages étaient hantés par l'incommunicabilité.

Y compris *Maigret et Monsieur Charles,* le dernier, qui a été écrit il y a plus d'un an.

Si j'écrivais encore, on m'appellerait sans doute le romancier du couple. Les lecteurs se reconnaîtraient-ils dans mes protagonistes ?

Hier, ma fille m'a téléphoné joyeusement pour m'annoncer qu'elle avait réussi son examen au « Cours Simon ». Elle viendra me voir, me dit-elle, d'ici à deux semaines.

Il y a plus d'un an maintenant qu'elle vit seule à Paris et je lui laisse toute liberté. De son côté, il lui arrive de rester plus d'un mois sans me donner de ses nouvelles. Il est vrai que quand nous sommes face à face elle m'en donne plutôt trop, avec des détails que j'aimerais mieux ne pas entendre.

J'apprends par les journaux que Marc commence un film le 11 ou le 12 août. De lui, je n'ai reçu ni lettre ni coup de téléphone depuis Pâques.

Johnny m'a téléphoné de Californie il y a quinze jours, pour m'annoncer qu'il avait obtenu des résultats extraordinaires : ils n'ont jamais eu, dans une université californienne, un étudiant atteignant son nombre de points. Il est admis d'office à Harvard, ce qui n'est pas chose facile, et il devrait y entrer après les vacances.

Je saurai lundi la date de son arrivée ici. Aujourd'hui mercredi, je reçois un câble un peu mystérieux disant que sa « romance » continue et qu'il viendra sans doute au milieu de la semaine prochaine.

Tout cela forme à mes yeux une sorte de magma imprécis. Des événements se passent ici ou là et j'en ai seulement, quand j'en ai, des échos déformés.

Pourtant, j'ai élevé librement mes enfants. Ils ont toujours pu me dire ce qu'ils avaient à me dire sans que j'essaie d'intervenir.

Maintenant, j'ai une sensation d'inutilité et même, pour aller jusqu'au bout d'une idée déplaisante, la sensation qu'ils seraient plus heureux si je n'étais plus là et s'ils recevaient dès aujourd'hui leur part d'héritage.

Cela ne m'attriste pas. C'est une situation que j'ai toujours prévue. Par bonheur, j'ai construit ma petite vie à deux qui me comble.

Je ne leur adresse donc aucun reproche. Je m'habitue à ne pas « être dans le coup » et à signer les chèques qu'ils me réclament. Au fait, c'est la série. Hier, l'avocat de ma femme m'écrivait pour me faire savoir qu'elle a absolument besoin d'une nouvelle voiture.

Elle l'aura. Je n'ai plus de voiture et je n'ai jamais été aussi heureux.

Je pense à un mot qui a paru sur le fronton de nombreux monuments officiels : FAMILLE.

Ma famille, à présent, se réduit à deux personnes, T... et moi.

Tout ceci dit sans aigreur, sans arrière-pensée, car je sais, j'ai toujours su, que c'était la nature humaine.

T... est à côté de moi. Elle y sera encore dans une heure. Elle y sera au déjeuner, à la sieste. Je tiendrai son bras pour notre seconde promenade quotidienne et puis, simplement, tendrement, nous nous endormirons tous les deux.

Je ne sais pas combien il me reste d'années ou de mois à vivre. J'ai décidé que ces mois, ces années m'appartiennent, autrement dit nous appartiennent pleinement, souverainement, à T... et moi.

Il y a un an environ, on a sorti un film sur la Mafia intitulé *le Parrain*, et ce parrain était en sorte le patriarche qui dominait sans contestation la famille et les alliés de la famille.

En décembre, un de mes enfants m'a dit, très gentiment d'ailleurs :

— Tu me fais penser au « Parrain ».

Eh bien, non, je ne suis pas, je ne suis plus le « Parrain ». Je ne suis plus le patriarche. J'ai reconquis ma propre personnalité, le droit à ma propre existence.

Je continue et je continuerai à assumer tous mes devoirs.

Mais, dans le fond, je suis devenu un « Parrain » à la retraite.

Parmi les lettres de lecteurs que je reçois, les plus nombreuses sont les lettres de médecins, de psychiatres et de psychanalystes. Et cela, depuis de nombreuses années.

Ce matin j'en ai reçu une qui m'a beaucoup plus surpris que les autres. Mon correspondant a lu dans les journaux que j'avais cessé d'écrire à cause de mes vertiges. Il me dit en particulier que, sans vouloir entrer dans ma vie privée, j'ai dû avoir de graves difficultés personnelles au cours des dernières années.

C'est la vérité. Il ne s'agit pas seulement de quelques années

168

mais de plus de dix ans, pour ne pas dire davantage. Il faudra que je me décide un jour à en parler quoique j'aie pour principe de ne mettre personne d'autre que moi en cause. Mais il y a mes enfants, mes petits-enfants qui ont droit à la vérité.

C'est un sujet que je n'ai pas encore le courage d'aborder.

Autre chose me stupéfie dans la lettre de ce matin. J'ignore quel âge a l'auteur. Il a subi trois opérations au cerveau. Il est hémiplégique. Cela ne l'empêche pas de recevoir ses clients de huit heures du matin à dix heures du soir, avec un court repos au milieu de la journée. Il est d'une lucidité parfaite, pour ne pas dire exceptionnelle. Il ne peut taper à la machine que d'une main et il le fait sans une faute de frappe.

Cela m'encourage. En même temps, cela me fait un peu honte, à moi qui ai tout lâché.

Je viens de passer une journée pénible, surtout la première partie. J'ai en effet eu, pour la troisième fois de ma vie, une occlusion intestinale. J'ai hésité à me faire conduire à l'hôpital. Si je ne l'ai pas fait, c'est que j'ai vu que T... était capable de prendre ses responsabilités comme aucun médecin ni aucune infirmière ne l'aurait fait.

J'imagine ce que la journée a pu être pour elle. Pas un moment je n'ai douté ni de son efficacité ni de son amour, l'un et l'autre étant intimement liés. Maintenant, la soirée commence. Nous allons bientôt nous coucher. Je voudrais qu'elle n'ait pas subi un choc trop grand en essayant par tous les moyens de m'en éviter à moi.

Elle, elle a réussi.

Moi, je me demande si je réussirai à lui faire comprendre que je n'ai considéré cette journée, si pénible par moments, que comme un chant d'amour. Il m'est arrivé de lui dire par deux fois, non pas aujourd'hui, mais en je ne sais plus quelle circonstance, que j'étais égoïste vis-à-vis d'elle. C'est la vérité. Je ne crois pas que je sois un homme égoïste. Mais j'accepte tout l'amour qu'elle me donne et tout le sacrifice qu'elle fait d'elle-même pour me rendre heureux.

Un dimanche pluvieux, maussade, après la pénible journée d'hier. Je me sens sans ressort. J'ai à peine le courage de lire mon journal. Je traîne dans l'appartement. Je me recouche pour quelques minutes et je me relève presque aussitôt. Pour comble, j'ai des douleurs à la tête et dans toutes les articulations.

Je sais par expérience qu'une journée comme celle-ci me laissera plus tard un souvenir doux, étoffé, de vie intime.

Je suppose qu'il en est ainsi pour tout le monde. Avec le recul, les mauvais moments que j'ai dû passer, sans perdre leur grisaille, sont devenus doux et voluptueux.

Alors, pourquoi ne pas commencer tout de suite au lieu de grogner et de se traîner?

Mais il n'y a que le temps pour décanter nos impressions. Dans dix jours, dans un an, cette journée prendra probablement place parmi mes souvenirs les plus agréables.

C'est drôle de vieillir! Pendant des années et des années, on vit comme si cela ne devait jamais arriver ou plus exactement comme si, un jour, on atteindrait un âge où rien ne compte plus.

Or, comme des millions de gens le savent, ce n'est pas ainsi que cela se passe. Je ne sais plus, pour moi, comment cela a commencé. Plutôt si. J'ai pris l'habitude d'écrire quatre romans par an au lieu de six.

Ensuite j'ai décidé de ne plus conduire moi-même et de prendre un chauffeur parce que je devenais de plus en plus distrait.

Ensuite j'ai renoncé à jouer au golf à cause d'une arthrose au pied droit.

Ce qu'il y a de curieux, c'est qu'on ne sache pas le moment du

170

renoncement. Un matin, j'ai joué au golf comme d'habitude. L'après-midi, en montant l'escalier, j'ai senti une douleur au pied droit. Je suis allé voir un spécialiste qui m'a interdit de continuer de jouer.

Mais cette dernière fois, quand était-ce? Il y a une dernière fois pour tout. Une dernière fois que l'on vit certaines choses sans savoir qu'on ne les connaîtra plus. Je ne prends plus l'avion. Mais quand ai-je pris l'avion pour la dernière fois? Je ne me baigne plus dans ma piscine, qui est à vendre avec ma maison d'Épalinges. Mais quand y ai-je nagé pour la dernière fois?

Il y a comme ça des gestes que nous faisons machinalement en croyant les faire toute sa vie et qui tout à coup disparaissent de nos occupations.

La dernière fois que j'ai écrit à la machine?

La dernière fois que j'ai écrit des lettres à la main?

Tant de dernières fois qui s'accumulent petit à petit et qui, en réalité, constituent la vieillesse.

Il y aura d'autres dernières fois mais je ne veux pas savoir lesquelles, je ne veux pas les prévoir, je ne veux pas les voir venir.

Il sera temps de renoncer quand cela viendra. Dix, vingt, cinquante renoncements successifs, les uns pénibles, les autres moins.

Dans l'ensemble, cela se passe sans déchirement et ce n'est pas particulièrement désagréable. Je dirais même que l'on ressent un certain apaisement. Je sais que ma maison ne va pas être envahie demain par une équipe de télévision qui bouleversera tout. Je sais qu'un journaliste ne me posera pas de questions auxquelles je préférerais ne pas répondre. Je sais que je n'irai pas à un dîner, à une réception, à un cocktail.

Les gens sont bien gentils avec les vieillards. Ils vous font passer devant eux. Ils évitent de vous bousculer. Et ils vous donnent des hochets qui font plus ou moins plaisir pour remplacer des joies perdues.

L'université de Pavie m'a nommé docteur *honoris causa*. Or, à cause de la mauvaise santé de mon père et de sa mort prématurée, je n'ai fait que quatre ans de collège.

L'université de Liège vient à son tour de me donner le même titre.

Cinq ans plus tôt j'aurais assisté à ces cérémonies. Maintenant, cela se passe sans moi, loin de moi, dans l'abstrait.

J'ai presque envie de dire en guise de boutade que la vieillesse est le cheminement vers l'abstraction.

En tout cas, chaque minute est bien bonne à prendre, bien bonne à vivre.

Bien sûr, les petits ennuis physiques s'ajoutent aux petits ennuis physiques.

Ce que les plus jeunes ne comprennent pas quand ils voient un vieillard, même handicapé, se cramponner à l'existence, c'est que la vie est bonne, dans toutes ses parties, mais ils ne s'en aperçoivent pas encore, et ils la gaspillent.

Plus tard, beaucoup plus tard, on ne gaspille plus.

C'était dans les premiers jours de décembre, au début des années 20. Quelle année exactement, je l'ignore. Je n'ai jamais su faire le compte des années.

En tout cas, il me restait quelques jours de service militaire à accomplir avant de quitter Liège pour Paris. Ces quelques jours, d'ailleurs, comme les mois précédents, je les passai, en civil, à *la Gazette*.

On m'avait envoyé à Anvers pour un reportage qui m'a pris très peu de temps. Le hasard m'a fait rencontrer une vague cousine et nous avons passé ensemble la plus grande partie de l'après-midi dans une chambre d'hôtel.

J'ai repris le train. Sur le quai de la gare, j'ai tout de suite aperçu mon futur beau-père et ma fiancée qui m'attendaient. J'ai compris. Je n'ai pas pleuré. Je me suis figé et je suis persuadé que mon visage était sans expression.

— Où? ai-je demandé.

— A son bureau. A l'heure où il y reste seul.

J'ai demandé que personne ne m'accompagne. En effet, les relations entre ma mère et ce qui allait devenir ma belle-famille n'étaient pas très cordiales. En outre, j'avais besoin de me sentir seul.

Il devait être sept heures du soir. Les rues étaient éclairées. Je portais comme d'habitude un vieil imperméable et je marchais vite, les mains dans les poches, tout en fumant ma pipe.

En approchant de la maison, rue de l'Enseignement, j'ai aperçu quelques groupes de curieux ou de voisins. J'ai franchi la porte et, tout de suite à gauche, j'ai vu mon père étendu dans son lit. C'était

173

un homme d'un mètre quatre-vingt-six. Couché ainsi, inerte, il paraissait encore plus grand.

J'ai dû faire un effort sur moi-même pour m'approcher et pour frôler son front de mes lèvres. Ensuite, sans parler à ma mère ni à mon frère, j'ai grimpé dans ma chambre, au second étage, où je me suis mis à marcher de long en large.

Ai-je dîné ce jour-là? A quoi s'est passée la soirée? Tout cela se mélange dans ma mémoire, comme la journée du lendemain et celle du surlendemain.

Ce que je revois, c'est l'enterrement, des tantes, des oncles, des cousins, des cousines, des voisins, tous là qui attendaient et qui me regardaient.

J'évitais de les regarder à mon tour. On aurait pu me prendre pour un coupable.

Les corbillards étaient encore tirés par des chevaux et la famille marchait derrière. Nous sommes certainement passés par l'église Saint-Nicolas mais il ne m'en reste aucune image, pas même l'odeur de l'encens.

Ce que j'entends, c'est le crissement du gravier, au cimetière, les allées interminables jusqu'au quartier qu'on pourrait appeler le quartier neuf, puisque les tombes venaient seulement d'y être creusées.

Quand le cercueil a été au fond de la fosse, j'ai ramassé toutes les fleurs qui s'entassaient et je les y ai jetées.

Après quoi je me suis littéralement enfui. Un cousin plus âgé que moi a voulu me rejoindre et n'y est pas arrivé.

Je n'en sais pas davantage du reste de la journée.

Ce qui domine, en somme, c'est le visage figé de mon père mort et le froid de son front.

Je voudrais éviter tout cela à mes enfants. Je voudrais qu'ils ne me voient pas mort, qu'il n'y ait que deux personnes autour de moi : T..., d'abord, qui me tiendra la main, et le docteur C..., qui m'aidera s'il le faut par une piqûre.

Le crématoire est à cent mètres. Pas de cortège. Pas de défilé. Encore moins de discours, et personne sauf T... pendant la crémation.

Si je pense à cela aujourd'hui, ce n'est pas par pessimisme, mais parce que l'image de mon père m'est revenue à l'esprit et que j'aimerais que mes enfants gardent de moi celle du vivant qu'ils ont connu et non celle d'un mort.

Ceci dit, mon vœu le plus cher c'est que cela n'arrive que dans dix ou vingt ans.

Au milieu de la vie on a tendance à considérer la mort comme un accident lointain. Petit à petit, on commence à la regarder de plus près. L'important c'est de la regarder sans peur, en jouissant jusqu'à la dernière minute de tout ce que nous dispense la vie.

C'est ce que je fais, sans effort, naturellement.

Et c'est pourquoi je suis heureux.

Né en 1903, j'ai encore connu la fin des années cent, qu'on a appelées la Belle Époque, et qui se terminent *grosso modo* au début de la guerre de 1914. Mon père portait un haut-de-forme pour se rendre à son bureau. Dans les rues, à certaines heures, on voyait les mineurs aux visages et aux mains noirs, aux yeux blancs, éblouis par le soleil qu'ils découvraient.

Il y avait d'un autre côté des gens prospères, et même très riches, ceux qui ne voyageaient qu'en pullman, qui descendaient au *Ritz* ou au *Crillon* et finissaient les nuits au *Maxim's*.

Parfois, un cortège de grévistes était soudain assailli par des gendarmes à cheval, sabre au clair.

Ce sont des images qui se sont gravées dans ma mémoire.

La seconde époque que j'ai vécue, ç'a été l'époque Montparnasse, les peintres et les poètes venus du monde entier, des hommes dont on vend aujourd'hui les toiles un million de dollars et qui les échangeaient alors contre un café-crème et un croissant.

Là aussi, la richesse coulait à flots, celle venue d'Amérique, les rubans de perles qui atteignent presque les genoux, les gigolos plus ou moins argentins qui guettaient leur proie dans les thés dansants des Champs-Élysées.

Les hommes ne portaient plus de haut-de-forme. On n'avait pas encore donné de douches aux mineurs. La nuit, on voyait des êtres apocalyptiques, le corps demi-nu, travailler devant la gueule béante des hauts fourneaux.

Pourtant, quelque chose se passait, quelque chose devait se passer.

176

Dans les pays d'Afrique, d'Asie, d'Amérique latine que je visitai, les indigènes étaient restés primitifs.

Il n'y en avait pas moins, parée d'épaulettes et de décorations, la race repue des militaires et de l'intelligentsia.

Cela a duré vingt ans, puis une nouvelle guerre est venue. Puis une nouvelle après-guerre. Succédant à la Belle Époque, à l'époque Montparnasse, c'était Saint-Germain-des-Prés, ses caves obscures, ses filles et ses garçons souvent bourrés de talent qui n'avaient qu'une guitare pour se défendre.

Ceux-là aussi mangeaient quand ils le pouvaient et se retrouvaient parfois à quatre ou cinq pour dormir dans une chambre.

La police ne les aimait pas. La police n'a jamais aimé les gens mal lavés, mal vêtus, mal nourris, qui vont droit dans la vie en poursuivant leurs rêves.

Saint-Germain est révolu. Une autre époque a commencé, que je vois vivre par mes enfants. Que sera-t-elle? Où les conduira-t-elle?

A beaucoup plus de liberté apparente, certes. A une vie moins pénible du point de vue matériel. Leurs motos et leurs vélomoteurs sillonnent les villes et rendent la campagne dangereuse dès le soir.

Est-ce un bien? Est-ce un mal? Ou faut-il retourner aux gendarmes qui chargeaient sabre au clair les hommes qui venaient de passer douze heures d'affilée dans la mine?

C'est quand cette nouvelle génération-là aura quarante ou cinquante ans qu'elle nous donnera la réponse.

Avant-hier, il y a eu à Paris une manifestation d'étudiants fascistes ou fascisants. On ne les compte pas en Italie, où le parti a repris beaucoup de sa vigueur et de son influence. Aux États-Unis, la droite relève la tête et les hippies sont devenus du folklore.

On pourrait en dire autant des nations d'Amérique du Sud. Nous sommes loin du temps peut-être un peu naïf où le président de la République française, en jaquette, en chapeau à huit reflets, inaugurait les expositions de chrysanthèmes.

J'ai vécu plus de vingt ans à Paris sans voir un car de police ou de C.R.S. dans la rue. Est-ce encore possible aujourd'hui?

Je viens de recevoir d'un de mes enfants une lettre qui m'a beaucoup affecté. Moins par ce qu'elle dit que par les dessous qu'elle comporte.

Je suis heureux, bien entendu, de l'entente qui règne entre les miens. Mais cette entente, me semble-t-il, prend peu à peu le caractère d'une sorte de franc-maçonnerie.

C'est comme si un nouveau noyau se créait à côté du noyau familial.

Personne ne me parle franchement, ouvertement. Par contre,

ce que je dis à l'un ou à l'autre est aussitôt répété avec des variantes et des inexactitudes.

De là, des malentendus.

N'en est-il pas ainsi dans toutes les familles? Je suis devenu le vieil homme. Ils sont les jeunes et je ne compte plus beaucoup.

Mais n'est-ce pas une illusion de vouloir compter?

Au moins me reste-t-il une personne auprès de moi. Nous n'avons pas besoin de parler pour nous comprendre. C'est la grande chance que j'aurai eue dans ma vie.

Voilà deux jours que j'ai envie de pleurer, sans raison précise. Est-ce le commencement du gâtisme? A dix heures, ce matin, j'étais encore déprimé. A dix heures cinq une lettre est arrivée pour T... Elle contenait les premières photos de son petit-fils qui a deux mois et qui tend les bras à son père.

Cela a suffi à me débarbouiller. Ce matin, gros vertige, sans raison apparente. J'ai passé une nuit parfaite. J'ai pris ma douche, je me suis habillé et, au bras de T..., je suis allé faire une courte promenade. Je n'aurais pas osé marcher seul.

Des vertiges, j'en ai à peu près tous les matins pendant une heure ou deux, mais il s'agit plutôt de ce que j'appelle des états vertigineux.

Aujourd'hui, c'étaient de vrais vertiges et c'est angoissant.

Le plus ironique, c'est que j'ai le remède immédiat à portée de la main. Le médecin lui-même me l'a recommandé. Il me suffit de prendre une ou deux coupes de champagne, ou un simple verre de bière, pour que le vertige cesse.

Cela marche pour quelques jours, dix, douze, quinze. Puis, c'est tout mon organisme que je sens patraque et le vertige recommence.

Il me faut donc, chaque matin, dire non. C'est moins facile que cela peut le paraître.

Ce matin, vers dix heures, j'étais étendu sur mon lit. Les rideaux avaient été fermés, mais pas les volets, de sorte que plein de soleil filtrait dans la chambre. Ce sont des rideaux à petites fleurs, comme il convient à notre appartement.

Je ne crois pas que j'aie dormi. Je me suis cependant assoupi et

179

mon esprit a glissé vers d'autres images, mon corps vers d'autres sensations.

Il y avait d'abord le bourdonnement de la ville qui n'arrive que fort atténué à notre huitième étage. C'étaient des sons confus où, rarement, se glissait un bruit plus strident.

J'étais couché sur le dos, bien à plat, et les portes de notre appartement étaient toutes ouvertes.

Dans une des maisons que j'ai habitées vers l'âge de seize ans, rue de l'Enseignement, à Liège, il y avait une cour, un jardin d'une quinzaine de mètres de long avec, au fond, quelques poules blanches et un coq.

Ce matin, sans raison, je retrouvais le jardin où, pour une raison que j'ignore, je m'étais installé dans le fauteuil d'osier de mon père. Il était rare que je sois à la maison à cette heure-là.

L'air était chaud mais une légère brise me parvenait et j'aurais pu croire que c'était ma mère qui allait d'une pièce à l'autre en faisant son ménage. C'était T..., je le savais, et je la suivais mollement dans ses allées et venues, devinant à de légers bruits les gestes qu'elle faisait.

J'ignore combien de temps ça a duré. C'était merveilleux, une bouffée à la fois d'adolescence et de présent qui se rejoignaient pour former un tout voluptueux.

Freud avait soixante-huit ou soixante-neuf ans, je ne sais plus au juste, quand il a été atteint d'un cancer à la mâchoire. Pour donner son âge exact, je n'aurais qu'à parcourir deux mètres dans mon bureau et jeter un coup d'œil sur sa correspondance qui se trouve dans ma bibliothèque. Ce détail me frappe parce que je ne sais pas si cette imprécision tient à une paresse de ma part ou à une sorte de répugnance pour les références.

Jamais, que ce soit pour un roman ou pour un autre texte, je n'ai ouvert un des livres de ma bibliothèque. Je préfère, s'il le faut, rester approximatif. Certains me le reprocheront et je ne prétends pas qu'ils n'aient pas raison.

Toujours est-il qu'il avait soixante-huit ou soixante-neuf ans. On l'a opéré d'urgence une première fois. Il a encore vécu près de dix ans, subissant successivement sept ou huit opérations.

Il avait une prothèse spéciale mais n'en parlait pas moins avec difficulté et il lui était plus pénible encore de manger.

Pendant ces années-là, il n'en a pas moins trouvé le moyen de quitter l'Autriche dans des conditions difficiles et de s'installer à Londres. Je crois que, de toute sa vie, il n'a jamais tant écrit, entre autres des lettres à ses confrères et disciples. Et il continuait à recevoir et à soigner sa clientèle.

Dans ses lettres, pas une plainte. Si on observe ses photographies de l'époque, son visage n'exprimait aucune tristesse, aucune angoisse, à peine, sur certaines, un peu d'amertume.

Dans un de mes romans, pour décrire l'état d'esprit d'un homme à qui son médecin venait d'annoncer qu'il n'avait que quelques mois à vivre, je lui faisais dire :

— Je suis donc entré en état de maladie.

Je ne suis pas à proprement parler en état de maladie. Je n'ai aucun mal organique. Je souffre seulement de vertiges. Je ne peux jamais prévoir quand je les ressentirai. Je passe des semaines sans en souffrir. D'autres fois, ils se suivent et durent toute la journée.

Ce n'est pas insupportable. Ce n'est pas une vraie douleur. Cela n'en est pas moins désagréable.

Je ne crois pas que mon humeur, ni mon goût pour la vie, je dirais ma faim de vivre, ait le moins du monde changé.

Si un vertige dure une heure, je sais qu'après j'aurai le soulagement de retrouver toutes mes joies quotidiennes. Au contraire, je ne les savoure que davantage.

C'est un tout petit cas. Mais il me fait comprendre les dernières années de Freud comme celles de nombreux malades.

La moindre rémission, fût-elle de quelques heures, suffit à leur donner la force ou la patience de subir leurs douleurs.

C'est assez miraculeux, cette absence de découragement, ce besoin, cette force de se raccrocher à l'existence.

Il n'y a pas besoin d'être un vrai malade pour le comprendre. Un mal de dents suffit.

Depuis quelques années on parle beaucoup de sexualité. C'est un sujet que l'on retrouve traité dans les journaux, les magazines, voire les ouvrages scientifiques.

Peut-être les souvenirs que je vais essayer d'évoquer ici apporteront-ils une toute petite contribution à cette question.

J'ai eu des rapports avec beaucoup de femmes dans ma vie, de tous les pays, de tous les continents. Plusieurs fois, j'ai aimé ou cru aimer. Or, si je laisse ma mémoire évoquer certains souvenirs, ce ne sont pas ceux auxquels je me serais attendu.

Le souvenir le plus vif, par exemple, se place en 1933 à Varsovie. Je faisais le tour d'Europe. J'arrivais de Berlin. Un après-midi que je marchais seul dans une rue animée, je vis une silhouette derrière une porte cochère. C'était une jeune femme blonde, potelée, qui me parut appétissante, et j'entrai sous la voûte.

Elle me conduisit au second étage, dans une chambre coquette, et là, je constatai que cette jeune femme était une des plus belles, des plus attirantes qu'il m'ait été donné de rencontrer.

Nous avons dû passer une heure ensemble. Guère plus. Aujourd'hui, quarante ans après, je la revois pour ainsi dire dans tous ses détails et je jurerais que c'est d'elle que j'ai reçu la plus forte émotion sexuelle de ma vie.

L'autre souvenir est très différent. J'étais à Paris. Rue Saint-Sulpice, il existait une étroite maison accueillante et très convenable, si je puis dire, en ce sens que n'y venait qu'une clientèle discrète et bien élevée.

Il m'arrivait de m'y arrêter lorsque je passais dans le quartier.

Un jour, je m'y suis trouvé en face d'une admirable négresse. Je venais de parcourir toute l'Afrique. J'aurais dû être blasé.

Cette négresse-là se classe en second, si je puis dire, dans mes souvenirs sexuels.

Autrement dit, nous ne sommes pas conscients de nos impulsions ni de nos joies.

Devant ces deux souvenirs-là, si simples, d'une telle banalité apparente, tous les autres s'effacent pour moi.

Johnny vient de passer une semaine avenue de Cour. Il est parti il y a une demi-heure pour rejoindre Marc en France et cela paraîtra sans doute presque scandaleux que ce départ ait été pour moi un soulagement. C'est pourtant la vérité.

En Californie, il a obtenu des résultats universitaires extrêmement brillants. A la rentrée, il continuera ses études à Harvard. Bref, de ce point de vue-là, je suis ce qu'on appelle un « heureux père ».

Mais, pendant une semaine, c'est lui qui a fait la loi dans mon appartement. Il venait soi-disant me voir. Je crois qu'en tout je n'ai pas passé plus de trois quarts d'heure en tête à tête avec lui.

Encore ces tête-à-tête ne m'ont-ils rien appris de sa vie!

Son grand souci a été de téléphoner chaque soir en Californie pour essayer d'atteindre son amie qui va venir passer le mois d'août en France avec lui.

Quand il ne téléphonait pas en Californie, il téléphonait à Marc, qui va commencer un film et avec qui il passera le mois de juillet.

Je ne suis pas des pères qui tiennent à ce que leurs enfants se croient obligés de les visiter longuement. Je leur laisse toute liberté. Peut-être devraient-ils respecter la mienne?

Avenue de Cour, dans ce que je peux appeler ma retraite, nous n'avons que Iole, qui a accepté le rôle de cuisinière après avoir été, à Épalinges, très longtemps, la nurse de Pierre.

Une femme de ménage vient chaque matin donner un coup de main.

Enfin, il y a T..., qui s'occupe particulièrement de moi.

Sur Iole repose donc une grande partie de notre petite vie. Et elle trouve encore le moyen de s'occuper de Pierre.

Or, j'ai découvert un Johnny qui avait les exigences et la morgue d'un fils-à-papa.

— Tu es payée pour ça!

Un mot que je n'ai jamais prononcé de ma vie et qui m'a fait mal. Très mal. J'aurais voulu que tous mes enfants apprennent au noins une toute petite chose de moi, deux choses plus exactement : l'humilité et le respect d'autrui.

Avec Marc, j'ai réussi. Avec Marie-Jo, je l'espère, sans en être encore sûr. Il me reste l'espoir que Pierre aura compris les leçons que j'essaie de lui donner comme je les ai données aux autres.

Pas des leçons à proprement parler. Jamais je ne les ai sermonnés. Je leur ai laissé, dès leur jeune âge, une liberté presque entière.

La seule chose que j'ai essayé farouchement de leur inculquer, c'est, comme je viens de le dire, le respect de la personnalité humaine.

Ce matin, Johnny est venu me dire au revoir. J'aurais préféré qu'il ne vienne pas. Car il est passé devant la femme de ménage, devant Iole, devant T... comme s'il ne les voyait pas ou comme si elles n'étaient que des objets.

J'aurai raté au moins une chose dans ma vie.

Je viens de quitter mon magnétophone pour quelques minutes. Une chose me frappe, que je n'ai pas dite. Intellectuellement, Johnny est très mûr et a une volonté farouche.

Comme homme, il est resté le même qu'à treize ans. C'est encore l'enfant coléreux et boudeur que j'ai connu, n'acceptant aucune règle, aucune contrainte, et considérant que tout le monde est à sa disposition.

Si seulement il disait merci !

Enfin, je suis à Valmont. Il y a eu quelques complications, comme j'ai l'habitude d'en avoir dans toutes mes entreprises, mais j'ai retrouvé en fin de compte mon appartement, la lumière de cet appartement et tous les objets familiers. Il ne reste plus qu'à me reposer.

Je vais commencer aujourd'hui ma paisible existence de Valmont. Nous sommes montés, T... et moi, jusqu'à Glion. Je ne comptais pas être capable de le faire le second jour.

Nous sommes dans ce petit appartement que j'aime, avec d'immenses fenêtres partout, une immense salle de bains éclairée par deux grandes fenêtres elle aussi. Il y a même une fenêtre aux toilettes par laquelle on voit les oiseaux dans les arbres.

Comme tous les jours quand je suis ici, je viens de téléphoner à Aitken qui m'a dicté le courrier reçu ce matin. Cela m'intéresse de moins en moins. J'en ai un peu honte, mais c'est un fait. Ce n'est pas non plus que je me replie sur moi-même, au contraire, mais ce que j'appelle les « affaires » ne me touche plus.

Les Américains et les Anglais se battent pour obtenir les droits d'une série de tous les Maigret à la télévision. Jadis, cela m'aurait rempli de joie. Aujourd'hui cela me laisse si indifférent que je confie à Aitken le soin de répondre.

Ce n'est pas du gâtisme. En tout cas, je ne le crois pas.

C'est au contraire de la sagesse. Je prends ces événements à leur juste valeur, c'est-à-dire à une valeur très basse. Ce qui compte pour le moment, ici, ce sont mes promenades dans la forêt. J'y trouve à chaque minute un plaisir renouvelé et une plénitude que je ne connaissais pas quand je passais une partie de mes journées avec mon secrétariat.

J'ai appris aussi à écouter et à regarder les oiseaux.

Je crois qu'il faut atteindre un certain âge pour comprendre et apprécier ce qui compte réellement.

Il se passe une chose curieuse. C'est que trois de mes enfants, en tout cas les plus jeunes, éprouvent vis-à-vis de T... une certaine résistance. Ce n'est pas par jalousie, ni par une sorte de fidélité vis-à-vis de leur mère qu'ils ne voient pratiquement pas.

Ce qu'ils auraient préféré, c'est que je conserve Épalinges, que j'y donne des fêtes, que j'y aie des maîtresses, de préférence des jeunes starlettes ou des actrices, bref, que je mène une existence brillante.

Avec T..., au contraire, nous avons une vie tranquillement bourgeoise, faite de millions de petits plaisirs accumulés. Cela dépasse leur imagination. Ils ne parviennent pas à se mettre dans la tête non plus que, si T... n'avait pas été là, je serais mort depuis au moins six ans.

Elle ne leur donne jamais un ordre, ne leur fait pas de remarques. Quand elle s'occupe d'eux, c'est pour les défendre vis-à-vis de moi.

Ils savent qu'elle est la seule des personnes qui n'a rien à y gagner. Je ne divorcerai pas. Même si je le faisais, je ne l'épouserais pas. Elle n'aura donc aucune part de mon héritage. Elle n'a aucun intérêt d'aucune sorte à vivre avec le vieux bonhomme que je suis devenu et à le soigner.

J'en suis toujours émerveillé. Je ne savais pas qu'à soixante-dix ans on pouvait encore inspirer de l'amour.

Il reste environ dix minutes dans la bobine, mais, je ne sais pas pourquoi, il me semble que je veux dicter assez longtemps. J'ai fait une merveilleuse promenade cet après-midi dans les sentiers à travers bois. Maintenant, je suis à nouveau dans mon appartement toujours rosé de soleil et j'ai envie, quoi qu'il m'en coûte, et quoi qu'on en dise plus tard, de dire certaines choses qui me tiennent à cœur.

Je ne sais plus quel auteur a parlé des veuves abusives. On en rencontre plein à Paris comme à New York et comme ailleurs. Elles se sont découvert brusquement, à un certain âge, la vocation de directrice de théâtre ou de productrice de cinéma.

Quand on leur parle de l'œuvre de leur mari, elles laissent entendre, par un petit sourire, que cette œuvre n'aurait pas existé sans elles.

Je n'ai pas de veuves. Les deux femmes que j'ai épousées sont bien vivantes et il y a toutes les chances pour qu'elles m'enterrent.

Je m'étais promis en achetant mon enregistreur que je ne parlerais pas d'elles. De fil en aiguille, j'y suis amené, sans haine, mais parce que je n'aimerais pas que plus tard mon image soit par trop faussée.

Il me faut bien commencer par Tigy, la première. Elle a été longtemps un excellent camarade, toujours prête à partir au pied levé vers n'importe quel coin du monde. Je pourrais dire qu'elle aurait été parfaite si elle n'avait pas été en proie à une jalousie de tous les instants.

Cette jalousie-là, à l'époque, je la mettais sur le compte de l'amour et je la respectais, tout en m'arrangeant pour trouver par ailleurs des compensations.

A vingt ans, à vingt-cinq, à trente, j'avais une faim dévorante de la femme, de toutes les femmes, et je souffrais littéralement lorsqu'il y en avait une qui m'échappait.

Comment faire, avec une Tigy derrière soi ? Tricher, certes. Et un homme ne pardonne jamais à une femme de l'obliger à tricher.

J'ai triché pendant vingt-deux ans. J'ai davantage connu les amours derrière les portes que les amours dans un lit.

Ma brave Boule, qui est entrée chez moi à dix-sept ans et qui élève encore les enfants de mon fils Marc, ne m'en voudra pas de révéler que nous avons toujours couché ensemble, pratiquement chaque jour.

La guerre est arrivée. Nous nous sommes réfugiés dans une propriété de Saint-Mesmin-le-Vieux, en Vendée. J'y élevais trois vaches, un cheval, des centaines de poules, de canards et de dindons. J'avais l'habitude de faire la sieste dans un petit bâtiment proche du bâtiment principal. Et Boule, elle, avait l'habitude de venir m'y réveiller, ce qui n'était pas sans provoquer tout au moins des caresses.

Un après-midi de soleil, Tigy a surgi, raide et blême, m'a fait un signe de sortir qui aurait été digne de la Comédie-Française. Une fois dans la cour, elle a déclaré fermement :

— Tu vas mettre immédiatement cette « fille-là » à la porte.

Il y avait plus de vingt ans que nous considérions Boule comme de la famille. J'ai répondu par un monosyllabe :

— Non.

Elle a été un moment désarçonnée.

— C'est elle ou moi qui partira.

Elles ne sont parties aucune des deux.

J'ai simplement proposé que, dorénavant, nous ayons chacun, Tigy et moi, notre liberté.

Elle m'avait toujours annoncé que, si je la trompais, elle se tuerait.

Quinze jours après cet incident, elle couchait avec le fils d'un ami qui était notre hôte à ce moment et qui avait quinze ans.

J'avais enfin ma liberté. J'en ai profité. J'ai connu les lits au lieu des portes entrouvertes et des coins de tables. La guerre s'est achevée. Comme je l'avais décidé bien avant qu'elle commence, je me suis rendu en Amérique, car j'éprouvais le besoin de connaître les deux civilisations. Marc avait six ans. Je l'ai installé avec sa mère dans une villa canadienne d'où je faisais la navette avec New York.

Je ne comptais pas m'attacher à une autre femme, bien au contraire.

J'ai eu quelques aventures sans lendemain. Jusqu'au jour où je suis tombé, à New York, sur une jeune Canadienne qui se proposait comme secrétaire.

Que m'est-il arrivé? Je suis tombé amoureux. D'un amour passionné, violent et en même temps très tendre.

Petite et pâle, elle paraissait sans défense. J'avais l'impression aussi que, du point de vue mental, si je puis dire, elle n'était pas tout à fait solide.

Je ne suis pas le premier imbécile à avoir joué Pygmalion. Je me suis promis de lui rendre une existence harmonieuse et paisible. Je l'ai d'abord conduite dans notre villa du Canada où Tigy n'a vu aucun inconvénient à ce qu'elle vive avec nous. Elle nous a suivis ensuite en Floride, puis en Arizona.

Je l'empêchai de se maquiller. J'avais changé sa coiffure, essayé de lui inculquer une certaine simplicité.

Elle est devenue enceinte.

Commence alors une longue période extrêmement pénible. Tigy

189

ne voulait pas divorcer. Il m'était difficile, avec les mœurs américaines, de vivre avec une femme légitime, une concubine et un enfant. J'ai rarement vu deux femmes se battre aussi âprement et exclusivement pour des questions d'argent. Plusieurs avocats s'en sont mêlés. Ils ont fini par obtenir un *statu quo* qui me coûtait en alimonie à peu près tout ce que je gagnais.

Tigy vit maintenant paisiblement dans sa maison de Nieul, sûre de son présent, sûre de son avenir. Je ne lui en veux plus.

C'est l'autre, D..., qui a commencé à son tour. Aux États-Unis elle était assez calme parce que nous voyions peu de gens. Lorsque j'ai décidé de revenir en Europe et que je me suis installé provisoirement à Cannes, j'ai commencé à disparaître pour faire place à elle. Elle s'était emparée de mon secrétariat. Elle prétendait mener à sa guise des affaires auxquelles elle ne connaissait rien. Elle m'a brouillé avec de vieux éditeurs en qui j'avais toute confiance jusqu'au jour où il a fallu nous séparer.

Je restais amoureux. Chez elle, je sentais plus de haine que d'amour.

Quand on lui parle, aujourd'hui encore, il paraît que c'est elle qui a fait ma fortune. Or, personne au monde n'a jamais écrit une ligne d'un de mes romans.

Depuis près de deux ans, nous ne nous rencontrons même plus et nos rapports n'ont lieu qu'au travers de nos avocats respectifs.

Voilà la fin d'un grand amour, fin assez logique, en somme, étant donné la naïveté avec laquelle je m'y étais lancé.

T... est restée avec moi. Nos liens se sont resserrés petit à petit et, si je devais encore appliquer le mot amour à un sentiment, c'est à celui qui nous unit.

Elle n'a rien à gagner. Elle a tout à perdre, car elle est beaucoup plus jeune que moi. La nuit, si ma respiration ne lui semble pas régulière, elle reste des heures à l'épier.

Nous nous sommes si bien habitués à penser ensemble que lorsque nous ouvrons la bouche c'est la plupart du temps pour prononcer les mêmes mots.

Ces pages, je tenais à les dicter parce que je sais que plus tard ces événements seront défigurés. Ils le sont déjà.

Cela ne m'empêche pas de dormir.

J'ai mes enfants. Et surtout j'ai T...

Peu d'hommes ont eu cette chance, surtout à soixante-cinq ans.

Il y a quelques jours ou quelques semaines, car je ne tiens plus compte du temps, je parlais de sexualité et je citais trois cas de relations sexuelles qui avaient été pour moi presque miraculeuses.

J'ai décrit les deux premières. J'ai évité de faire allusion à la troisième. Maintenant que j'avance dans ces confidences quasi quotidiennes, je n'hésite plus, quitte à brûler un jour tous ces bavardages.

Je décide donc, contrairement à ma première intention, de parler du troisième miracle, d'autant plus qu'il est devenu un véritable miracle. Il y a douze ans environ, j'avais demandé à la secrétaire de mon éditeur italien de faire insérer une annonce dans le *Corriere della sera* pour demander une femme de chambre. Après quelques jours, elle nous a donné rendez-vous. Je suis allé voir l'éditeur d'abord, puis on m'a conduit dans le bureau de la secrétaire où une jeune femme attendait. Je ne la décrirai pas. Ce qui m'a frappé, c'est une sorte de sérieux sans gravité, sans ostentation, une sorte de sérénité.

C'était l'hiver. Elle portait un manteau que j'appelle en couverture de cheval, ces manteaux anglais très colorés.

Ce n'était pas à moi à discuter avec elle. C'était le rôle de D... Pour ma part, je me tenais modestement dans un coin et de temps en temps je jetais un coup d'œil à l'inconnue. Pourquoi ai-je compris qu'elle jouerait un rôle important dans ma vie? Je suis incapable de répondre à cette question. Ce n'était pas ce qu'on appelle le coup de foudre. C'était quelque chose de plus subtil, de plus grave, je dirais de plus lointain.

Il s'agit de T... Quelques semaines plus tard elle arrivait à Échandens où j'habitais alors. Je n'imaginais pas que des relations sérieuses puissent s'établir entre elle et moi. Je n'étais pas amoureux. Pourtant c'est elle qui partage ma vie aujourd'hui.

Un jour, j'ai envie de dire le premier jour, mais je suppose que je me trompe, je suis entré dans le boudoir alors qu'elle y était seule.

Nous ne nous sommes pas embrassés. Nous n'avons pas parlé d'amour. Pendant quatre années environ, nous nous sommes contentés de relations parfois furtives, parfois moins, qui nous ravissaient.

Un jour, un soir plutôt, je me suis cassé sept côtes en glissant dans ma salle de bains. C'est T... qui m'a soigné en attendant l'arrivée des médecins. Le lendemain, on m'emmenait à la clinique mais j'exigeais sa présence et elle a eu un lit de camp à côté de moi.

C'est là, je crois, qu'est née notre tendresse. Elle est née doucement, graduellement, sans éclats. En trois semaines de clinique, enfermés dans deux pièces, nous avons appris à penser ensemble, à vivre ensemble, à être heureux ensemble.

Lorsque nous sommes rentrés à Épalinges, nous n'étions plus les mêmes. Je le savais. Je crois qu'elle ne le savait pas encore. Il a fallu qu'elle installe un lit de camp dans ma chambre, car j'avais encore besoin de soins.

Ainsi, petit à petit, notre amour est né. Je me méfie du mot amour. Je l'utilise de moins en moins. Je préférerais dire « que notre union est née ».

De son lit de camp, elle est passée dans mon lit. Rien n'était changé. Nous pensions toujours ensemble, nous avions toujours l'un pour l'autre les mêmes angoisses, les mêmes attentions.

Nous en sommes arrivés à ne plus pouvoir vivre une heure l'un sans l'autre, que ce soit dans la journée ou dans la nuit. C'est un contact indispensable. Un simple frôlement des doigts au beau milieu de la nuit a autant d'importance que les étreintes les plus passionnées.

Elle est là. Je suis là. Nous sommes en paix. Mais qu'on nous sépare pour une heure et nous sommes aussi perdus l'un que l'autre. Depuis que je viens à Valmont avec elle, le médecin est stupéfait. Il suffit en effet d'une toute petite inquiétude pour ma santé pour que sa tension monte à dix-sept. Il dit fréquemment :

— Je n'ai jamais vu un tel cas de symbiose.

J'aime mieux ce mot-là que le mot amour.

T... et moi sommes en symbiose.

C'est le quatrième matin que je m'éveille à Valmont. Le troisième plus exactement. Et j'ai l'impression que j'y vis depuis une éternité. Il est vrai que j'y suis venu deux fois avant. Mais c'est vrai aussi pour tous les endroits où il m'est arrivé de vivre.

Il faut une heure, deux heures, pour mettre en place vêtements et objets, surtout les objets qui se retrouvent presque au même endroit que dans ma maison de l'avenue de Cour. Les pipes sont en ordre, les boîtes d'allumettes, mes journaux, mes livres.

Mon emploi du temps ne varie guère. Ce matin nous sommes montés jusqu'à Glion, comme hier, comme avant-hier, comme demain probablement et comme les jours qui suivront. Après-midi nous suivons les sentiers des bois avec un plaisir renouvelé.

Certains diraient que je suis maniaque. Chaque objet a sa place exacte. Et c'est une satisfaction de l'y trouver au lieu de chercher à travers l'appartement.

Avenue de Cour aussi, les objets sont à leur place, fixée une fois pour toutes. Je me souviens qu'à Panama il en était de même.

Si c'est cela qu'on appelle être maniaque, je le suis. Car cela permet à l'esprit une liberté entière.

Notre emploi du temps n'est pas tellement différent de l'avenue de Cour non plus, ni de ce qu'il était à Épalinges. Une promenade le matin. Une promenade l'après-midi. Puis la lecture des journaux et des quelques livres que j'emmène avec moi.

J'avoue que tout ce qui change ma routine me dérange.

Mes enfants sont maintenant éparpillés. Marc, trente-quatre ans, l'aîné, va commencer le tournage de son film. Il doit être, si j'ai bien compris, dans l'Aveyron. Johnny est-il encore avec lui, c'est possible, mais à la fin du mois son amie américaine va venir le rejoindre pour faire le tour de France. Pas à bicyclette.

Marie-Jo tourne dans un film de Chabrol. Les quelques jours qu'elle aura de disponibles, elle ira les passer au bord de la mer, de préférence dans le Midi.

Elle m'écrit pour que je lui signale un petit endroit tranquille. Comme si le Midi d'aujourd'hui et même la France d'aujourd'hui ressemblait encore à la France que j'ai quittée! Elle ira où elle voudra, et elle finira probablement à Saint-Tropez.

Quant à Pierre, dans huit jours il part pour les Baléares avec un ami. Il n'a que quatorze ans mais le voyage ne lui fait pas peur.

Dans deux mois enfin, Johnny sera à Harvard.

J'ai dit éparpillement. Je ne crois pas que cela existait dans mon enfance. Mais il y avait, entre les parents et les enfants, une séparation aussi catégorique. Pour la plupart, en effet, les collégiens étaient internes et avaient peu de rapports avec leur famille.

Je suis surpris d'en avoir eu autant avec la mienne.

Je vais être sincère jusqu'au bout : leur présence physique ne me manque plus. Je sais où ils sont, ce qu'ils entreprennent, ce qu'ils pensent, ou je crois le savoir. C'est plutôt lorsque nous sommes en tête à tête que nous nous trouvons comme gênés.

Il fut un temps, à Échandens puis à Épalinges, où, le soir, j'allais de chambre en chambre pour les embrasser et leur souhaiter la bonne nuit.

Je ne me sens pas plus éloigné d'eux aujourd'hui que, sauf Pierre qui vit avec moi, je ne les embrasse pas plus d'une fois par six mois ou par an.

Est-ce une transformation de la vie sociale? Je lis tous les jours dans les journaux et dans les magazines que la vie change, que les relations humaines changent. Je ne m'en aperçois pas. Les étudiants qui prenaient pension chez ma mère quittaient leur famille, en Pologne ou en Russie, pour plus d'un an, quand ils pouvaient se payer des vacances. Les travailleurs algériens, turcs, ou autres s'expatrient pour des années entières et ce sont les Italiens qui sont venus creuser tous les tunnels de France.

J'ai eu, comme chacun, une idée de la famille telle qu'on la voit dans les chromos : le grand-père à barbe blanche présidant la table, la grand-mère passant les plats, le père veillant à la discipline, la mère allant de la salle à manger à la cuisine et les enfants... les enfants attendant avec impatience que ce soit fini.

J'ai attendu toute mon enfance le moment de m'échapper. Je n'ai jamais fait de confidences à ma mère ni à mon père, que j'adorais. Et quand j'allais le voir dans son bureau c'était pour lui emprunter quelques francs. Il le savait. Il ne m'en voulait pas.

Il faudrait qu'avec mes enfants je m'habitue à la même philosophie car je crains fort qu'au fond de moi-même je sois resté marqué par les chromos montrant la famille à table.

Je lis aujourd'hui que les spécialistes américains se penchent de plus en plus sur le rêve et que l'explication la plus probable est qu'ils naissent d'une chaînette d'acide liée peut-être à un nerf. Une expérience aurait été faite. Une petite partie d'un rat supposée contenir cette chaînette a été transplantée à un autre rat chez qui elle a transmis la mémoire rudimentaire du rat mort.

Des recherches continuent dans ce sens, car il n'y a encore aucune découverte définitive. Il serait assez extraordinaire de pouvoir transplanter la mémoire d'un être à un autre, à plus forte raison s'il s'agit de l'homme.

Les savants français, eux, cherchent dans une autre voie. Pour eux, le rêve est une sorte de cristallisation des événements vécus. Mais vécus quand? J'allais ajouter : mais vécus par qui?

Plusieurs fois dans ma vie, j'ai fait le même rêve, très exactement : un paysage immense, lunaire, avec un lac d'une immobilité de mercure entouré de montagnes noires.

Que faisais-je là? Cette image ne correspond à aucun de mes souvenirs. Je connais très peu de lacs. Je n'en ai jamais vu de semblable à celui-là.

Comment donc à quinze ans, à vingt ans d'intervalle, ce rêve peut-il se répéter sans aucune variante?

Cela rejoint presque la mémoire tribale de Jung : une image isolée qui remonte d'un lointain passé dans mon cerveau primitif.

Ce rêve ne me fait pas peur. Il me fige, simplement, comme le paysage est figé, comme le lac est figé, comme tout ce monde inconnu est immobile.

196

Ici, à Valmont, j'ai dans mon appartement un W.-C. extraordinaire. Il comporte en effet une grande fenêtre qui donne sur la forêt et en particulier sur un gros arbre plein d'oiseaux. Il m'arrive d'aller faire pipi uniquement pour les regarder.

Je n'y connais malheureusement rien en oiseaux. Quand j'étais petit garçon, bien sûr, il y avait des moineaux dans ma rue où le crottin ne manquait pas. Plus tard, j'ai presque toujours vécu à la campagne mais, pour une raison qui m'échappe, je ne me suis pas intéressé aux oiseaux. Je le regrette. Ici, je les regarde longuement, j'observe leurs allées et venues, leurs disputes.

Et cela me rappelle André Gide. Lorsque Marc est né, Gide m'a dit :

— Veillez surtout à ce qu'il ait de bonnes connaissances en botanique. J'en parle par expérience. Cela m'est un grand réconfort d'aller me promener à la campagne et d'observer les plantes.

Je n'y connais rien aux plantes non plus. Au fond, je ne connais pas grand-chose.

Tout ce qui ne concerne pas directement l'homme me laisse indifférent et il a fallu que je vienne à Valmont pour que les oiseaux m'attirent et me fascinent. Seulement, c'est à peine si je reconnaîtrais un coucou d'une pie.

Pour les plantes aussi, Gide avait raison. Je m'arrête au bord du sentier pour les regarder, mais je ne connais rien d'elles.

En ce qui concerne Marc, j'ai suivi les conseils de Gide. Je lui ai fait apprendre tout au moins les premiers rudiments de la botanique; je crois que cela a glissé sur lui comme de l'eau.

C'est humiliant de constater le peu de notions que l'on peut accumuler au cours d'une existence. Juste une petite poignée de sable qui donne pourtant envie d'en savoir davantage alors qu'il est trop tard.

Je n'ai jamais rien connu à ce qu'on appelle les arts d'agrément. Vers l'âge de sept ou huit ans, j'ai pris des leçons de violon; mon professeur avait une si mauvaise haleine que j'ai refusé de continuer.

Je ne peins pas. Je ne dessine pas. Je ne joue d'aucun instrument. Je ne pourrais pas citer un sport dans lequel je sois excellent. Je les ai pratiqués presque tous, aussi mal les uns que les autres.

J'ai lu. J'ai beaucoup lu, d'un bout à l'autre de ma vie; j'ai dû mal lire puisque je n'ai à peu près rien retenu. Je me fais penser au personnage d'une pièce de Jean Anouilh : *le Voyageur sans bagages.*

Je n'en ai pas honte. J'ai vécu. Je me suis frotté à des gens de toutes sortes et c'est peut-être dans ce domaine-là qu'il me reste le plus de connaissances : le domaine des hommes, un regard, une façon de parler, un maintien, une faiblesse cachée, des faiblesses surtout car, si j'y pense, je ne retrouve dans ma mémoire aucun personnage sans faiblesses.

Nous menons notre vie comme si nous étions sûrs de nous, comme si nous nous sentions forts. Nous sommes le collégien qui accumule les bonnes notes, l'amoureux qui croit savoir aimer, le père de famille qui se prend au sérieux et qui imagine qu'il porte les siens sur ses épaules.

Nous finissons par être le grand-père que les petits-enfants regardent d'un air goguenard.

Tout cela, si l'on peut dire, tout cela, c'est notre acquis. C'est peut-être à cause de ce vide que tant de gens, à un certain âge, éprouvent un attrait pour les distinctions honorifiques, titres, décorations, présidences, etc.

Ainsi, sur le tard, au lieu de s'interroger sur eux-mêmes, sont-ils honorés par les autres.

Ce n'est pas mon cas et je compte rester jusqu'au bout le petit garçon assez quelconque et plein de fougue que j'ai été.

Il devait avoir huit ou neuf ans au maximum. Il était couvert de guenilles plutôt que de vêtements et il marchait pieds nus dans la neige sale.

Cette image-là m'est revenue ce matin en plein soleil de juillet et j'ai eu de la peine à la caser, à la déchiffrer. Puis, peu à peu, j'ai revu le ghetto de Vilna.

Vilna est une ville située très haut à la frontière de la Pologne et de la Russie. En 1933 ou 1934, je m'étais mis en tête de faire le tour de tous les pays d'Europe centrale et de l'Est. J'étais arrivé à Vilna et ce petit bonhomme qui marchait devant moi n'était pas une exception. Certains hommes portaient encore un pardessus qu'ils avaient sauvé du naufrage mais il était râpé et verdâtre. Les femmes s'enveloppaient dans des châles. Dans les boutiques il n'y avait presque rien à vendre. A quoi bon, puisque les gens n'avaient presque rien pour acheter non plus ?

Ma mère a eu une étudiante de Vilna, Niouta, splendide fille brune d'une gaieté débordante. Mon frère l'adorait mais n'obtenait d'elle que des faveurs superficielles car, disait-elle, une fille juive doit se réserver intacte pour son mariage.

Je suis redescendu à Varsovie où j'ai retrouvé Niouta, son mari et son frère. Son mari était aussi noir de poil que si on lui avait fait un shampooing à l'encre de Chine. Or, dans un berceau, le bébé blond, au teint très clair, et Niouta me chuchotait, toute fière :

— Christian !

Le prénom de mon frère.

Il y avait près de dix ans qu'ils ne s'étaient pas vus. Christian vivait au Congo et je répète : ils n'avaient jamais eu tous les deux de rapports sexuels. Elle n'en était pas moins persuadée que c'était un peu le fils de Christian qui lui était né par miracle. Varsovie était pauvre aussi, d'une pauvreté plus bourgeoise. On tenait encore à paraître et les femmes de la bourgeoisie ou de l'intelligentsia ne sortaient pas sans leur manteau d'astrakan.

La nuit, c'était des parlotes sans fin dans les cabarets et les salons de thé.

Un jour, le frère de Niouta, qui était jeune et célibataire, me propose d'aller voir « les femmes ». En réalité, il n'y en avait qu'une dans un immeuble assez vétuste qui gardait aussi, comme le logement, une certaine dignité.

La femme ne parlait pas un mot de français ni d'anglais. C'est avec mon ami qu'elle s'est entretenue et c'est lui qui a fini par se dévêtir en même temps qu'elle. Que s'est-il passé à ce moment-là ? Il a dû lui dire que j'étais français, et alors j'ai assisté à une scène comme je n'en ai jamais vu de ma vie.

Furieuse, toujours nue, la bouche mauvaise, elle l'accablait d'injures tout en me lançant de noirs regards.

Lui, gêné, se rhabillait tant bien que mal et elle a fini par nous pousser sur le palier en hurlant toujours.

Quand j'ai demandé au frère de Niouta l'objet d'une telle fureur, il m'a dit qu'il avait eu le malheur de parler de la France. Alors, elle s'est écriée à peu près :

— Oui, la France qui, sous prétexte de nous aider, nous envoie des canons et des armes pour la défendre en cas de guerre. C'est de nourriture que nous avons besoin. Ce n'est pas de servir de soldats à un pays qui n'a qu'à se défendre tout seul.

Mais il faut multiplier ça par dix, par cinquante, par cent.

Hélas, Niouta, son enfant blond, son mari, son frère ont dû passer à la chambre à gaz, tout comme cette fille nue qui ne voulait pas recevoir de canons.

J'ai écrit, vers cette époque-là, un reportage intitulé *Peuples qui ont faim*. Et ils avaient vraiment faim. D'une façon différente, selon qu'on franchissait telle ou telle frontière. Les Hongrois continuaient à écouter les violons en mangeant; les Tchèques étaient seulement un peu plus raides, renfermés sur eux-mêmes; les Roumains continuaient chaque jour à jouir du spectacle de la garde royale en uniforme multicolore mais tout était à vendre, y compris les hauts fonctionnaires et, m'a-t-on juré, des femmes de ministres.

Ce n'était pas la faim catastrophique et spectaculaire des pays sous-développés où l'on envoie par avion des boîtes de lait condensé et des sacs de riz à la population.

J'allais dire que c'était pis : une faim latente, de tous les instants, qui n'empêchait pas chacun de vaquer dignement à ses occupations. Partout, on me recevait poliment, contrairement à la prostituée de Varsovie, mais je sentais les gens attentifs à la qualité de mes vêtements et à mon corps surnourri.

Je sentais aussi qu'ils pensaient : « Nous avons faim et on nous envoie des canons. »

Je n'étais pas fier.

Les images appellent les images et il arrive qu'on en oublie une, généralement celle à laquelle on tenait le plus.

C'était toujours en 1933, dans l'hiver polonais. Notre traîneau suivait les routes enneigées qui ressemblaient davantage à des pistes. Des deux côtés, c'était la forêt, avec parfois, de loin en loin, un petit groupe d'isbas.

Quelle surprise pour moi de voir tout à coup, dans ce décor, un vrai train, long de plusieurs dizaines de wagons et entouré de centaines de gens munis de tous les ballots imaginables et traînant des enfants par la main. Il y avait une majorité d'hommes mûrs mais on comptait aussi quelques vieillards. Je cherchai à poser des questions, mais personne ne me comprenait. Enfin, un curé s'empressa très obligeamment.

— Vous voulez savoir?

— Où vont ces gens-là? Ce train ne doit pas être un train régulier.

— Certainement pas. C'est un train de travailleurs que nous emmenons dans le nord de la France où ils sont attendus aux charbonnages. Je les accompagne, ainsi que le maire, de sorte que le village se reconstituera là-bas.

Je n'en croyais pas mes oreilles. On emmenait à travers toute l'Europe un village entier pour travailler aux mines de Lorraine ou du Nord. J'ignore s'il y a eu beaucoup d'autres trains comme celui-là. Quand je suis retourné en Belgique, il n'y a pas si longtemps, je ne fus pas surpris d'entendre des gens parler polonais entre eux.

Maintenant, les choses se passent autrement; en bout de compte, cela revient au même. On dirait qu'il y aura toujours des esclaves.

C'est T..., tout en bavardant, qui vient de m'y faire penser. Lorsque j'écrivais mes romans populaires, il m'arrivait d'écrire quatre-vingts pages de dactylographie par jour. Entre deux romans, je prenais le temps de vivre.

Les premiers Maigret ont été écrits à raison de douze romans par an.

Je me considérais, du coup, presque comme un retraité.

Ensuite sont venus ce que j'appelle les romans-tout-court, c'est-à-dire les romans sans Maigret et sans intrigue policière. Pendant dix ans environ, je les ai écrits à la cadence de six par an.

Ce n'est qu'à mon retour d'Amérique que j'ai abaissé cette moyenne à quatre, moyenne que j'ai suivie jusqu'à l'année dernière.

Qu'est-ce qui me poussait à écrire? Rarement une question d'argent. C'était un besoin qui s'emparait de moi. Voilà deux, trois ans encore, lorsque j'appelais mon médecin, il me demandait :

— Depuis quand n'avez-vous plus écrit de roman?

Je lui répondais deux mois, ou trois mois. Alors son ordonnance, si je puis dire, était invariable :

— Écrivez tout de suite.

Maintenant, je suis à la retraite. Je ne me sens plus l'énergie de créer des personnages et de les mener jusqu'au bout.

C'est cela que T... me faisait remarquer il y a quelques minutes : je n'ai jamais autant dicté. Il s'agit donc bien d'un besoin. Ces pages que je dicte depuis quelques mois ne paraîtront peut-être jamais. J'en déciderai plus tard.

Ce que je viens de découvrir c'est que, du jour où j'ai commencé à écrire, c'est-à-dire vers mes seize ans, cela n'a été pour moi ni une profession ni une distraction, mais un besoin.

Depuis ces quelques mois que je vis en dehors de toute question littéraire, j'ai des remords lorsque je regarde mon magnétophone et que je suis resté une journée sans m'en servir.

Dieu sait cependant que ce que je dicte de la sorte n'a pas d'importance.

Encore une fois, c'est un besoin, et je dicte davantage aujourd'hui que j'écrivais de romans, même quand c'étaient des Maigret, et peut-être, en fin de compte, quand c'étaient des romans populaires.

Est-ce que je suis le vieil écrivain qui se raccroche? Je ne le crois pas, car, s'il en était ainsi, je l'aurais été toute ma vie.

J'ajoute après coup quelques mots, ce qui m'arrive assez souvent, car j'ai l'esprit lent. Lorsque j'écrivais mes romans, je me considérais comme un professionnel. Un professionnel de quoi? Je n'en sais trop rien car je n'ai jamais considéré comme une profession d'écrire.

Toujours est-il que je devais créer mes personnages et m'assimiler à eux.

Maintenant, ce sont des vacances. Il n'y a plus de personnages à créer. Je peux vivre ma propre vie.

Il ne m'en reste pas moins, presque quotidiennement, la nécessité de m'exprimer, ce qui ne m'arrivait pas jadis entre deux romans.

Le 14 juillet 1924 marque une date dans ma vie car c'est celle de mon premier contact avec le peuple de Paris. J'étais émerveillé de voir une ville entière qui dansait dans la bonne humeur et avec un contact pour ainsi dire fraternel. Les moindres cafés, les moindres bistrots avaient leur terrasse qui envahissait le milieu de la chaussée. La plupart avaient une estrade sur laquelle plusieurs musiciens, quelquefois un seul accordéoniste, rythmaient la danse.

Les gens du quartier étaient tous là et s'interpellaient les uns les autres. C'était vraiment ce que l'on peut appeler une fête populaire.

J'ignore ce que sont les 14 juillet d'aujourd'hui. J'entends parler de vedettes que l'on trimbale à toute vitesse de bal en bal. Cela me déçoit un peu.

Autre chose me déçoit aussi. Marie-Jo devait venir me voir avant de passer en France quelques semaines de vacances. Elle m'a téléphoné pour me dire que le voyage était trop long pour une si courte entrevue. Elle voulait aussi me demander conseil sur l'endroit où aller. Je serais en peine de la conseiller, car la France que j'ai connue a tellement changé que je m'y retrouverais sans doute avec peine.

Aujourd'hui, à quatre heures, Johnny devait venir passer un moment avec moi après son séjour à Paris et avant celui qu'il va y faire à partir de demain. A quatre heures tapant, il m'a téléphoné du fond de son lit pour me dire qu'hier soir il avait rencontré une belle fille, qu'il s'était couché à quatre heures du matin, que, si je le désirais, il viendrait demain matin, ce qui l'obligerait à renoncer à son avion pour Paris où il va retrouver Marc.

C'est comme une suite à ce que je dictais récemment sur ce sujet. Il a évité la corvée. Car je suis devenu la corvée. Venir me voir ne les intéresse ni l'un ni l'autre. Ils ont leur vie. Ils ont leurs distractions, leurs joies, peut-être leurs déceptions dont je suis tenu à l'écart.

Une certaine mélancolie? Je n'en sais rien. C'est peut-être ainsi que ça doit se passer.

Tout à l'heure, en descendant la route de Glion comme nous le faisons chaque matin depuis que nous sommes à Valmont, je me suis arrêté pour regarder les yeux de T... C'est pour moi la meilleure façon d'exprimer ma tendresse et de sentir la sienne.

Tout à coup, je me suis rendu compte que toute ma vie j'ai été fasciné par les yeux. Enfant, je contemplais, rêveur, les chiens assis sur un seuil et je cherchais à comprendre ce qui se passait derrière leurs yeux. Car il se passe fatalement quelque chose. Quoi? Je l'ignore, mais je me refuse à croire qu'il n'y a pas une forme d'intelligence, au-delà de ces yeux-là, très proche de la mienne.

Le monde comporte quelques milliards d'individus, des milliards d'yeux. Ces yeux sont ouverts à la vie comme ceux de chacun d'entre nous. Que reflètent-ils?

Je me souviens des tramways de mon enfance, surtout le soir, quand les petites lampes jaunâtres étaient allumées et donnaient au décor un aspect irréel. Les voyageurs étaient immobiles, tanguant au rythme des cahots, avec parfois un sursaut.

Certains ne regardaient rien, d'autres regardaient les gens assis en face d'eux, regardaient machinalement leurs yeux.

Je me demandais :

— Cherchent-ils un moyen de communication?

Car tout ce monde qui regarde rumine des pensées que nous ne connaîtrons jamais. Ils essaient, eux aussi, de comprendre des regards qui leur paraissent vides et qui pourtant ne le sont pas.

Les yeux des hommes, les yeux des animaux, même de certains animaux qu'on dit inférieurs, me fascinent.

Un jour, nous nous trouvions avec Johnny au zoo de Barcelone

206

quand la pluie s'est mise à tomber dru. Nous sommes entrés dans un petit bâtiment où, derrière des barreaux, il y avait trois singes, trois gorilles énormes, le père, la mère et leur petit.

Je suis resté là plus d'une heure à les contempler. Eux aussi me contemplaient, non par curiosité, car ils ont l'habitude de voir défiler les humains, mais, me semblait-il, parce qu'ils avaient envie de me communiquer un message.

Ils n'ont pas pu, évidemment. Moi non plus. Je suis resté impuissant devant eux et c'est avec une sorte de honte que je suis parti. Les yeux de T..., c'est la tendresse, une tendresse gaie, heureuse, sans mélancolie et, avec elle, je lis sans peine le message car je sais que nous pensons chacun la même chose.

Je parlais de tramways. De souvenir en souvenir, j'en suis arrivé à ma découverte de Paris, découverte que j'ai faite entièrement en autobus.

Ce ne serait plus possible aujourd'hui où les autobus sont de grandes boîtes hermétiques. En 1923, il n'y avait que des autobus à plate-forme et c'est sur la plate-forme que je me tenais. J'avais l'illusion d'appartenir au paysage, d'appartenir à la foule grouillante sur les trottoirs et je ne prenais pas nécessairement l'autobus pour aller d'un point à un autre mais pour le plaisir de découvrir de nouvelles rues.

Surtout les rues étroites, avec beaucoup de boutiques, avec beaucoup de femmes allant de l'une à l'autre, leur cabas sous le bras.

Pendant des années, cela a été mon grand plaisir, la récompense que je m'offrais lorsque j'avais travaillé depuis six heures du matin. Ce qu'on appelait alors les Grands Boulevards représentait à peu près, en plus vivant, ce que sont les Champs-Élysées d'aujourd'hui. Je prenais l'autobus à la Madeleine, je me calais dans un coin de la plate-forme, je fumais ma pipe et je regardais, émerveillé.

Il y avait encore des fiacres parmi les taxis, quelques calèches, souvent des femmes en grand apparat et, le soir, des hommes en haut-de-forme.

Les terrasses étaient pleines et chacun des grands cafés, que ce soit le *Napolitain,* que ce soit le *Café d'Angleterre,* que ce soit le *Madrid,* avait une clientèle bien définie.

Frais émoulu de province, j'aspirais ces images, narines

ouvertes, regard brillant. C'était la vie. Une vie multiple, qui changeait de cent mètres en cent mètres.

Il n'y avait aucun rapport entre une jolie femme du boulevard de la Madeleine et une jolie femme du boulevard des Capucines.

Il en était de même des magasins. De grand luxe côté Madeleine, puis, petit à petit, jusqu'au boulevard Saint-Martin, devenant plus populaires.

C'est un parcours que j'ai accompli des centaines de fois, non pour aller d'un point à un autre, mais pour le plaisir. Je ne le regrette pas.

Je voudrais que toutes les villes offrent encore les moyens de les pénétrer intimement, de s'y mêler, d'en humer les odeurs, d'en voir les gens dans leurs loisirs ou dans leurs occupations.

Au fond, ma hantise a toujours été et est restée le contact avec les autres. Peut-être parce que j'ai atteint un certain âge, ce contact me paraît de plus en plus difficile.

J'ai fait un rêve curieux. Plus exactement ce n'était pas tout à fait un rêve. J'étais encore dans un demi-sommeil voluptueux et je regardais avec curiosité un homme que je ne voyais que de dos. Il était plus grand, plus large d'épaules, plus corpulent que moi. J'avais beau ne le voir que de dos, je sentais en lui une placidité que je lui enviais.

Il avait revêtu un pantalon de toile bleue, un tablier de jardinier et portait un chapeau de paille cabossé.

Il se trouvait dans un jardin. Le long d'une murette qui séparait ce jardin du jardin voisin, on avait planté toutes les herbes aromatiques et il était occupé à les biner.

Il m'a fallu un certain temps, dans mon demi-sommeil, pour me rendre compte qu'il ne s'agissait pas d'un personnage réel mais d'un personnage sorti de mon imagination.

C'était Maigret, dans son jardin de Meung-sur-Loire, un Maigret à la retraite, lui aussi, mais de plusieurs années plus jeune que moi.

Il me semblait que je connaissais les moindres recoins de la maison au carrelage rouge où Mme Maigret s'affairait devant son fourneau. Il me semblait aussi que je voyais Maigret, l'après-midi, se diriger paisiblement vers son café habituel où il retrouvait ses partenaires pour une partie de belote.

Il ne pêchait plus. Il prétendait que les eaux étaient trop polluées.

Il ne s'ennuyait pas. Il trouvait l'emploi de chaque heure de ses journées et il lui arrivait, bras dessus bras dessous, de faire de longues marches à pied avec sa femme.

Ou bien je me suis endormi tout à fait, ou bien je me suis éveillé. Ces images se sont effacées. Je les garde dans mon esprit et cela restera, pour moi, la retraite de Maigret.

Un port de la côte atlantique du Gabon, vers 1932. En fait de port, il n'y a pas de vrai port, car la houle est si forte que les passagers sont hissés à bord des paquebots dans des sortes de paniers suspendus au bout d'un filin.

Ce n'est pas d'un paquebot non plus qu'il s'agit, mais d'un cargo appartenant à une grande famille française d'armateurs. Il charge l'okoumé et l'acajou pour le transporter en Europe.

Le cargo est à l'ancre. Le long de son flanc on a dressé une échelle de corde et, dans des barques, on amène inlassablement des nègres à peu près nus, hommes et femmes, certaines avec un bébé accroché dans le dos. Le bateau tangue. Tous ces petits personnages, qui, de loin, ont l'air d'insectes, se cramponnent à l'échelle de corde et se hissent en essayant de ne pas se faire décrocher par le roulis.

Lorsqu'ils arrivent enfin sur le pont, leur visage est terreux de peur. Ils doivent être deux ou trois cents. Leur épreuve n'est pas finie. Il va falloir maintenant qu'ils descendent une échelle pour se rendre à fond de cale.

C'est ainsi, couchés sur la tôle, qu'ils gagneront l'endroit où ils doivent travailler.

Je remarque une petite négresse qui est plutôt une femme-enfant, aux grands yeux effrayés. Le chef mécanicien qui assiste à cet embarquement la remarque aussi.

Le matin, lorsque le bateau est en route, je vois ce petit corps, ce visage aux grands yeux sur le pont; un jeune Noir l'accompagne.

Elle discute. Elle gesticule. Elle veut parler au capitaine. Celui-ci finit par l'écouter.

Le chef mécanicien est descendu la nuit dans la cale. Il est allé droit à elle et a fait l'amour, malgré la présence de son mari, en lui promettant cinq francs.

Or, ces cinq francs-là, il ne les lui a pas versés et il est parti en l'injuriant.

Le commandant appelle le chef mécanicien. Celui-ci avoue sans la moindre gêne. Quand le commandant lui dit de verser les cinq francs, il hausse les épaules et réplique :

— Je n'ai jamais payé pour coucher avec une femme noire.

Il n'a pas payé. Le commandant n'y pouvait rien. Je revois la gamine et son jeune mari s'en retourner vers la cale.

Tout ce troupeau va charger de l'acajou à l'embouchure d'une rivière.

Ils ne sont pas venus de leur plein gré. C'est le chef de leur propre tribu qui les a vendus.

Que deviendront-ils après? Personne ne s'en soucie. Ils se trouveront peut-être dans une tribu hostile. Ou bien un autre bateau de la même compagnie les emmènera ailleurs comme ils les ont amenés ici.

Cela, je l'écrivais en 1932, nous le payerons, nous, nos enfants ou nos petits-enfants.

Aujourd'hui, à l'heure où je dicte, grande délivrance. Un antiquaire de Zurich vient chercher les meubles anciens et plus ou moins précieux d'Épalinges.

J'en éprouve le même plaisir que j'ai découvert quand j'ai vu partir la Rolls et les autres voitures. Il me semble confusément que je me rapproche de plus en plus de l'homme tout court.

Pourquoi ce monument d'Épalinges? Pourquoi ces meubles choisis un à un et la plupart signés par des maîtres ébénistes du passé? Pourquoi tout ce personnel?

Ce n'est pas dans mon caractère, ni dans ma nature. Au fond, je l'ai fait pour D... Et quelques semaines après D... partait pour toujours, de sorte qu'elle n'a jamais vécu dans ce décor.

Je m'en débarrasse avec une joie presque sadique. C'est tout l'artifice qui a fait partie pendant dix ans de ma vie qui s'en va avec ce camion. Certes, j'aime les choses harmonieuses, les décors plaisants, un genre de vie agréable.

Mais tout cela, tout ce qui s'en va, avait un caractère agressif qui ne me convient pas.

Chose curieuse, ce sont mes enfants, eux qui prétendent à une existence naturelle, qui m'en veulent un peu de cette disparition de ce qui a été le décor de leur vie. Ils auraient considéré comme logique que je garde Épalinges, non pour moi, mais pour venir de temps en temps y passer des vacances.

Je me sens de plus en plus libre, de plus en plus loin des faux-semblants, de plus en plus près de l'homme de la rue.

Je ne pense pas que ce soit une question d'âge. Je crois au

212

contraire que je rajeunis et que je retrouve peu à peu ma vraie personnalité.

Ici, à Valmont, depuis quelques jours, je vis sous la garde sourcilleuse de deux splendides militaires en tunique blanche, avec des quantités de dorures partout et deux pistolets à la ceinture.

Ce n'est pas moi qu'ils gardent. Mais s'ils sont assis, dès qu'une porte s'ouvre, dès que quelqu'un montre le bout du nez, ils se dressent, mitraillette à la main.

Nous avons en effet comme client un Monsieur Bouto, président du Pakistan. Mon appartement est au bout du couloir, le sien à l'autre bout. Le soir, des hommes en tenue léopard prennent la relève. Il ne fait pas un pas dans l'hôtel sans ses soldats.

Ce n'est pas la première fois que cela m'arrive. Dans d'autres hôtels, à Paris et à Lausanne, je me suis trouvé au même étage que des potentats orientaux. Toujours il y avait la garde, la méfiance.

Jadis, il devait en être ainsi à la Cour, dans les pays occidentaux. Les officiers d'avant la guerre de 14 portaient des épaulettes rutilantes.

Je suppose que, petit à petit, quand ce que nous appelons le tiers monde sera adapté au monde tout court, ces mœurs y changeront aussi.

En tout cas, ce n'est pas gênant. C'est plutôt pittoresque. Mais cela éveille dans l'esprit beaucoup de réflexions.

Pour notre part, T... et moi vivons dans notre coin et faisons matin et après-midi d'assez longues promenades que raccourcit parfois le Tour de France que nous regardons à la télévision.

Je vis en paix, avec elle, avec moi-même, et je ne m'occupe plus du reste du monde. Cela doit être une question d'âge.

Je continue à savourer, même quand ma santé n'est pas parfaite, les moindres minutes de ma vie. On s'habitue aux petites douleurs, aux petits ennuis physiques. Cela n'empêche pas qu'on grogne, que parfois on gémisse.

C'est pour T... que je voudrais être en équilibre parfait.

L'envie me vient de dicter et je pense tout à coup que je pourrais peut-être parler de Porquerolles. Je crois l'avoir déjà fait.

Lorsque l'on approche de l'île, c'est une admirable carte postale en couleurs. Le port est clair, les bateaux de pêche, s'il y en a encore, sont rangés les uns à côté des autres et il y a toujours un ou deux gros yachts de passage.

Oui, mais voilà : je n'ai pas revu Porquerolles depuis 1939 et il paraît que tout y a changé. J'y ai passé pendant sept ans plusieurs mois par an et parfois tout l'hiver. J'avais une drôle de petite maison, au bord de l'eau, au fond du port. Cette maison était flanquée d'une tour carrée assez inattendue, surmontée d'un minaret plus inattendu encore.

Le jardin était un fouillis de tamaris. J'avais fait construire une jetée où était amarré mon « pointu », c'est-à-dire le bateau de pêche de l'endroit, ainsi que deux petites embarcations.

Mon bureau était au premier étage de la tour et j'étais obligé, les mois d'été, d'y travailler à quatre heures du matin, à cause de la chaleur. Il m'est arrivé, à la fin d'un chapitre, de me trouver nu devant ma machine à écrire.

Un paradis terrestre, dit-on fréquemment de Porquerolles. C'est vrai. Tout y est beau. Les maisons basses de la place sont roses ou bleu clair.

Souvent, à six heures de l'après-midi, je demandais à Boule si elle voulait préparer une soupe de poissons. Je sautais dans mon bateau. Je traînais un petit chalut pendant une demi-heure et je revenais avec deux ou trois kilos d'excellents poissons sautillants.

J'avais un matelot, Tado, qui passait pour le meilleur pêcheur de l'île.

Le soir, nous embarquions tous les deux et nous pêchions d'abord les petits poissons que nous accrochions à quelques centaines d'hameçons. Nous avions aussi des filets. Au large, nous pêchions la langouste.

N'est-ce pas la vie rêvée ? Est-ce que j'étais heureux ? Ou tout au moins éprouvais-je une véritable satisfaction ?

L'après-midi on jouait aux boules sur la place avec les pêcheurs. Le soir, on dansait chez Maurice avec les touristes.

Or, je cherche en vain à mettre du vrai soleil dans tout cela. Dans mon souvenir, Porquerolles est vide, vide comme une carte postale, justement.

J'ignore pourquoi. Je l'ignorerai peut-être toujours. Il existe des villages sans pittoresque, sans tamaris, sans eucalyptus, sans la mer bleue, dont je garde un souvenir beaucoup plus réconfortant.

Hier matin, je parlais de Porquerolles (pour la deuxième fois sans le savoir, mais cela n'a pas d'importance).

Or, hier après-midi, je lisais dans le journal que l'île a été rachetée par l'État. J'ai d'abord cru que c'était pour la préserver des promoteurs. Pas du tout.

On va construire, paraît-il, trente grandes résidences sur le front de mer.

Il y a quelques jours, mon fils me demandait un itinéraire à suivre pour montrer la France à sa petite amie américaine. Je lui ai répondu que j'en étais incapable. La France que je connais était la France de 1922 à 1939. Je risquais de me faire reprocher d'envoyer mon fils et sa compagne dans des endroits qui ont complètement changé.

Tous les après-midi, je suis le Tour de France à la télévision. Je m'intéresse moins aux coureurs qu'aux paysages, aux villages et aux villes.

J'ai connu tout cela très bien. Je ne m'y reconnais plus.

Mon grand-père ne disait-il pas la même chose quand il a vu des tramways remplacer les omnibus à chevaux et, à plus forte raison, quand les autos ont sillonné la ville!

Signe d'âge, simplement.

Je viens de recevoir la visite de mon meilleur ami, celui en qui j'ai le plus de confiance, et qui est venu de Paris tout exprès pour me voir. Je lui avais demandé d'être ici à quatre heures. Il a été exact au rendez-vous.

Nous avons examiné ensemble des questions importantes pour moi, complexes aussi. J'étais parfaitement lucide.

Puis, après une heure environ, peut-être une heure et quart, la conversation a continué mais elle était devenue à mes oreilles comme inactuelle.

Je ne peux plus avoir de longs entretiens avec les gens, même avec mes enfants qui doivent être déçus lorsqu'ils demandent à venir me voir. J'ai hâte de retrouver mon cadre, la pulsation paisible de l'appartement et d'avoir de nouveau droit au choix de mes pensées.

Comme je l'ai dit hier soir dans mon micro, j'ai été obligé dans l'après-midi, de quatre heures à cinq heures et quart, de parler édition, contrats, etc. Ce n'était pas une discussion, puisque mon interlocuteur était d'accord avec moi. Pourtant, à cinq heures et quart, j'ai demandé grâce. Ces choses-là ne m'intéressent plus. Je suis presque indifférent au sort de mes livres. Et quand je dis presque, ce mot est peut-être inutile.

Le résultat, c'est que ce matin j'ai hésité à m'installer devant mon magnétophone et que je me demande sérieusement si je continuerai ces bavardages à bâtons rompus qui m'ont tant enchanté ces derniers mois. En effet, j'ai eu la révélation soudaine que ces bavardages étaient sans intérêt et que je ferais mieux de ne pas les laisser derrière moi.

Ce ne sont pas des Mémoires. Je cite peu de faits. Je n'émets quasiment pas d'opinion. Enfin, je n'ai pas le maniement des images des poètes.

Alors, que reste-t-il? Je vais y penser. J'avoue d'avance que je ne quitterai cette habitude de bavarder seul qu'avec un pincement au cœur. En effet, cela me donne l'impression, certaines fois, que je revis un épisode de ma vie, agréable ou désagréable, mais que je le revis dans son vrai sens. Autrement dit, que jusqu'à il y a quelques mois, j'ai vécu à rebours. Cette vie de jadis, je la vois avec des yeux de plus en plus cruels. J'évite même, par scrupule, de parler des gens que j'ai connus.

Que reste-t-il? Je n'en sais rien. Je saurai demain ou après-demain si je continue ou si j'arrête cette expérience probablement ratée.

Bougre de vieil imbécile que je suis! Depuis que je me suis interrogé pour savoir si je continuerais ou non à me servir de mon jouet, j'ai eu juste le temps de lire *la Tribune,* de déjeuner et de faire une courte sieste. Dans quelques minutes, ce sera ma promenade de l'après-midi.

Tant pis si je déconne. Tant pis si je me contente d'un bavardage stérile et incohérent. Comme je viens de le dire, c'est mon jouet à moi, et j'en ai besoin.

Des personnes très intelligentes, couvertes de titres scientifiques, nous conseillent de cultiver notre mémoire.

Je crois personnellement, mais je ne suis pas du métier, qu'il faut surtout éviter de cultiver notre mémoire. A l'école, puis au lycée, j'ai remarqué que les élèves qui avaient une mémoire exceptionnelle sont devenus des cancres. En outre, la mémoire risque de fausser notre vraie personnalité.

C'est un filtre très délicat, qui fait le pour et le contre de nos impressions, qui garde ce qu'elle veut bien et qui rejette le reste. Or, ce qu'elle veut bien, c'est notre véritable moi.

Au début de ce siècle, Charles Nicolle, qui a découvert entre autres le vaccin du typhus et qui était un des élèves préférés de Pasteur, écrivait qu'aucune découverte scientifique n'avait été faite avec notre intelligence pure, mais avec notre intuition, autrement dit notre subconscient. Il a consacré un livre à cette théorie.

218

L'intelligence vient ensuite pour ordonner, mettre au point, tirer des conséquences pratiques, etc.

La mémoire telle que certains nous la conseillent, c'est un entassement mécanique de connaissances diverses.

Je suis heureux de ne pas en avoir. Cela me permet de ne retrouver que les images essentielles, tandis que le reste a disparu dans une sorte de brouillard, sinon dans le néant.

En m'endormant tout à l'heure, j'ai repensé aux bandes de gamins qui poussent dans la rue, à Brooklyn, et qui forment des clans rivaux. On a souvent raconté leurs exploits, car il y en a qui, dès l'âge de douze ans, se livrent à des actes criminels.

Les journaux m'apprennent qu'il commence à en être de même dans la banlieue parisienne et dans les cités-dortoirs.

Lorsque j'avais neuf ou dix ans, j'habitais la paroisse Saint-Nicolas. La paroisse voisine s'appelait la paroisse Saint-Pholien.

Je n'étais pas un petit voyou livré à lui-même. Nous jouions certes dans la rue, parce qu'on ne pouvait pas jouer ailleurs. Mais nous étions ce que l'on appelait alors des petits garçons « comme il faut ». Pourtant, nous aussi formions comme des bandes rivales. Un gamin de Saint-Nicolas n'osait pas s'aventurer seul dans le quartier Saint-Pholien. L'inverse était vrai.

Parfois, des batailles à coups de lance-pierres étaient organisées et si un membre de l'un des deux clans se faisait prendre par le clan rival, il recevait une sérieuse dérouillée. C'était avant 1914, bien avant qu'on parle de la cruauté des enfants et de leur comportement violent.

Chaque matin nous allions à la messe et chaque dimanche à la communion.

Nous sommes dimanche. Tout à l'heure, je disais à T... que je me sentais mal dans ma peau et que j'avais plus de vertiges que d'habitude. Elle m'a appris qu'il en était ainsi depuis trois jours. Moi, j'oublie. Quelques heures après une crise de vertiges, je jurerais qu'elle n'a pas existé. Trois jours, cela nous mène à vendredi.

J'ai parlé de l'entrevue que j'ai eue ce jour-là et de l'heure et quart passée à discuter affaires. Après une heure et quart, en effet, comme je crois l'avoir dit, j'ai dû changer le cours de la conversation.

Maintenant, après ce que m'a dit T..., j'ai réfléchi et je me suis aperçu que vendredi j'avais fait une sorte de découverte. C'est que, dans dix ans, lorsque certains de mes contrats en cours viendront à échéance, je ne serai très probablement plus là pour prendre les décisions qui s'imposeront.

Je ne veux pas que ce soit un de mes enfants qui se charge de mes affaires, bien que Johnny aura alors son *master degree* (et depuis longtemps) en économie et business de l'université de Harvard.

Si un de mes enfants avait la tâche de s'occuper de mes contrats, un jour viendrait fatalement où l'harmonie qui règne maintenant entre eux se changerait en méfiance ou en aigreur.

Je n'ai pas rencontré une seule famille où cela ne se soit produit.

En somme, depuis vendredi, je viens de vivre ma disparition, sans m'en apercevoir, tout en croyant penser à autre chose.

Cela ne m'attriste pas à proprement parler. Mettons que cela provoque une certaine mélancolie.

Et le moindre changement d'humeur se traduit chez moi par des troubles organiques superficiels, tels les vertiges.

Toujours dimanche. Depuis hier il pleut comme dans mon enfance, à torrents, selon l'expression liégeoise, avec des gouttes cristallines qui rebondissent jusqu'à dix centimètres. Cela me fascinait. Je collais mon visage à la vitre sur laquelle l'eau dégoulinait.

Pourquoi est-ce à cette pluie vieille de plus de soixante ans que je pense quand il pleut fort? Je me suis posé la question pour d'autres impressions. J'ai connu la pluie interminable de Buenaventura, en Colombie, sur la côte du Pacifique. J'ai connu aussi les pluies tropicales de l'Oubangui, où l'on retrouvait de l'eau même dans ses valises les plus hermétiques.

Non. C'est cette vieille pluie qui me revient à la mémoire, comme si c'était la seule qui ait été intense.

Intense pour moi, ma foi oui. J'avais cinq ou six ans.

Ceci pourrait servir de post-scriptum à ce que je viens de dicter. T..., qui m'a entendu enregistrer, m'a encore ouvert les yeux sur certains aspects de moi-même. Il est vrai qu'elle est de vingt-quatre ans plus jeune que moi et qu'elle ne cesse de m'observer.

Je lui disais que c'était assez étrange, ce qui m'arrive actuellement, d'être hanté par une idée alors que je crois de bonne foi ne pas y penser.

Elle m'a répondu :

— Vous avez toujours été comme ça. La seule différence c'est qu'avant, lorsqu'un problème vous troublait, vous écriviez un roman.

C'est vrai. Maintenant, il me reste mon petit jouet. Cela produit-il le même effet? On le saura plus tard.

La nuit dernière, je suis resté dans mon lit, éveillé, les yeux tantôt ouverts, tantôt fermés, de neuf heures du soir à deux heures du matin. J'étais complètement immobile, à ne penser à rien, ou plutôt à laisser passer comme un vieux film un brouillard de souvenirs.

T..., qui me connaît pourtant bien et qui était à côté de moi, a cru que je dormais. J'étais sans impatience, sans angoisse.

Cela me rappelle un moment de La Caque, ce petit groupe que nous avions formé entre peintres et poètes chevelus.

Un jour, quelqu'un a fait la connaissance d'une sorte de gourou que nous appelions le Fakir et qui venait de je ne sais quel pays d'Asie, toujours bourré de morphine. Il était capable d'hypnotiser la plupart d'entre nous et il mettait en état de catalepsie l'un des plus jeunes et des plus faibles des peintres. Il n'y avait aucun trucage. On plaçait notre ami K... avec la tête appuyée au bord d'une chaise et les talons appuyés au bord d'une autre chaise, tout le corps restant si raide dans le vide que l'on pouvait s'asseoir dessus.

Je n'allais pas jusque-là, mais je parvenais à m'abstraire suffisamment pour garder une immobilité totale et donner l'impression d'un sommeil profond.

A la fin, ce gourou ou fakir a fini par nous effrayer, surtout qu'il essayait de nous initier à la drogue, et c'est moi qui ai interdit sa présence à nos réunions.

Au fond, cette immobilité quasi cataleptique, c'est ce que j'ai vécu cette nuit pendant près de cinq heures.

Je croyais ce souvenir complètement effacé de ma mémoire et c'est ce matin qu'il m'est revenu brusquement avec des détails aussi précis que si je les revivais.

L'aristocratie, demain, plus exactement le pouvoir de l'argent, c'est-à-dire le pouvoir de gouverner en réalité dans la coulisse des ministères et des grandes administrations, n'appartient pas, n'appartient plus à des hommes politiques ou à des hommes d'État. Il appartiendra et il appartient déjà de plus en plus aux promoteurs immobiliers.

Pour eux, on transgresse des lois et des arrêtés très stricts et, si même ils n'obtiennent pas, d'aventure, l'autorisation de construire et de raser une forêt, ils vont de l'avant et aucun ministre n'ose leur mettre des bâtons dans les roues.

L'époque du baron Haussmann, dans la seconde partie du siècle dernier, recommence. Quelques hommes, sous l'égide d'Haussmann, ont construit presque tout le quartier des Champs-Élysées, du faubourg Saint-Honoré, etc. Promoteurs ou entrepreneurs de travaux, ils ont gagné tellement d'argent qu'ils ont acheté les principaux journaux de Paris, ce qui leur permettait de fabriquer l'opinion publique et aussi de faire pression sur les hommes soi-disant au pouvoir.

L'un d'entre eux répétait volontiers qu'il lui suffisait d'un coup de téléphone pour faire tomber un ministère.

Nous en sommes presque là. Cela viendra. Le même phéno-mène doit se passer chaque fois qu'on rebâtit une ville. Or, cette fois, c'est toute la France qu'on essaie de rebâtir et il y a, en outre, ce qui n'existait pas du temps de Haussmann, le merveilleux gâteau des autoroutes.

Aristocratie pour aristocratie...

Il m'est venu à l'esprit que la façon dont j'évoque certains souvenirs pourrait être mise sur le compte d'une sorte de découragement, ou comme le résultat d'une sécheresse de cœur.

J'ai l'air, en effet, de saccager comme à plaisir une partie de mon passé.

Il n'en est rien. Ce que j'essaie de faire, c'est de voir ce qui me reste malgré moi, à mon insu, c'est-à-dire ce qui a vraiment de l'importance. Ce ne sont souvent pas les événements qui, au moment même, nous ont impressionnés.

Je suis tout le contraire d'un pessimiste, surtout à présent que je suis heureux. Je savoure chaque minute. Je savoure aussi ces images qui me viennent, je ne sais pourquoi, d'ici et là, et qui se sont imprimées en moi sans raison apparente.

J'en fournis un tout petit cas.

Il s'appelait Albert. Il avait le même âge que moi, huit ans environ. Il habitait la rue Pasteur, la rue contiguë à celle que j'habitais. La rue Pasteur était plus bourgeoise; généralement une seule famille par maison et, bien entendu, pas de pensionnaires comme chez moi.

C'était une rue alors déserte. Il n'y passait ni fiacres, ni une des quelques rares autos de la ville. Le seul bruit était, le matin, le passage du tombereau à ordures et les cris des marchands de légumes qui poussaient leur petite charrette.

C'était la rue que nous avions élue pour nous rencontrer à quelques-uns, à une époque où l'on pouvait encore jouer dans la rue. Les mères n'étaient pas loin et écartaient parfois les rideaux pour voir où nous étions et ce que nous faisions.

224

Albert était plus beau que les autres. J'admirais ses cheveux blond roux, les petites taches de rousseur sous ses yeux et une élégance naturelle, une désinvolture que j'étais loin de posséder. Certains jours, nous étions tous les deux seuls au rendez-vous et nous jouions aux billes le long du trottoir.

Il habitait la plus jolie maison de la rue, celle qui avait les rideaux les plus coquets, la porte et les fenêtres peintes en blanc.

Sa mère est restée dans mon esprit comme une des femmes les plus attrayantes, les plus vraiment féminines que j'aie connues.

Beaucoup d'habitants du quartier évitaient de la saluer.

Elle était en effet ce que l'on appelait alors une femme entretenue. De temps en temps, elle recevait la visite d'un des plus gros industriels de la ville. Dès le matin, elle était, non en tablier de ménage, mais d'un négligé raffiné.

Peut-être en partie à cause de l'attrait du péché qui l'auréolait avais-je pour elle une admiration sans bornes et j'enviais Albert d'avoir une mère comme elle.

Je ne sais pas comment ils ont disparu tous les deux de ma vie. Peut-être ont-ils changé de quartier ? Plus tard, j'ai retrouvé Albert, devenu étudiant, qui portait maintenant le nom du visiteur de la rue Pasteur et qui vivait dans la grande maison de l'homme d'affaires. Était-il devenu veuf ? Je l'ignore. Je ne crois pas qu'il ait divorcé. J'ignore si l'on pouvait le faire légalement à cette époque-là.

En tout cas, le jeune garçon un peu roux de la rue Pasteur a pris un certain nombre d'années plus tard la direction des affaires et est devenu un personnage très important.

Pourquoi ce souvenir-là et pas un autre ? Pourquoi Albert m'impressionnait-il ? Pourquoi me suffit-il de penser à lui pour revoir les deux gamins que nous étions jouer aux billes le long des trottoirs ?

J'avais d'autres amis, d'autres petits camarades, certains qui habitaient la rue Pasteur aussi. C'est à peine si je m'en souviens. Ma mémoire a fait un tri et, comme par hasard, c'est un tri lumineux, et il me vient en pensant à Albert et à sa mère des bouffées de tendresse pour cette partie de mon enfance.

Il en est de même pour presque toutes les images qu'il m'arrive d'évoquer ici. Ce sont des images qui me reviennent malgré moi et qui, presque toutes, respirent une joie candide de vivre, une sorte d'innocence, même s'il s'agit d'images datant de mes trente ou de mes quarante ans.

Je n'y peux rien si les autres images, plus brillantes en apparence, se sont effacées peu à peu ou me laissent une certaine amertume à la bouche.

C'est peut-être à cause de cela, de ce tri machinal, que je me retrouve à soixante-dix ans un homme serein, en pleine harmonie avec ce qu'il a gardé sans le vouloir de son passé.

Coup de téléphone de Johnny. Il part de chez Marc dans un ou deux jours pour aller retrouver une amie qu'il connaît à Stockholm; ensuite, il rentrera en France où il passera une partie des vacances avec une autre amie, une Américaine, celle-ci, qu'il a connue en Californie.

Marc, pendant ce temps-là, termine les repérages pour son prochain film. Marie-Jo tourne une petite émission de télévision à Brest en attendant de jouer le petit rôle qu'elle a dans le dernier film de Chabrol. Enfin, Pierre vient me voir cet après-midi, car il part dimanche pour les Baléares avec un camarade. Comme dispersion, c'est réussi. Heureusement qu'il y a quelqu'un — moi — pour avoir une adresse.

On parle beaucoup dans les journaux, les magazines, à la télévision, dans les universités, de l'homme de demain. On a créé une science nouvelle qui n'a rien à voir avec l'astrologie : la futurologie.

Les uns s'efforcent d'établir ce que seront la vie et la personnalité de l'homme de l'an 2000, la vitesse de ses engins de transport et le nombre plus élevé, bien entendu, de ceux qui se tueront.

D'autres cherchent plus loin dans le temps, pensent aux prochaines mutations car, si nous sommes devenus ce que nous sommes, et que nous nous appelons provisoirement des hommes, c'est à la suite d'un certain nombre de mutations.

Mais je n'ai jamais entendu poser la question :

— Où ces mutations se produiront-elles ?

Je veux dire sur quel continent, parmi quelle ethnie, avec des hommes qui auront quel passé, quels gènes ancestraux.

Rien ne prouve que ce sera en Europe, chez l'homme blanc, ou aux États-Unis. Il y a d'autres masses humaines dans le monde.

De sorte que les prochaines mutations façonneront peut-être un homme tout différent de ce que nous pensons de nous et qui ne nous devra rien.

Mes histoires d'aujourd'hui seront très différentes des précédentes. Les autres jaillissaient naturellement de mon subconscient, presque à mon insu, toutes fraîches, comme encore palpitantes, avec leurs lumières et leurs ombres, leurs couleurs et leurs odeurs.

Celles-ci, je les reconstitue presque artificiellement car jamais elles ne me viennent naturellement à l'esprit. Peut-être parce que mon esprit proteste contre elles.

En 1936, j'ai habité le château de la Cour-Dieu, dans la forêt d'Orléans, une ancienne abbaye cistercienne, flanquée d'une église en ruine. J'ai loué une chasse de dix mille kilomètres carrés. J'avais fait venir mes chevaux. Je montais presque tous les jours. Il pleuvait sous les sapins et je m'ennuyais beaucoup.

C'est alors que j'ai décidé, surtout pour Tigy, qui se plaignait, d'installer un appartement à Paris.

Pourquoi étais-je devenu tout à coup glorieux? J'ai choisi un vaste appartement boulevard Richard-Wallace, en face de Bagatelle et du bois de Boulogne, et je l'ai fait meubler d'une façon raffinée par un décorateur.

Je me suis habillé chez le meilleur tailleur anglais des Champs-Élysées, de la façon la plus anglaise possible. Je portais un pardessus bleu cintré et très long et j'étais coiffé d'un hombourg gris perle, le tout accompagné de gants blancs.

Il a fallu que je retrouve quelques photos de cette époque pour croire que c'était moi cette caricature. Je conduisais un cabriolet Delage vert pâle que j'arrêtais tous les jours à cinq heures devant le *Fouquet's*.

J'étais devenu snob.

Par-dessus le marché, mon visage et mon corps avaient changé. Comme je déjeunais et dînais presque chaque jour « en ville », comme les élégants qui le font toute l'année, j'avais grossi et mon visage était devenu poupon. Je ne m'en apercevais pas.

J'assistais à toutes les premières, à toutes les soirées mondaines et, presque tous les soirs, j'endossais mon habit et me coiffais de mon chapeau claque.

Il ne manquait que la cape!

Pourtant j'écrivais des romans qui ne se ressentaient pas de ce coup de folie.

L'après-midi, lorsque je m'ennuyais, je franchissais le pont et je retrouvais Puteaux, son petit peuple, ses boutiques et ses bars, sa marmaille dans les rues, et je m'y promenais longuement.

Cela a duré deux ans environ. Puis, un beau jour, j'ai dû sentir que ce personnage-là n'était pas moi. Je suis parti en voiture pour le nord de la Hollande et je suis redescendu lentement le long des côtes dans l'espoir de trouver la maison dont je rêvais. Partout, ou bien il y avait trop de villas, ou bien la mer était inaccessible.

Je me souviens du matin où, au tournant de la route, j'ai découvert le ciel de La Rochelle que je connaissais si bien et les grandes terres plates qui allaient jusqu'à la mer.

Je suis allé déjeuner chez mon ami B... à qui j'ai demandé s'il ne connaissait pas une maison à vendre.

— Quel genre de maison? a-t-il demandé.

— Une petite maison intime de grand-mère.

Cela signifiait une maison où, enfant, on aurait aimé aller passer des vacances avec sa grand-mère.

Le plus extraordinaire, c'est que je l'ai trouvée, à Nieul-sur-Mer, à cent mètres des bancs d'huîtres, à moins d'un kilomètre à vol d'oiseau de cette Richardière où j'avais vécu plusieurs années.

J'ai appelé le maçon du pays. Ensemble, nous avons sondé les murs afin de retrouver les anciennes fenêtres qui avaient été bouchées. Nous avons découvert un admirable portail. Je travaillais presque autant que le maçon, dans une véritable fièvre, et, petit à petit, je m'apercevais que j'avais acheté par miracle un ancien prieuré.

J'ai aménagé le jardin, commandé au maréchal-ferrant des grilles en fer forgé.

Bref, après un an d'exaltation, la maison était aménagée. Les meubles de Paris ne pouvaient convenir au nouveau décor. J'ai couru les antiquaires aussi loin que l'Alsace. Je recommençais à m'habiller normalement, sans jouer les gentlemen anglais, et, lorsque j'allais à Paris, j'oubliais souvent le rendez-vous de cinq heures de l'après-midi au *Fouquet's*.

La guerre ne m'a permis que de vivre un peu moins de deux ans dans cette maison-là, qui correspondait à mon idéal.

Plus tard, je devais la donner à Tigy, qui y habite encore.

Il y a vraiment des petits-enfants qui y viennent voir leur grand-mère. Les deux enfants de Marc.

Moi, je n'y ai jamais remis les pieds.

Tout ceci, je le répète, est de la reconstitution. Cela ne jaillit pas de moi-même. Ce sont plutôt des sortes de cartes postales qui me servent de point de repère. Il n'en reste pas moins que j'ai été l'homme du boulevard Richard-Wallace, du tailleur anglais, des gants blancs, de la Delage et du *Fouquet's*. Mon attirail vestimentaire m'a suivi au cours des années, sans servir, sauf en Amérique où j'ai dû plusieurs fois porter le smoking et l'habit.

A l'occasion de mon soixante-dixième anniversaire, je me suis offert le plaisir d'envoyer toutes ces frusques, y compris la jaquette et le huit-reflets, à une école dramatique des environs de Lausanne.

Je n'ai plus de smoking.

Un souvenir d'une autre catégorie, de ceux que, dès son enfance, on éprouve le besoin d'enfouir au plus profond de soi-même : ce que j'appelle les souvenirs honteux. Et, comme j'étais élevé par les Frères des Écoles Chrétiennes, puis par les Révérends Pères Jésuites, le mot honteux était d'un usage courant.

J'avais sept ans environ. Je venais de troquer mon costume marin, avec le grand col à rayures blanches, contre ce qu'on appelait un costume chasseur, garni d'un col blanc et d'une lavallière. Les pantalons devaient, en principe, s'arrêter en dessous des genoux. Tout au moins était-ce un principe de ma mère, et quand ma mère avait un principe elle l'avait bien ancré dans la tête.

Certains de mes camarades, comme Albert, portaient les pantalons beaucoup plus courts, carrément *au-dessus* des genoux. Et je passais mon temps à tirer sur les miens, quitte à m'irriter l'entrejambe.

Les cheveux avaient aussi leur importance. Les miens étaient blonds à l'époque, d'un blond presque blanc. Je devais les porter très courts et je suppliais toujours mon coiffeur :

— Un centimètre de plus, Raoul, voulez-vous ?

Raoul faisait de son mieux, mais il arrivait que ma mère me renvoie chez lui pour me débarrasser de l'excédent.

Enfin, arriva l'incident. J'étais de nature assez pâle. Je m'en désolais. Mon père se servait, pour coller ses moustaches, d'un cosmétique d'un beau rouge transparent que je revois encore. Un jour, subrepticement, pendant que j'entendais ma mère aller et venir dans la cuisine, je me suis saisi du cosmétique, je l'ai mouillé et je m'en suis frotté les joues.

Cela ne se marqua pas tout de suite. Une heure après, j'avais les joues écarlates et brillantes comme des pommes d'api. Je me lavai à grande eau, je me savonnai, rien à faire pour enlever cet éclat qui n'avait rien de naturel.

Quand ma mère me vit, elle me regarda avec inquiétude.

— Qu'est-ce que tu as?

— Rien.

L'usage du thermomètre était à peu près inconnu dans la maison, sauf quand le médecin nous le mettait dans la bouche. Elle me tâta, me trouva les joues brûlantes et m'envoya, de l'autre côté de la rue, au Frère Félix qui, pour elle, était la science infuse. Le Frère Félix examina mes joues, et ses yeux devinrent guillerets.

— Qu'est-ce que tu as mis sur ta figure?

Et moi, vaincu :

— Du cosmétique à moustaches de mon père.

— Va me le chercher.

J'y allai en courant. Je commençais à être inquiet, moi aussi. Le Frère Félix, héroïque, mouilla son doigt avec de la salive, le frotta sur le cosmétique, et le passa sur sa langue.

— Bon. Tu n'auras qu'à te laver plusieurs fois à l'eau bien fraîche.

Plusieurs fois? cela prit deux jours. Ma mère fut au courant et s'indigna. Mon père fut au courant aussi et ne put s'empêcher de sourire.

Et moi, j'appris la honte. A tel point qu'il me faut un effort pour retrouver ce souvenir honteux enfoui dans des tréfonds de moi-même où ma mémoire se refuse toujours à fouiller de son plein gré.

Je viens de terminer le livre que Nancy Milford a consacré à Scott Fitzgerald et à sa femme Zelda sous le titre de *Zelda*. Scott Fitzgerald m'était familier par ses œuvres et par ce que je savais de lui. J'ignorais à peu près tout de Zelda.

Cela a été, pour des raisons personnelles, une lecture assez pénible et j'aime mieux l'oublier.

En comptant mon départ d'Épalinges et mon installation dans un appartement de l'avenue de Cour, à Lausanne, j'ai donc changé trente et une fois de domicile.

Les trois premières fois pourraient ne pas compter, puisque c'étaient mes parents qui déménageaient et moi qui les suivais. Pourtant, ces déménagements-là ont eu leur importance aussi car ils m'ont plongé dans des décors différents, dans la vie de quartiers différents.

A cause de toutes ces allées et venues, certains ont parlé d'instabilité. Il n'en est rien.

Chaque fois, le processus a été le même. J'ai commencé par sentir un vide autour de moi. Le paysage, les meubles, les visages entrevus dehors avaient cessé d'avoir un sens. C'est un peu comme s'il n'y avait plus qu'un monde figé.

Cela veut-il dire un monde dont j'avais épuisé la substance? Il serait prétentieux de l'affirmer.

Toujours est-il que je fuyais. Car tous mes départs ont été des fuites. Je fuyais un monde qui n'était plus le mien, qui avait cessé de m'appartenir, de faire corps avec moi, et qui m'avait fourni, à mon insu ou non, la matière de quelques romans. Certains endroits ont été plus fructueux que d'autres. Certaines situations aussi.

Je n'ai jamais cherché l'exotisme. Je ne m'en suis pas servi dans mes livres. Pour moi, les hommes étaient partout des hommes et, que ce soit des Noirs demi-nus ou des Tahitiens fleuris, en paréo, je ne cherchais pas la différence, mais au contraire la similitude.

Je pourrais en dire autant des gens que j'ai rencontrés. Mais je me suis promis de ne pas citer de noms. Certains m'ont impressionné et je les ai retrouvés avec étonnement dans mes romans lorsque je les écrivais.

Ce matin, le docteur, faisant allusion à une crise familiale pénible que j'ai eue à subir il y a une dizaine d'années et qui n'est pas résolue, m'a demandé si j'en avais été abattu ou enrichi.

Abattu, certes, d'abord. Et le mot est beaucoup trop faible. Elle m'avait presque littéralement écrasé.

Les années ont passé et, curieusement, c'est cette crise, après son paroxysme où je jouais à la vie et à la mort, qui m'a donné ma sérénité actuelle.

Il n'y a que peu d'années de cela. C'est sans doute la raison pour laquelle je savoure cette sérénité toute neuve après laquelle il me semble que j'ai couru toute ma vie.

Une des questions que le docteur m'a posées aussi, non pas comme médecin mais comme ami — et encore, je me le demande — a été :

— Quel est chez vous le mécanisme de la conception d'un roman?

Cette question-là, on me l'a posée mille fois, dix mille fois en cinquante ans. J'ai chaque fois essayé de répondre de mon mieux. Il est possible que mes réponses aient quelque peu varié, car c'est extrêmement complexe et il est certain, en tout cas, que ces réponses ont été souvent mal transcrites.

Je vais essayer, pour mon propre plaisir, de relater la conception et le mécanisme d'un de mes romans, le premier, non parce que je le considère important, mais parce que c'est celui dont je me souviens le mieux.

J'étais arrivé à Delfzjil, à bord d'un bateau que j'avais fait construire à Fécamp, l'*Ostrogoth*.

C'est dans la cabine éclairée par quatre hublots que, chaque matin, j'écrivais mon chapitre de roman.

Un jour, le menuisier s'aperçoit que mon bateau prend l'eau et qu'il a besoin d'être recalfaté. Comme je m'étais juré de passer tout le temps de mon voyage sans dormir à terre, j'ai continué, ainsi que Tigy et Boule, à coucher à bord, bien que le bateau fût en cale sèche.

Y écrire, il n'en était pas question, car les calfats frappaient la coque de coups vigoureux qui résonnaient à l'intérieur comme sous une cloche. C'est alors que j'ai découvert une vieille barge en partie engloutie. J'y ai installé, dans l'eau, une grande caisse pour servir de table de machine à écrire, une caisse plus petite pour mon derrière et deux caisses encore un peu plus petites pour mes pieds.

J'y écrivis une des séries de nouvelles policières, « les 13 Mystères », « les 13 Énigmes », « les 13 Coupables ».

Puis, un matin, je me rendis au petit café où j'avais mes habitudes et que j'adorais. Il était assez sombre mais tout y étincelait d'une propreté extraordinaire. Le billard, chauffé par-dessous à l'aide de braises, afin que le bois ne travaille pas, n'avait pas une tache de craie. Les tables étaient les plus lisses que j'aie jamais vues.

Je me souviens avoir demandé au patron quel vernis ou quelle cire il employait. Il m'a regardé avec presque de l'indignation dans les yeux.

— Jamais de cire, et surtout jamais de vernis. Tous les matins je les frotte longuement avec quelques gouttes d'huile, et cela depuis quarante ans.

Je commandai un genièvre avec une goutte de sirop de citron et je le dégustai tranquillement en fumant ma pipe, puis j'en bus un autre et je ne jurerais pas que je n'en aie pas commandé un troisième. Il est vrai qu'en Hollande les verres à genièvre sont très petits.

Je n'en avais pas moins la tête un peu chaude lorsque je me mis à marcher, les mains dans les poches, le long de la mer. C'est alors que des images me vinrent à l'esprit. Les rues de Paris, d'abord, que j'avais quittées depuis plus d'un an, puis la silhouette des rats de quai que j'avais rencontrés dans les ports. C'est un peu comme l'écume de la mer, ou encore les clochards des ports. On ne sait pas d'où ils viennent. On ignore leur nationalité. Lorsqu'on les chasse d'un bâtiment on les retrouve dans un autre entrepôt. Ils commettent de petits méfaits et sont toujours prêts aussi à rendre de menus services, de sorte qu'on les tolère.

Ils ne sont pas âgés, comme les clochards des villes. La plupart sont encore assez jeunes. Ils m'impressionnaient comme m'avaient impressionné ceux qui, à Paris, couchent sous les ponts.

Tout cela se mélangeait dans mon esprit brumeux et bientôt je décidai d'écrire un roman qui aurait les rats de quai comme point de départ.

L'après-midi fut sans histoire. Je restais baigné dans une nouvelle atmosphère qui m'envahissait, dans un milieu qui prenait corps autour de moi.

Le matin, à six heures, je gagnai ma péniche envahie d'eau, je m'assis sur ma caisse, les pieds sur les deux autres, et je commençai à taper le premier chapitre de *Pietr-le-Letton*.

A onze heures, le premier chapitre était fini. Je n'avais pas de notes, pas de plan. Sur une vieille enveloppe jaune que j'avais trouvée dans un tiroir de l'*Ostrogoth*, je m'étais contenté d'écrire quelques noms, quelques noms de rues, c'est tout. Huit jours après, le roman était terminé, le premier de la série des Maigret.

Au début, je ne connaissais rien de l'histoire qui allait se dérouler. J'avançais au jour le jour, en suivant mon personnage principal. Maigret n'était à ce moment pour moi qu'un comparse et je me contentai de le dessiner à gros traits. J'ignorais que je me servirais de lui dans presque quatre-vingts autres romans, que non seulement il serait connu dans tous les pays mais qu'on tirerait de lui des séries de radio, de films et d'émissions de télévision.

La fin du livre, je la découvris le dernier jour.

Et il en a été de même, par la suite, avec tous mes romans, Maigret ou non Maigret.

Qu'est-ce qui a été l'étincelle? Était-ce les trois petits verres dans la quiète et harmonieuse atmosphère de mon petit café? Était-ce les rats de quai que j'avais rencontrés dans tous les ports? Je suis incapable de répondre. Au fond, ce mécanisme, je ne le connais pas. Il n'y a pas chez moi de volonté déterminée d'écrire un livre. Cela commence plutôt par une sorte de malaise. Peut-être le besoin de m'échapper de la réalité immédiate? Je n'en suis pas sûr, mais c'est une explication. Dès que le personnage est né, il prend corps et je jurerais que c'est lui qui continue à vivre par lui-même.

C'est aussi vrai pour *les Anneaux de Bicêtre* ou pour *Trois chambres à Manhattan* que pour *Pietr-le-Letton*. C'est vrai pour tous mes livres. Curieusement, alors que ma participation est en quelque sorte secondaire, c'est un travail épuisant.

J'ai écrit, depuis 1929, deux cent quatre romans. Comme j'essayais de les rendre toujours de plus en plus vivants en même temps que de plus en plus ramassés, le travail était de plus en plus harassant. C'est ce qui fait d'ailleurs que j'écrivais de moins en moins. Douze par an au début, quatre et même trois à la fin.

Pour le deux cent cinquième, j'ai passé une heure en tête à tête avec mon enveloppe jaune. J'ai noté des noms, des adresses, des numéros de téléphone. Tout était prêt. Le lendemain matin, je ne suis pas descendu à six heures dans mon bureau pour écrire le premier chapitre car je ne m'en sentais pas la force.

C'est alors que j'ai décidé de renoncer. C'était il y a un an, aux alentours de mon soixante-dixième anniversaire.

Depuis lors, je me contente de bavarder devant mon magnétophone. J'ai choisi le plus simple, le meilleur marché, parce que je voulais que ce ne soit pas un instrument de travail mais un jouet. Afin aussi d'enlever davantage encore de solennité et d'importance à ce que je raconte — d'autres diraient à ce que je radote.

Depuis quelques années, une statue en bronze de Maigret se dresse à l'endroit où *Pietr-le-Letton* a été écrit, c'est-à-dire où Maigret est né. Cela me paraît irréel, comme Maigret, à présent, me paraît irréel ainsi que tout ce que j'ai écrit.

Comme tous les romanciers, je suppose, j'ai reçu et je reçois encore un grand nombre de lettres. Elles viennent des pays les plus différents, des milieux les plus différents aussi, médecins, psychologues, psychiatres, professeurs et enfin la grande masse des gens n'ayant pas une profession intellectuelle.

Or, la plupart de ces lettres, qu'elles viennent des uns ou des autres, me posent la même question :

— Quel est le mécanisme de votre création ?

ou :

— Comment écrivez-vous un roman ?

C'est justement la question à laquelle je suis incapable de répondre.

Hier, j'ai essayé de donner un exemple, celui de mon premier Maigret qui était aussi le premier roman que j'aie signé de mon nom. Je cherche toujours comment se produit le déclic. A Delfzjil, il m'est venu dans le petit café aux tables si bien polies et dans l'odeur du genièvre.

Mais les autres ? Je crois qu'un rien suffit, une certaine lumière, un certain genre de pluie, une odeur de lilas ou de fumier.

Cela déclenche en moi une image, que je n'ai pas choisie et qui parfois n'a aucun rapport avec la sensation initiale : l'image d'un quai, à Liège, à Anvers, au Gabon. Un fourmillement de visages.

Longtemps, ces images-là appartenaient presque toutes à mon enfance et à mon adolescence. Nous étions une très grande famille. Mon père avait douze frères et sœurs, ma mère douze aussi, allant de la religieuse au clochard, du suicidé au grand propriétaire terrien, de la tenancière de bistrot pour mariniers aux internées d'hôpitaux psychiatriques. J'en passe! Il est probable que, si je relisais mes romans écrits jusqu'à l'âge de quarante ans environ, je retrouverais des similitudes entre mes personnages et ces personnages réels. Pas des portraits. Rien de précis. Sans le savoir, ils m'avaient mis dans l'atmosphère et je n'en savais rien non plus.

Quand je l'ai su, j'ai écrit *Pedigree* pour me débarrasser de mon enfance, pour utiliser une fois pour toutes ma famille telle qu'elle était et ne plus avoir la désagréable sensation de la retrouver dans mes livres.

J'avais déjà beaucoup vécu, sur les cinq continents. J'avais connu des milliers d'hommes et de femmes de toutes les conditions. Je ne les avais pas casés dans une petite place de mon cerveau pour qu'ils me servent un jour. Pas plus que je n'ai gardé de cartes postales pour y puiser l'inspiration de paysages.

Cela paraît drôle de dire que tout était automatique. Remplaçons automatique par inconscient ou par subconscient et je crois que nous approcherons de la vérité.

Toujours, à la base, une sensation fugitive, une odeur, un ciel, et même un bruit. Un bruit de pas feutrés sur un plancher, par exemple.

Quelques heures ou quelques jours après, l'ambiance du roman se formait, des personnages commençaient à me hanter, que je ne connaissais pas et dont j'aurais été capable de dire l'origine.

Lorsque je me mettais à écrire, ces personnages-là, inconsistants la veille, réduits à un nom, à une adresse, à une profession, prenaient tellement vie que c'était ma vie à moi qui disparaissait.

Au troisième chapitre, je marchais comme eux, parlais comme eux, sentais comme eux.

C'est pourquoi je n'ai jamais pu établir de plan. Ce n'était pas moi qui dirigeais l'action : c'étaient mes personnages.

Cela paraît facile. Tout d'abord, le plus difficile est d'entrer en ce que j'appelle l'état de grâce, c'est-à-dire une vacuité complète de soi-même, car il faut bien faire de la place à l'autre.

Ensuite, pendant tout le roman, être l'autre, rester l'autre, sans se laisser distraire par soi-même, ni par personne.

Voilà ce que je peux répondre à la question que tant de gens me posent et que je me pose aussi. Je me rends compte que cela paraît simpliste. Je ne trouve rien d'autre qui se rapproche davantage de la vérité.

Toute ma vie, j'ai été somnambule. Enfant, il y avait des barreaux à ma fenêtre.

Peut-être, après tout, ai-je écrit mes romans dans un semi-état de somnambulisme.

Cela n'a d'ailleurs aucune importance.

Presque chaque fois, après avoir bavardé dans mon micro, je ressens de la gêne. Il me semble en effet que je viens encore de parler inutilement de moi pour ne dire que des choses sans intérêt.

Pourtant, je ne fais que répondre à des milliers de questions, y compris à des questions posées par des professionnels de l'être humain.

Suis-je donc différent des autres ? Rien que la question m'irrite. Je n'ai aucune envie d'être différent. Au contraire, cela me donne une sorte de panique. Quand des journaux impriment en gros caractères le mot « phénomène », je suis abattu.

Un phénomène, c'est un numéro de cirque, la femme la plus grosse du monde, le géant qui bat tous les records ou le nain qui les bat dans le sens contraire, la femme à barbe, la femme-serpent...

Alors, je m'interroge. En quoi suis-je différent des autres ? J'ai écrit deux cents et quelques romans, certes, parce que j'ai beaucoup travaillé, m'imposant une stricte discipline que peu de gens accepteraient.

J'ai renoncé à l'image que je m'étais faite du romancier : assis paisiblement à son bureau, fumant sa pipe, écrivant quelques lignes puis regardant devant lui d'un air rêveur avant d'écrire quelques lignes à nouveau ou de bourrer une autre pipe.

Car c'était bien le rêve de mes quinze et seize ans. Avec la fenêtre ouverte sur le grouillement bariolé des petites gens et sur la cacophonie d'une rue commerçante.

En réalité, je n'ai pas eu le choix. Dès que je me suis mis à écrire, une sorte de fièvre m'a saisi, qui m'a entraîné sans me laisser mon libre arbitre.

J'ai continué. Pas parce que je le voulais, pas même parce que je désirais gagner de l'argent, mais parce que, s'il s'écoulait trop de temps entre deux romans, je me sentais comme dans le vide, tel un drogué soudain privé de sa drogue.

Dirais-je que c'est cela que je n'aime pas en moi, ce besoin, ce « manque » quand je n'écrivais pas ? Et, en contrepartie, cette absence de moi-même lorsque je me mettais à écrire ?

C'est idiot, je le sais, de s'interroger ainsi mais je ne peux pas m'en empêcher. Lorsque j'y arrive pendant quelques jours ou quelques heures, il y a toujours quelqu'un, même quelqu'un que je ne connais pas, que je n'ai jamais vu, qui m'accoste dans la rue pour me poser la sempiternelle question :

— Monsieur Simenon, comment faites-vous pour écrire vos romans ?

Comment j'ai fait pendant près de cinquante ans ? En écrivant, parbleu ! La première fois, assis sur une caisse. Les autres fois, plus confortablement installé sur une chaise devant ma machine à écrire.

Jamais dans la pose du romancier, devant un bureau, une plume à la main, pipe à la bouche et fenêtre ouverte.

Il n'y a pas jusqu'à mes tics qui ne se soient imposés petit à petit et auxquels j'ai été forcé de me soumettre. La veille d'un roman, je descendais dans mon bureau après être allé chercher dans la bibliothèque une petite table roulante. Je l'installais bien à sa place, puis j'allais à la cuisine chercher une plaque chauffante et il fallait me baisser pour la brancher à la prise de courant. Ensuite, une immense tasse, difficile à trouver, afin de ne pas avoir à la remplir souvent.

Révision de ma machine. Nettoyage des caractères. A droite, l'enveloppe jaune, qu'on appelle à tort mon plan puisqu'il n'y est pas question de l'intrigue. A gauche, deux chemises en gros papier bulle pour les deux copies, car j'ai toujours écrit avec un carbone.

Sur une autre petite table, un immense cendrier taillé en plein bois et six pipes que je choisissais avec soin. Des allumettes.

Un dernier regard à l'ensemble.

Je me faisais l'effet de l'acrobate de cirque qui, en maillot collant, vient vérifier avant son numéro la tension des haubans et la position correcte des appareils.

Tout cela n'est-il pas loufoque? Certains écrivent des chefs-d'œuvre sur une table de café sans souci du brouhaha qui les entoure. La plupart écrivent quand ils ont envie d'écrire ou quand ils ont décidé de le faire. Certains écrivains écrivent leurs cent lignes chaque jour, ce qui donne un roman à livrer au bout de l'année.

Je suis confus, inquiet même d'être ou de me voir traité en phénomène. Pour ceux qui me connaissent, je suis un homme comme un autre, avec une vie normale, sans beaucoup d'imprévus et sans grands à-coups.

J'avais une autre manie, celle d'aller accrocher à chaque porte un *Do not disturb* que j'avais emporté de l'hôtel *Plazza*, à New York. Une autre manie, enfin : interdire que quiconque, dans la maison, se lève avant moi. Je ne voulais être distrait par rien après mon sommeil. Il fallait que la page soit blanche.

Pendant quelque temps, j'ai voulu secouer le joug et écrire autrement. J'ai acheté des douzaines de crayons que j'ai taillés très fin avec une petite machine électrique et, enfin, je me suis assis devant mon bureau. J'avais une toute petite écriture qui m'obligeait à retailler les crayons à chaque fois. L'après-midi, je tapais à la machine le texte écrit le matin.

J'étais obligé de beaucoup changer. La machine à écrire ne permet guère les fioritures, les repentirs, les phrases bien coulées que je n'aime pas.

J'ai abandonné cette méthode. Je sentais que, de plus en plus, j'avais tendance à faire de la littérature.

J'ai donc repris ma vieille machine.

Ainsi, pendant tant d'années, je n'ai même pas été libre de choisir ma façon d'écrire!

Cela me vexe. Cela m'inquiète aussi. Enfin, j'aurai fait mon possible.

Maintenant que je ne suis plus romancier, je n'ai plus à m'en préoccuper.

Qu'il serait agréable, en guise de Mémoires, de raconter des anecdotes sur mes amis et sur les personnes que j'ai connues. J'en ai plein la tête. Mais je considère que leurs faits et gestes leur appartiennent et que ce n'est pas à moi de les mettre à jour, encore moins de porter un jugement.

Alors, il ne me reste guère, pour mes bavardages devant mon jouet, que moi-même, jeune ou vieux, avec mon petit livre d'images qui surgissent à mon esprit au moment où je m'y attends le moins. Même ces images-là, je ne les choisis pas.

C'était en 1933 ou en 1934. Les Maigret, comme on dit, se vendaient comme des petits pains et les droits en avaient déjà été achetés par plusieurs pays étrangers. J'avais vendu aussi les droits de deux films l'un, *la Nuit du Carrefour,* réalisé par Jean Renoir avec son frère Pierre dans le rôle de Maigret, l'autre, *la Tête d'un homme,* réalisé par Julien Duvivier avec Harry Baur. J'étais riche!

C'est une façon de parler. J'étais riche en comparaison de ce que j'étais avant. Or, avant, j'avais été très pauvre. Je n'ai jamais été un vrai riche et je ne le souhaite pas.

Un soir, je prends le train pour Innsbruck, en Autriche, en passant à travers la Suisse. Je monte dans mon wagon-lit et je m'aperçois que je partage la cabine avec un monsieur d'un certain âge, très élégant, très nerveux, un bel homme d'une cinquantaine d'années, aux cheveux argentés, qui ne cessait de remuer, d'aller se pencher à toutes les fenêtres du wagon.

Je lis un journal. Je décide de me coucher de bonne heure. J'avais en poche une fiasque de cognac que je débouchai et dont j'avalai une gorgée.

Mon vis-à-vis regardait cette fiasque d'alcool avec des yeux d'envie et il finit par tendre une main tremblante :

— Puis-je en avoir un peu aussi?

Je lui tendis le flacon qu'il vida presque entièrement, non pas en ivrogne, mais comme quelqu'un qui en a vraiment besoin.

— Excusez-moi, dit-il. Je ne suis pas dans mon assiette. Est-ce que cela vous ennuierait de bavarder avant de vous endormir?

Ce bavardage dura près de trois heures. Chaque fois que je voulais me coucher, mon interlocuteur remettait un autre sujet sur

242

le tapis. Il se raccrochait vraiment à moi, ou plutôt au fait de ne pas être seul. Il tremblait toujours. Si j'avais eu une seconde et même une troisième fiasque, elles y seraient passées.

Nous finîmes par franchir la frontière suisse. C'est seulement alors qu'il se détendit, devint un autre homme, sûr de lui, au maintien très digne. Et il ne tarda pas à me demander :

— Vous avez un compte en banque ?

Je répondis que oui, mais pas en Suisse. Je me rendais tout simplement à Innsbruck pour faire du ski.

— Faites ce que je vais vous dire et vous gagnerez beaucoup d'argent. Vous allez, dès l'arrivée, télégraphier à votre banque d'acheter telles actions (c'étaient des mines d'Afrique du Nord) qui sont maintenant à cent cinquante francs environ. Il est possible qu'elles baissent. Il est prévisible qu'elles descendent très bas. Ne vendez pas. Vous m'entendez bien : ne vendez en aucun cas et un jour vous verrez quel prix elles atteindront.

Je n'avais jamais acheté d'actions. Je n'avais jamais spéculé. Ce n'est pas dans mon caractère. Mais, en arrivant à Innsbruck, j'appris que mon compagnon de wagon-lit n'était autre que le célèbre banquier Oustrick qui fuyait la France où il était recherché après un krach qui faisait beaucoup de bruit.

Je finis par entrer dans une banque autrichienne. Je fis transmettre à ma banque l'ordre d'acheter cent des actions qui m'avaient été désignées. Puis je cessai d'y penser. Le ski m'occupa. Puis, de retour à Paris, mes romans. Deux ans après, ma banque me fit savoir que les actions étaient à vingt-cinq ou vingt-six centimes. Fidèle au conseil d'Oustrick, je répondis :

— Gardez-les.

Des années passèrent encore sans que je pense au banquier et à ses actions. Ce n'est en fin de compte que quand elles furent à moins de dix centimes que je me décidai à les vendre. C'était toujours ça, car elles ne devaient jamais remonter.

Tel a été mon premier contact avec la finance. Cela a été le seul. L'argent ne m'intéresse pas. Certes, j'aime mon confort, j'aime un certain nombre des plaisirs qu'il permet. Mais je me refuse à jouer avec, si je puis dire. Il en a été de même des maisons. J'en ai acheté un certain nombre au cours de ces cinquante dernières années. Non seulement j'ai toujours eu du mal à les revendre, mais j'ai vendu à perte. Une seule exception : ma propriété de Lakeville, dans le Connecticut, que j'ai revendue le prix exact que j'avais payé.

Je veux vivre de mes romans, rien que de mes romans, et il n'y a qu'eux qui me réussissent.

Le reste ne m'importe pas.

Nous sommes samedi après-midi. Il y a enfin du soleil, après plusieurs jours de pluie. Nous venons de nous promener lentement dans des sentiers variés et maintenant je n'ai rien à dire.

J'ai écrit un roman à Tahiti, pas sur Tahiti d'ailleurs, mais sur je ne sais quelle ville de France ou quel quartier de Paris. J'en ai écrit un autre à Panama. A Guayaquil, j'ai essayé, mais la chaleur humide était vraiment trop accablante et d'énormes grillons pleuvaient littéralement et se faufilaient partout, y compris dans ma machine.

Cette machine à écrire, je l'ai traînée partout avec moi à travers le monde, que ce soit à Istamboul, à Khartoum, à Bombay, en Australie et en Nouvelle-Zélande.

Je découvrais des pays nouveaux pour moi. J'essayais farouchement d'en pénétrer la vie véritable. Mais je n'écrivais pas un mot sur ces découvertes quasi quotidiennes.

Non. Assis devant ma machine, je parlais de la rue Lepic, de Bourges ou de La Rochelle.

Je n'avais aucune raison pressante d'écrire. J'aurais pu rester six mois, un an, sans le faire.

Alors, qu'est-ce qui me poussait?

Ce n'est pas la première fois que je me pose cette question. Mais elle me revient de plus en plus souvent à l'esprit depuis que j'ai cessé d'écrire.

Et comment ai-je pu, du jour au lendemain, il y a moins d'un an de cela, décider de ne plus écrire de romans?

Ce qui était si nécessaire, urgent, ce qui m'animait comme un pantin, a cessé du jour au lendemain d'avoir de l'importance et de

244

l'intérêt. Au point que je ne pense plus à mes anciens romans. Je les oublie. Et cela m'est pénible, chaque matin, de répondre à mon courrier par téléphone, surtout quand il s'agit de traductions, d'adaptation de mes livres à la radio, à la télévision ou au cinéma.

Il y a eu une véritable cassure. L'idée ne me viendrait plus d'essayer de créer.

C'est maintenant que je me demande d'où m'est venu ce besoin d'animer des personnages. On pourrait demander la même chose à un peintre, à un compositeur, à un sculpteur. Je serais curieux de savoir ce qu'ils répondraient.

Probablement, comme moi, seraient-ils incapables de répondre.

La seule réponse assez vague qui me vienne à l'esprit, c'est que je m'ennuie avec moi-même, peut-être que je m'ennuie avec les autres aussi, de sorte que, périodiquement, j'éprouve le besoin de vivre dans un monde qui m'appartienne et de m'y fondre.

Sacha Guitry me disait un jour :

— Il y a un moment de la journée que j'attends toujours avec impatience : neuf heures, l'heure du lever de rideau.

« J'entre en scène. Je suis chez moi, car ce sont mes propres meubles, mes propres tableaux, mes objets personnels que j'installe au théâtre. Les personnages qui m'adressent la parole sont mes personnages et ils n'ont le droit de dire que ce que je leur ai dicté. »

Cela a l'air d'une boutade. C'est ainsi que j'ai pris ces mots quand ils ont été prononcés. Et pourtant... lorsque j'écris un roman ou plutôt lorsque j'écrivais un roman, moi aussi j'étais chez moi, pas même dans le décor de mon bureau mais dans un décor que j'avais créé, avec des êtres qui s'étaient imposés peu à peu et qui, pour huit ou dix jours, allaient devenir mes véritables compagnons. Ou plutôt, c'est moi qui allais devenir eux et les subir.

Ces explications ne me satisfont pas. Je sais que j'y penserai encore, sans le vouloir, car cela représente malgré tout cinquante ans de ma vie. Est-ce qu'en fin de compte il me viendra une étincelle?

En tout cas, je suis bien heureux d'être guéri de cette maladie-là.

Nous sommes dimanche. Dans deux heures Pierre, mon fils cadet, s'envole pour les Baléares, où il va passer trois semaines avec un de ses amis. Je me suis promené au soleil pendant une heure, sans penser à rien, plus exactement en regardant rêveusement le paysage : le lac, les Alpes, les pentes du Valais.

Il y a un an encore, je n'aurais rien regardé. Tout en marchant, j'aurais pensé à Dieu sait quel personnage qui ne m'est rien et qui n'existe pas.

Maintenant, sans personnage incommodant, je vais lire mon journal.

Dimanche après-midi. J'ai fait une sieste savoureuse, comme chaque jour. Je me suis promené, cette fois dans les bois. C'est la promenade de l'après-midi. Je me retrouve devant mon jouet et j'éprouve le besoin de reprendre la conversation, si je puis dire, où je l'avais laissée ce matin. C'est-à-dire à me demander encore :

— Pourquoi? Pourquoi avoir passé ma vie en traînant une machine à écrire derrière moi au lieu d'un loulou de Poméranie? Pourquoi, presque régulièrement, avoir quitté l'univers qui m'entourait, l'avoir senti devenir cotonneux, pour le remplacer par un univers créé de toutes pièces?

Je vais essayer de procéder par questions et réponses :

246

L'argent

— Certainement pas. Je ne suis pas intéressé par l'argent. Je ne suis pas allé quatre fois à ma banque depuis quinze ans que j'habite la Suisse. Lorsque j'étais pauvre, à mes débuts à Paris, dès que je touchais une petite somme, je la dépensais, à n'importe quoi, pour dépenser, quitte à me contenter ensuite de camembert pendant une semaine. En outre, j'aurais certainement gagné plus d'argent en choisissant une autre profession, dans le commerce ou l'industrie, par exemple, en ne souffrant pas les affres que j'ai souffertes à chaque roman.

La gloire

— Je ne suis pas glorieux. La gloire posthume ne peut m'intéresser puisque, si elle arrive, je n'en saurai rien. Quant à la gloire de mon vivant, je ne m'en préoccupe pas. Je ne me montre ni aux réceptions officielles ni aux réceptions mondaines. Je ne vais pas aux répétitions générales, ni à aucun gala. J'ai toujours, sauf deux années d'exception que j'ai racontées, vécu dans mon coin, et c'était le plus souvent à la campagne où ma seule distraction était de monter à cheval et de jouer aux cartes dans les bistrots de villages, avec les paysans de l'endroit.

Les honneurs

— J'y suis si insensible que je n'ai plus une seule de mes décorations. Ce sont mes enfants qui ont joué avec. Je ne les ai jamais portées et je serais en peine d'en donner une liste exacte. Je n'ai jamais fréquenté les milieux officiels. Je ne fais partie d'aucun jury. Je ne suis président d'aucune société, pas même d'une fanfare de village.

La liberté de vie

— J'ai eu, en effet, la liberté de vivre où bon me semblait, de voyager quand j'en avais envie, mais je le payais cher puisque j'avais toujours ma machine à écrire à la traîne. De sorte que, malgré moi, mes voyages étaient ternis par mon travail.

Quoi encore? Je ne vois aucune raison plausible d'avoir choisi ce métier-là. Ou plutôt j'en vois une, qui pourrait s'appliquer à quelques romanciers du passé et du présent : je ne savais rien faire d'autre.

Au fond, si je n'étais pas devenu écrivain, il est plus que probable que j'aurais été un raté. C'est ce qui est arrivé à presque tous mes camarades de La Caque qui faisaient tous des rêves insensés. Ils ont mal fini. L'un s'est pendu. D'autres se sont mis à boire. Aucun n'a eu ce que l'on appelle une carrière normale.

Peut-être à cause de cette expérience de La Caque, j'ai toujours eu le complexe du raté. Même quand j'écrivais mes romans populaires, à la fois pour gagner ma vie et pour apprendre le mécanisme du roman, il me venait des sueurs froides à l'idée que je me retrouverais à soixante ou à soixante-dix ans écrivant les mêmes romans.

J'ignore si j'ai enfin trouvé la bonne explication. Je ne regrette rien. J'ai vécu ma vie. Peut-être me suis-je usé plus vite que je ne l'aurais fait dans une autre profession, mais, maintenant que je n'ai plus à créer de personnages et à me mettre à leur place, je suis en paix avec moi-même.

En quarante ou quarante-cinq ans, j'ai donné des dizaines de milliers d'interviews. J'accueillais avec autant de cordialité le reporter d'un petit journal de province que le représentant d'un grand magazine de Paris, de Londres ou de New York.

J'ai donné un grand nombre d'interviews radiophoniques, d'émissions de télévision. Celles-ci étaient les plus fatigantes, car elles duraient en général une semaine et la maison était encombrée de câbles et d'appareils de toutes sortes.

Beaucoup ont cru qu'en agissant ainsi je songeais à ma publicité. Je puis déclarer de bonne foi que c'est inexact. A seize ans, j'étais reporter. On m'envoyait interviewer des personnalités de passage, que ce fût Poincaré, le maréchal Foch, ou Lloyd George, la Pavlova et Rubinstein.

Je me souviens de mon dépit lorsque je devais annoncer une défaite à mon rédacteur en chef, car certains de ces personnages fermaient leur porte aux journalistes.

C'est un dépit que je n'ai jamais voulu faire subir à d'autres quand j'ai été, non plus l'interviewer, mais l'interviewé.

Je considère l'écrivain comme une sorte d'homme public, puisque aussi bien c'est pour le public qu'il écrit. Celui-ci a droit à certaines curiosités. Il est normal qu'il tienne à mieux connaître celui dont il passe des soirées à lire les livres. Or, ce n'est que par la presse, la radio et la télévision qu'un romancier peut plus ou moins s'expliquer devant ce public.

Je dis plus ou moins et j'insiste. En effet, l'interviewé, que ce

248

soit devant un journaliste ou à la télévision, ne peut que répondre aux questions qu'on lui pose. Et il est bien rare qu'on lui pose les questions qu'il voudrait entendre.

De là, des erreurs, des malentendus. Je suis persuadé que certains auteurs ont déçu leur public à cause de leur maladresse, à la télévision, par exemple.

Tout homme a plus ou moins envie de s'expliquer. Je me demande si ce n'est pas la véritable base de l'amitié. Mais ces explications-là ne touchent que quelques personnes.

Pour les professionnels, il en va autrement et l'invention d'un journaliste qui trouve son article trop peu corsé peut poursuivre un écrivain pendant toute sa vie.

Lorsque j'ai décidé de cesser d'écrire des romans, j'ai demandé à un journaliste de Lausanne, qui m'avait interviewé deux fois avec une honnêteté parfaite, de venir me voir. C'est à lui que j'ai annoncé la nouvelle qui coïncidait plus ou moins avec mon soixante-dixième anniversaire.

Son article a été reproduit dans le monde entier. Pourtant, il ne s'agissait que d'une feuille locale. Les télégrammes, les coups de téléphone se sont mis à pleuvoir. Les équipes de télévision s'apprêtaient à se mettre en route. J'ai été inflexible. J'avais dit à mon journaliste que c'était ma dernière interview, puisque je cessais d'être romancier, donc d'être un homme public. J'ai tenu parole. Sans doute ai-je vexé ou peiné des confrères qui se sont heurtés à une porte close. Mais, s'ils réfléchissent, ils doivent me comprendre.

Du jour au lendemain, je suis redevenu un homme libre, un homme comme les autres, et on n'interviewe ni l'homme de la rue ni le retraité assis sur son banc.

Ceux qui ont lu *Quand j'étais vieux* ont pu remarquer certaines contradictions, certains passages qui pourraient paraître surajoutés.

C'est vrai. Il faudra bien qu'un jour, pas aujourd'hui, pas demain, mais plus tard, car je n'en ai pas le courage, je dise la vérité sur ce sujet-là. Cela me sera pénible, car je déteste mettre d'autres personnes en cause. Je considère que leur vie leur appartient et que je n'ai pas le droit de dévoiler ce que j'ai pu en apprendre.

Il existe cependant des cas où cette discrétion n'est pas de mise. Nous verrons un jour. Et j'effectuerai l'opération avec toute la délicatesse possible.

Je crois que c'est Roussin qui a écrit une pièce intitulée *les Glorieuses* au sujet des veuves d'hommes qui ont été célèbres et qui n'entendent pas cesser de jouir de cette célébrité.

Il n'y a pas que des veuves abusives. Il y a des femmes abusives, qui n'attendent pas la mort de leur mari pour se tailler leur part de notoriété.

Cela me rappelle une anecdote. Un soir, en Arizona, nous dînions, Tigy et moi, avec un certain nombre de ranchers qui s'étaient réunis pour nous fêter. Au cours de la conversation, l'un d'eux demande à Tigy :

— Je suppose que vous êtes pour une bonne part dans l'œuvre de votre mari ?

250

Et Tigy de répondre, d'un air mystérieux :

— C'est une question à laquelle je ne réponds jamais.

Inutile de dire qu'elle n'a jamais participé si peu que ce soit à l'élaboration et à l'écriture d'un de mes livres.

Ce que j'ai à raconter, ce que je remets sans cesse à plus tard est plus grave.

Toute la famille est en vacances, entièrement dispersée. Johnny est allé à Stockholm voir une bonne amie, Marc commence un film dans les Cévennes, Marie-Jo, après avoir tourné un court métrage à Brest, va se reposer avant de jouer un petit rôle dans un autre, enfin Iole est chez elle en Italie. Pierre, enfin, est à Palma de Majorque avec un ami.

Quant à T... et moi, pour la seconde année, nous passons nos vacances dans un endroit plutôt inattendu : Valmont. Il est difficile de décrire Valmont. C'est une grande bâtisse au-dessus de Montreux, perchée dans les bois. Ce n'est ni tout à fait un hôtel ni tout à fait une clinique.

Cela tient des deux. Trois médecins et quelques infirmières sont attachés à l'établissement. On n'est pas obligé de réclamer leurs soins. On peut vivre ici comme dans un très bon hôtel ordinaire et même comme dans un hôtel assez luxueux. On peut aussi suivre des cures d'amaigrissement. D'autres viennent au contraire pour grossir.

De sorte que la clientèle est variée, souvent pittoresque. J'ai vu des jeunes filles de plus de cent kilos, des femmes aussi de cent cinquante, des hommes qui ne doivent pas trouver de ceintures dans le commerce.

Dans le sous-sol, que je ne connais guère, on peut prendre des bains électriques, des massages, des cures de rayons, faire de la bicyclette fixe, de l'extension, que sais-je encore ?

C'est surtout le matin que les patients descendent en robe de chambre et on les voit remonter épuisés par leurs exercices.

Pour notre part, nous nous contentons de marcher, tantôt sur la route, tantôt dans les bois. Il règne un calme parfait. Aucune odeur d'hôpital ou de clinique. L'an dernier, j'ai passé tous les examens possibles et imaginables pour connaître la cause de mes vertiges. Cette année, je n'ai pas de vertiges et jusqu'ici je n'ai passé aucun examen.

Tout ceci est banal. Ce qui l'est moins, c'est cette dispersion totale de la famille. Mes enfants ont horreur d'écrire; ils préfèrent me téléphoner en longue distance, où qu'ils soient, en p.c.v., bien entendu, et comme ils sont impatients, ils téléphonent en double taxe.

Les murs sont tapissés d'un papier à fleurs. Tout est clair. Des fenêtres partout et des recoins charmants comme celui que j'ai adopté pour dicter. Je ne dis pas comme bureau, car ce mot est banni de mon répertoire.

Je viens de faire ma première promenade dans le soleil. Je vais lire mes journaux. Cela ne ressemble pas à la vie de Saint-Tropez ou de Deauville. Bon Dieu, qu'est-ce que j'irais faire à Saint-Tropez ou à Deauville?

Je ne suis pas content d'avoir dicté ce matin. Je n'aurais pas dû le faire. Je n'avais rien à dire. En somme, je le fais comme par devoir, par manie, et c'est ce que je ne veux absolument pas qu'il arrive.

Si je cherche un peu plus loin la vérité, je n'avais pas le courage d'aborder un sujet qui me tracasse depuis plusieurs jours et que j'hésite toujours à aborder. Sera-ce pour demain? C'est probable. J'y ai d'ailleurs déjà fait allusion, d'une façon vague. On verra quel sera mon état d'esprit demain.

Cet après-midi, j'ai fait une promenade merveilleuse, dont je me serais encore cru incapable il y a huit jours. Par de véritables sentiers de chèvres, j'ai grimpé assez haut dans les bois et j'ai décrit un long arc de cercle avant de retrouver une route goudronnée. Nous n'avons pas rencontré une âme. Nous étions seuls avec les oiseaux et les papillons et il y avait plein de fraises sauvages. La lumière, à travers les arbres, était une féerie. Dommage qu'on était trop souvent obligés de baisser la tête pour regarder où on marchait.

Voilà quelques jours, je rappelais la pièce de Roussin : *les Glorieuses,* sur les veuves d'hommes célèbres, surtout des artistes, écrivains, peintres, musiciens, etc.

Je crois avoir ajouté qu'il n'y avait pas que les veuves à être abusives et que beaucoup de femmes n'attendaient pas la mort de leur mari.

Je viens de lire, non sans en être troublé, un gros livre de Nancy Milford. C'est une journaliste américaine, romancière elle-même si je ne me trompe, qui a consacré six ans de sa vie à rechercher les documents, les témoignages qu'elle pouvait trouver sur la vie des Fitzgerald.

Elle a intitulé son livre *Zelda,* j'ignore pourquoi, car la vie de Fitzgerald, telle qu'elle l'a décrite, est au moins aussi pathétique.

Pendant les années 20, les Fitzgerald étaient les rois de New York et des autres capitales. On leur permettait toutes les folies. On les attendait d'eux. On était déçu si, d'aventure, ils restaient sages pendant vingt-quatre heures.

Zelda venait du Sud, d'une famille très moyenne. Elle était jolie, spirituelle, pleine d'entrain, un peu trop. Elle s'est jetée à corps perdu, une fois à New York, dans une existence qu'elle n'avait pu qu'imaginer. Elle buvait. Pratiquement, elle était toujours ivre et il lui arrivait de rester trois jours et trois nuits sans rentrer à son hôtel, incapable de dire où elle était allée pendant ce temps-là.

Fitzgerald parvenait pourtant à écrire. Ses livres étaient des best-sellers. Les pages des magazines étaient pleines de leurs exploits.

Après quelques années, Zelda s'est mis en tête de devenir

célèbre de son côté, pour son compte, en devenant une étoile de la danse. Elle avait vingt-huit ans. Il était beaucoup trop tard. Elle ne s'en est pas moins obstinée pendant deux ou trois ans, prenant leçon sur leçon et obligeant son mari à la suivre.

L'argent leur filait entre les doigts. Ils avaient des moments fastes et des moments où ils empruntaient à tout le monde. Zelda ne s'en tenait pas moins à un genre de vie que la gloire de son mari avait mis à sa portée.

Découragée par la danse, elle se mit à peindre, fit deux ou trois expositions à New York. Sa peinture n'avait aucune valeur et, sauf deux critiques de leurs amis, les autres l'imprimèrent crûment.

Il lui restait un essai à tenter : écrire. Non pas écrire à sa manière. Non pas écrire pour son plaisir. Écrire comme Fitzgerald et obtenir les mêmes résultats que lui.

Pendant ce temps-là elle faisait tout, par ses exigences, pour empêcher son mari de s'attacher à son œuvre.

Elle a été soignée une première fois à Valmont, où je dicte ces lignes, car Valmont avait alors un service psychiatrique qui n'existe plus. Ensuite, elle a été transférée aux Rives de Prangins. Enfin, dans un grand établissement des environs de New York.

Je ne vais pas résumer le livre de Nancy Milford. Ce que je trouve pathétique, c'est la lutte de cette femme pour détruire son mari. Elle avait toutes les ruses, se servait de tout ce qui pouvait la servir dans ce but. En même temps, elle ne cessait de lui parler en termes pathétiques de son amour.

Quand il venait la voir, des scènes si violentes éclataient qu'on devait les surveiller et qu'en fin de compte le directeur de la clinique demanda au mari de cesser ses visites.

Elle écrivait toujours. Elle envoyait ses textes aux journaux, aux magazines, aux éditeurs. Comme elle n'arrivait pas, loin de là, à surpasser son mari, ni à l'égaler, elle l'empêchait d'écrire, tant par ses dépenses que par les alternances de chaud et de froid qu'elle apportait à leurs relations épistolaires.

Je crois que cela peut être considéré comme un cas type, un cas extrême. Détruire son mari, elle y a réussi, puisqu'il est mort à quarante-deux ans. A cette époque-là, elle était toujours dans une clinique et son état s'était aggravé. Les rares expériences qu'on a tentées pour lui redonner une vie normale ont été des échecs.

Sa schizophrénie s'accentua. En 1948, si je ne me trompe, elle périt dans l'incendie de la maison de santé.

Tout le long de la lecture de ce gros livre, j'ai ressenti un malaise. Je crois que certains qui le liront le ressentiront aussi.

Les lignes qui suivent vont avoir l'air d'une plaisanterie. Ce matin, mon médecin est venu me voir alors que je buvais mon premier verre de Coca-Cola.

— Déjà? Vous buvez si tôt matin?

Je lui ai répondu qu'auparavant j'avais déjà bu deux grandes tasses de café et qu'après ce Coca-Cola j'allais en boire un autre, sans compter un peu d'eau de Perrier en guise d'apéritif.

— Et l'après-midi?

— L'après-midi, un coca-cola d'abord, puis deux grands verres de thé glacé qui font environ un litre. Il est vrai que je ne bois pas aux repas.

Il se montrait fort étonné. Mais aussi fort intéressé.

— Combien de temps après vos boissons du matin avez-vous une miction?

— Une demi-heure.

— Et cela continue?

— A peu près toute la journée. De telle sorte qu'à Lausanne, par exemple, je connais toutes les toilettes publiques et que mes promenades me conduisent de l'une à l'autre.

— Dans ce cas, vous n'avez ni maladie du cœur ni maladie du rein.

Je veux le croire. C'est un médecin sérieux, qui a beaucoup d'expérience dans ces domaines.

— Incluez ce que nous venons de dire dans une de vos dictées, me recommanda-t-il. C'est très important pour vous comprendre.

256

C'est fait. Ce ne sera pas ma faute si on se moque de moi. J'ai toujours été un petit garçon docile et je le suis resté.

Je viens d'aller marcher. Je pourrais répéter cette phrase-là tous les matins et tous les après-midi. J'aurais pu l'écrire dès que j'ai eu cinq ou six ans. Je ne marche pas par hygiène, ni par régime. Je marche pour le plaisir de marcher, car c'est pour moi un véritable plaisir et cela a même un petit côté excitant.

Lorsque nous habitions Épalinges, il m'arrivait de demander à un de mes enfants :

— Tu viens avec moi faire un tour ?

— Quel tour ?

Leurs yeux devenaient méfiants.

Je citais les fermes que nous contournerions et, presque toujours, ils soupiraient :

— A vélo, oui. A pied, je n'en ai pas le courage.

Je ne les ai vus marcher que quand c'était strictement nécessaire. D'ailleurs, ici, le long des routes, je rencontre très peu de promeneurs.

Je crois pourtant que le philosophe grec avait raison : « La marche active le travail de l'esprit. »

Tous mes romans, je les ai trouvés en marchant. Et quand, dans mon bureau réservé aux affaires, j'ai une discussion importante, je dois passer pour un énergumène car je ne cesse de me lever, de faire quelquefois le tour de la pièce, de me rasseoir, de me lever à nouveau. Jamais, pendant une conversation, je ne suis resté un quart d'heure dans mon fauteuil.

Est-ce encore quelque chose qui se perdra ? Verra-t-on une époque où les hommes ne marcheront plus du tout ? C'est presque vrai aux États-Unis. Non pas que les gens aient quoi que ce soit contre la marche, mais parce que le flot de voitures est tel, même sur les routes secondaires, qu'il faut aller très loin pour dénicher un chemin accessible aux piétons.

En tout cas, je profite de ce que c'est encore possible ici.

Ce que j'ai dit il y a quelques minutes au sujet de la marche me rappelle une anecdote qui m'amuse encore. J'avais un interlocuteur dans mon bureau, au temps où je possédais encore un bureau, et nous avions des choses très sérieuses à discuter. Si je me souviens bien, mon vis-à-vis était un Anglais assez timide comme ils le sont souvent.

Après quelques minutes, je me lève et arpente le bureau en tous

257

sens. Comme mû par un ressort, il se lève à son tour et me suit à travers la pièce. Une dizaine de minutes plus tard, je prends pitié de lui et je me rassieds tandis qu'il se rassied de son côté avec un soupir de soulagement. Dix minutes ne se sont pas écoulées que me voilà debout à nouveau, allant et venant d'un mur à l'autre et... lui derrière moi.

Je lui expliquai que je ne pouvais pas avoir de conversation étant assis et je m'en suis excusé.

— Ce n'est rien. Ce n'est rien..., a-t-il répondu.

Il n'en a pas moins continué à se lever comme si chaque pas hors de mon fauteuil était un signal et l'après-midi s'est passé de la sorte. Cela devait avoir l'air d'un ballet.

Un souvenir me revient du fond de ma mémoire. C'est étrange qu'il ne me soit pas revenu plus tôt, car il a sa petite importance.

Lorsque j'avais quinze ou seize ans, j'étais persuadé que je ferais une carrière d'humoriste. Mon premier roman : *Au Pont des Arches*, écrit à seize ans, était un roman qui se voulait humoristique. Il se passait en grande partie dans une pharmacie spécialisée dans les pilules purgatives pour pigeons. Cette pharmacie existait. Et, à mon dernier voyage à Liège, il y a deux ans, elle était encore en place, se réclamant de la même spécialité.

L'année suivante, mon ami M..., qui était reporter dans un journal concurrent, m'a décidé à écrire avec lui un roman qui serait une satire du roman policier. Pourquoi le roman policier ? J'ignore d'où cette idée est venue. Je n'en lisais pas. Peut-être un ou deux Maurice Leblanc et un Gaston Leroux ?

Je dévorais au contraire Gogol, que je considérais et que je considère encore comme le plus grand romancier russe avant Dostoïevski, Tchékhov, Gorki, etc.

Or nous nous sommes mis réellement à ce roman policier soi-disant comique ou tout au moins ironique. C'était *le Bouton de col*.

Il y a quelques années, M... en a retrouvé le manuscrit qu'il m'a gentiment envoyé. J'ai essayé de le relire. Je ne suis pas arrivé à la fin de la quatrième page. Si, parmi les manuscrits qu'on m'envoie, il y en avait un aussi mauvais, je me croirais en devoir de répondre à l'auteur de faire n'importe quel métier, fût-ce éboueur, en aucun cas pas de la littérature, même humoristique.

Mes débuts ne me prédestinaient pas à écrire des romans que l'on pourrait appeler noirs, si ce terme ne désignait maintenant une marchandise déterminée. Cependant, un assez grand nombre de critiques anglais et quelques américains ont noté qu'il y avait de l'humour dans mes livres. On ne s'en est pas aperçu en France. Je ne m'en suis jamais aperçu non plus.

Au fait, j'ai écrit un troisième roman pendant ma période de journalisme, c'est-à-dire vers mes dix-huit ans. Il s'intitulait *Jehan Pinaguet,* un long jeune homme plus ou moins ridicule, au nez en trompette, qui reniflait les odeurs des rues et des boutiques, s'amusait des visages des gens, collait le sien à la devanture des pâtisseries derrière lesquelles s'étalaient d'immenses tartes. Je voulais donner ainsi une image du Vieux Liège. Je lisais beaucoup Rabelais. J'avais lu aussi *la Rôtisserie de la Reine Pédauque.*

Autrement dit, cela n'avait rien d'original. Pourtant, c'était déjà dans mon caractère car, moi aussi, j'ai passé ma vie à humer les odeurs, à regarder les lumières et les reflets, les taches d'ombre et les taches de soleil, les visages butés, ignares ou douloureux.

Plus tard, à Paris, je devais, comme Pinaguet, les jours maigres, coller mon visage aux vitres des traiteurs, non pour contempler de grandes tartes juteuses mais pour regarder avec concupiscence des pâtés, des aspics, des coquilles Saint-Jacques, bref, toute une charcuterie que je ne connaissais pas.

Jehan Pinaguet a failli être publié. Une femme sur le retour qui tenait une imprimerie s'était prise d'intérêt pour moi et m'offrait de l'éditer à son compte. Heureusement, j'avais pris la précaution de faire lire le roman par mon directeur. Et celui-ci m'a déclaré :

— Si vous le publiez, vous ne pourrez plus faire partie de *la Gazette de Liège.*

A cause d'un personnage de vieux curé qui aimait trop le vin et les filles. Dans un journal catholique, ces choses-là n'existent pas.

Je me demandais tout à l'heure ce que je ferais si j'avais dix-neuf ans aujourd'hui et si j'arrivais dans le Paris actuel. Les romans populaires qui m'ont nourri pendant près de quatre ans n'existent plus. Ils sont remplacés d'une part par les « comics » et par les bandes dessinées, d'autre part par des romans qui se vendent sous des noms connus mais qui, malgré un style un peu meilleur, n'en valent pas mieux que les vieux romans populaires.

Les feuilletons à la radio ou à la télévision? Ils sont si désolants que je m'attends à voir sur le petit écran *Vierge et Martyre.*

Alors, que faire? Je n'ai aucune spécialité, aucun diplôme, aucune qualification pour un métier quelconque.

J'ai souvent parlé de ratés.

Eh bien! avec l'évolution qui s'est produite depuis les années 20, je serais probablement un raté.

Lorsque triomphalement, comme un cri de liberté, je me suis assis dans mon fauteuil et ai commencé à dicter devant ce magnétophone, je m'étais juré que ce ne serait que pour moi, que c'était une rêverie parlée.

Petit à petit, je ne sais comment, je me suis demandé ce que des gens penseraient en lisant ces textes. Puis...

Mais oui. Je suis tenté de me dire qu'un jour je les publierai peut-être ou que d'autres les publieront pour moi. Je résisterai jusqu'au bout. Il faut absolument que, devant ce micro, je garde la même candeur, sans souci des autres.

Juré!

Quand, il y a trente-quatre ans, j'ai écrit à Maître Maurice Garçon que je venais d'avoir un fils, il m'a répondu par une lettre extrêmement spirituelle, comme toutes ses lettres, mais réaliste quand même.

« Vous entrez donc dans la grande confrérie. Vos soucis personnels ne vont plus compter pendant un certain temps. Vous allez vous occuper de la couleur des cacas, du nombre de fois que le bébé se réveille », etc.

Son texte était beaucoup mieux que cela, mais je ne l'ai pas sous la main. J'y ai pensé récemment. C'est vrai que la naissance d'un enfant apporte, pour les parents, autant de joies que d'inquiétudes presque quotidiennes. Quand il grandit, on craint la variole, la scarlatine, la coqueluche, que sais-je? S'il est pâlot, on le croit anémique. S'il est coloré, on le croit trop sanguin.

Quand arrive le lycée, on épluche ses notes, on se demande s'il passera ses examens, puis les suivants, et enfin s'il réussira son bac.

Nouvelle anxiété : quelle profession va-t-il choisir? Est-ce une profession sûre? Mais existe-t-il encore des professions sûres?

Et qui se mettra-t-il en tête d'épouser? On reçoit la jeune fille pour la première fois et on essaie de la psychanalyser d'un regard un peu gêné. Sera-ce une bonne épouse et ne sera-t-elle pas trop dépensière? Apportera-t-elle un peu d'aide à son mari dans les mauvais moments?

La voilà enceinte. Est-ce que les couches se passeront bien? On n'ose pas poser de questions directes et on attend avec une certaine angoisse que l'enfant soit né.

Voilà que soi-même on a passé les quarante ans. Les bobos inhérents à la nature humaine prennent plus d'importance. Ce qui n'est qu'un rhume à vingt ans devient une bronchite. Le médecin vous conseille de vous faire examiner une fois par an.

Même chose pour votre femme.

Ça va très vite. On a à peine le temps d'avoir regardé la vie autour de soi qu'on entre dans ce qu'on appelle maintenant le troisième âge. La pension. Les petites infirmités qui peuvent devenir des grandes. Le souci des vieux jours.

On se réjouit et on souffre de toutes les joies et de toutes les peines de la famille. Les journaux ne sont pas faits pour vous rassurer. Vous lisez sous la signature d'un médecin célèbre qu'un petit bouton peut être le début d'un cancer. Vous lisez aussi des statistiques vous annonçant plus ou moins directement votre mort pour soixante-sept ans.

Et les journaux, toujours, consacrent de longs articles aux « grabataires ». Être couché sur un lit. Regarder le plafond en attendant des soins plus ou moins douloureux et devoir sonner l'infirmière pour faire pipi.

Un maître de la médecine avoue que, lorsqu'il a devant lui deux malades, un vieux et un plus jeune, qui ont besoin d'une réanimation, par exemple, il est bien obligé de sacrifier le vieux.

On avait inventé le cocotier. On le croyait disparu. Il est toujours là et il faut prouver qu'on est encore capable d'y grimper pour qu'on vous laisse en vie.

Comme tout homme de mon âge, j'ai rencontré des milliers de gens de toutes sortes, de toutes les professions et de toutes les couleurs. Dans chaque ville où j'ai vécu, c'est dans un petit groupe de médecins que je me suis inséré, encore que je ne connaisse rien à la médecine.

Je me suis demandé pourquoi. Je crois avoir trouvé la réponse : la plupart des médecins s'interrogent sur l'homme.

En outre, c'est chez eux que j'ai trouvé le plus d'amis qui sont, je ne dirais pas nécessairement désintéressés, mais qui se consacrent entièrement à leur travail.

Ils vivent avec l'homme malade, avec l'homme mourant, avec le mort. Bien entendu, cette habitude qu'ils acquièrent dès la Faculté leur donne, je ne dirais pas de l'indifférence, mais une sensibilité moindre que celle des lecteurs de romans populaires et des jeunes filles lectrices de Delly.

Il est indispensable qu'ils regardent les faits en face, les étudient, les pèsent, et souvent ce n'est pas facile.

J'en ai connu aux États-Unis, en Angleterre, en Belgique, en France, en Suisse. Je ne me souviens que de trois cas de vrais cyniques, travaillant pour l'argent et leur position mondaine.

J'ai connu aussi beaucoup de grands patrons. Peut-être peut-on leur reprocher une certaine tendance à la vanité, mais combien de vaniteux qui n'ont pas leurs travaux et leurs œuvres derrière eux?

Quel ministre ou sous-ministre n'est pas plus vaniteux que des hommes qui ont supprimé une maladie de l'histoire de l'humanité?

Il existe aux États-Unis un petit hôpital, dans une toute petite ville. Presque chaque année, il reçoit le prix du meilleur petit hôpital du pays. Or, chacun des médecins qui y travaillent appartient à une famille richissime. Ils pourraient continuer les affaires paternelles ou devenir des play-boys.

L'être humain, sa souffrance, ses angoisses, les passionnent trop pour cela.

Et je ne parle pas de tous ceux qui, disséminés à travers l'Afrique, l'Asie et l'Amérique du Sud, essaient d'y apporter un peu de santé et d'équilibre.

Est-ce pour ça que partout je n'ai eu que des amis médecins? Je n'en sais rien. J'étais attiré par eux et je trouvais dans leur groupe un climat respirable.

J'ai souvent parlé des petites joies, celles qui nous sont données gratuitement et qui, mises bout à bout, suffisent à meubler une vie de bonheur. Je m'en souviens d'une. J'étais en première année de l'école primaire, chez les Frères. J'avais mon ardoise devant moi et un rayon de soleil oblique, très étroit, pas plus large qu'un pinceau, est venu se poser sur l'ardoise. L'instant d'après, une mouche s'y posait et on aurait dit, à ses gestes, qu'elle faisait sa toilette.

Je l'observais avec une véritable passion et je me demande si, de son côté, elle m'observait aussi. Je retenais ma respiration. Je n'osais pas remuer par crainte de l'effrayer. Cela a-t-il duré trois, quatre, cinq minutes? Je n'en sais rien, mais cette image m'est restée à travers les années.

J'ai eu hier une joie du même genre. Nous marchons beaucoup, matin et après-midi, par des chemins presque toujours les mêmes. Hier, vers trois heures, nous étions dans un de ces chemins-là quand j'en aperçois un qui me paraît tentant, à une quarantaine de mètres en dessous de nous.

— Il doit conduire à Montreux, dis-je. On y va?

Nous voilà empruntant un chemin inconnu qui nous mène un peu plus tard sur une route en pente raide, car Montreux est au pied d'une montagne presque à pic.

Je n'aurais jamais osé, la veille, entreprendre une marche de six kilomètres. Or, je l'ai fait comme si j'étais porté par des coussins d'air. Le ventre en avant, pour garder mon équilibre, je descendais tout en parlant et nous sommes ainsi arrivés en ville.

Pour moi, c'était une victoire. Pas un vertige. Pas de fatigue. Cela a été curieux d'entrer dans un hôtel luxueux, le premier sur notre route, pour y boire un verre. Il y a deux ans que je ne m'étais pas retrouvé dans un endroit pareil et je regardais autour de moi avec curiosité, comme si c'était un peu bizarre.

Nous sommes remontés à Valmont en taxi. C'est tout. Je sais que cette descente vers le lac, vers la ville, est un souvenir que je garderai.

Je me revois, à douze ans, seul dans la chapelle des Jésuites, où je venais d'entrer au collège. J'étais agenouillé sur les dalles, devant une statue de la Vierge en plâtre, entourée de roses en papier, et mon visage était inondé de larmes.

En sortant de la chapelle, je me suis étendu sur la bordure d'un parterre, le nez dans des œillets dont je m'enivrais.

Ce mysticisme n'a pas duré. J'ai continué longtemps, en revanche, à donner au mot vierge, avec une minuscule cette fois, une importance énorme.

Si j'en parle, et peut-être si j'en reparle, c'est que j'y trouve une certaine explication de la sensibilité que j'ai eue toute ma vie et jusqu'aujourd'hui encore.

Au fond, j'ai toujours eu soif de tendresse, d'en donner et d'en recevoir. Ma mère n'était pas ce qu'on peut appeler une tendre et il n'y avait pas d'effusions entre nous. Avec mon père, nous parlions d'homme à homme, même quand j'étais très jeune.

Chaque femme était pour moi un objet de tendresse inaccessible, même si je la croisais simplement sur le trottoir. Plus tard, j'ai ressenti cette tendresse pour des professionnelles avec qui je ne faisais que passer quelques minutes ou une heure. Je me suis marié une première fois. Il vaut mieux définir nos relations par le mot amitié. Et pendant vingt-deux ans, avec Tigy, je n'ai jamais perçu de tendresse à mon égard.

Je me suis marié une seconde fois. Il y a eu beaucoup de passion, beaucoup de véhémence plus ou moins dramatique dans nos relations, mais j'attendais toujours ma part de tendresse.

Il a fallu que j'attende l'âge de soixante ans pour enfin en donner et en recevoir naturellement, comme si c'était la base des relations entre les êtres humains.

Je n'emploie pas le mot amour, trop vague, trop galvaudé, qui sert à faire des chansons.

Tendresse, pour moi, signifie l'émotion d'un être devant un autre être. Si elle est partagée, c'est vraiment vivre à deux, parce que c'est partager toutes les pulsions.

J'ai attendu et je ne me plains pas. En effet, lorsque j'observe les couples autour de moi, je m'aperçois que peu d'entre eux connaissent cette tendresse-là.

Je me demande si, au cas où j'aie trouvé à vingt ans la tendresse que j'ai trouvée tellement plus tard, j'aurais pu voir mes personnages avec autant de tendresse que je l'ai fait.

Ce qui m'émeut le plus dans les rues, ou n'importe où ailleurs, c'est la rencontre de la solitude. Le nombre des solitaires semble aller croissant. Je les reconnais à leur démarche. On sent que personne ne les attend, qu'ils n'ont pas plus de raison d'être à tel endroit qu'à tel autre. Il leur arrive de s'arrêter devant des vitrines où il n'y a manifestement rien qui les intéresse.

Peut-être ont-ils honte, honte d'être seuls. Il en est ainsi pour les hommes comme pour les femmes, surtout au-delà d'un certain âge.

Pendant des années, je me suis promené seul dans la campagne et je n'avais pas envie de m'arrêter à l'auberge du village. D'autres fois, je parcourais Lausanne de long en large, cherchant chaque fois des rues que je ne connaissais pas encore.

Lorsque j'avais quinze ans aussi, le dimanche, je ne savais que faire de mon long corps maigre et j'errais dans les rues, les mains dans les poches, allumant parfois une cigarette avec une certaine gêne car je craignais le regard critique d'un passant.

Le solitaire est susceptible. Il a toujours l'impression qu'on l'observe, qu'on a pitié de lui.

Surtout, s'il est pauvre ou s'il fait partie de cette grande masse de gens qui ne sont pas tout à fait pauvres mais qui n'ont pas les moyens de s'asseoir à une terrasse.

Peut-être y a-t-il pis que la solitude : la solitude à deux, quand on est mal assortis. Là, il faut, ou accepter la bataille perpétuelle, ou choisir la résignation.

A tout prendre, la résignation vaut mieux.

T..., qui a l'habitude de m'écouter dicter, me disait hier après-midi que ce que je venais de dicter, je l'avais déjà dicté une fois ou deux depuis que je joue avec mon magnétophone.

D'abord, je me suis demandé si je perdais la mémoire. Je la perds, en effet, en ce qui concerne les noms propres mais ne l'ai jamais eue. Quant à ces répétitions, lorsque je reverrai la dactylographie qu'Aitken, ma secrétaire depuis quinze ans, est en train d'en faire, je pense que je ne couperai rien. En effet, cette répétition même est une garantie d'authenticité.

Nous avons tous un certain nombre d'idées, de sensations, d'émotions qui nous reviennent plus ou moins périodiquement. N'est-ce pas ce qui fait notre personnalité?

Alors, pourquoi raturer, gommer, affaiblir par le fait notre témoignage?

A moins que je ne change d'avis d'ici là, je ne raturerai rien.

J'ai connu à Paris, ou plutôt j'ai rencontré aux Indes avant de le retrouver à Paris, un médecin qui, vers l'âge de quarante-huit ans, a été victime d'une crise d'hémiplégie. En outre, il était atteint de diabète.

Il n'en restait pas moins l'homme le plus gai du monde, grand mangeur, amateur de vins fins qu'il allait acheter à la salle des Ventes.

Je le revois, quand on lui a livré sa voiture roulante, l'examiner comme un enfant examine son premier vélo, puis l'essayer dans son appartement qu'il parcourait en tous sens, triomphant lorsqu'il avait franchi une porte sans hésitation et sans heurter les chambranles.

Il a encore vécu huit ans environ et, pendant ces huit ans, il a continué à diriger un service important dans un hôpital des environs de Paris tout en soignant sa clientèle.

Il avait toujours en poche un petit flacon de cognac et il prétendait que c'était le meilleur remède en cas de crise.

La nuit, comme il dormait peu, il lisait les poètes et écrivait des poèmes qui n'étaient pas sans qualités.

Cela se passait bien avant la guerre. Dans le groupe de médecins qui se réunissaient le dimanche pour jouer au bridge, il y avait un professeur de neurologie possédant le sens de l'humour. Un de ses jeux, qui nous amusait tous, était de placer l'un d'entre nous derrière l'écran et d'étudier les mouvements de son diaphragme. Alors, lentement, il définissait le caractère du patient volontaire.

Il ne le ferait plus aujourd'hui, car on a découvert les dangers de la radiographie. Personne n'est mort, heureusement. Et il nous a beaucoup amusés, d'autant plus qu'il avait toujours une attitude solennelle. Une image en amène une autre. Je parlais médecins. Je continue avec une histoire de médecins.

J'avais une petite maison dans un village, à quelques kilomètres d'une sous-préfecture. A table, dans la salle à manger, il y avait un chirurgien et sa femme, le médecin du village et quelques autres personnes.

Je retiens ce bout de dialogue :

Le chirurgien : Dis donc, Charles, quand est-ce que tu vas m'envoyer des patients? J'ai cinq lits vides dans ma clinique.

Charles : Je n'en peux rien si je n'ai pas de cas chirurgicaux.

Le chirurgien : Quand on n'en a pas, on en fait. Parmi tes riches fermiers, il doit y avoir des jeunes filles de quatorze à seize ans qui ont mal au ventre.

Charles : Tu sais bien que ça n'a rien à voir avec l'appendicite.

Le chirurgien : Ça m'est égal. J'en ferai des appendicites. Si tu continues à me laisser tomber, j'appelle un jeune médecin frais émoulu de la Faculté et je te le jette entre les jambes.

C'est tout. Heureusement que c'est assez rare. Heureusement aussi que le docteur C... n'a envoyé personne à son confrère.

J'ai eu tout à l'heure, très vif, le souvenir de la petite table d'acajou sur laquelle j'ai écrit mon premier roman, *Au Pont des Arches*. Ce meuble m'émerveillait. Je détestais tous les autres meubles de la maison, fabriqués en série, avec d'épaisses sculptures Henri III.

Je me demande par quel miracle ce ravissant guéridon est entré dans la maison. Il n'y a plus personne pour me répondre. Il était admirablement poli et je le caressais comme j'aurais caressé la peau d'une femme.

Ma pensée a continué à vagabonder et je me suis demandé si cette table n'était pas à l'origine du goût que j'ai eu, par périodes, pour un certain luxe.

J'adore certaines matières. Le bois, par exemple, et son odeur. En allant au collège, il m'arrivait de faire un détour pour entrer un instant chez un de mes oncles qui était ébéniste et je me remplissais les poumons de l'odeur saine et vivante qui y régnait.

J'ai la même passion pour le cuir. Un beau cuir, souple, au grain fin et régulier, m'enchante. Il y avait, lorsque j'habitais Paris, un bottier de grand luxe rue du Faubourg-Saint-Honoré. Dans la vitrine, on ne voyait qu'une seule botte, une perfection, et on aurait fait de l'équitation — si on en avait eu les moyens — rien que pour porter des bottes comme celle-là.

Une autre de mes passions est le fer, pas l'aluminium, pas le nickel, rien de tous ces faux métaux qui brillent. Le fer, frappé à la forge, que ce soit un fer à cheval, les balcons d'une maison ancienne ou la grille d'un château.

Plus tard, à la Richardière, je devais m'acheter une forge de campagne. Je ne prétends pas que j'en usais bien. Je n'ai rien fait qui fût à garder. Mais j'ai passé de merveilleuses heures à frapper sur l'enclume. C'est à cette même Richardière, où le bois avait été délaissé, que je me mis à abattre des arbres, apprenant petit à petit à frapper le tronc au bon endroit et à obtenir une entaille régulière.

Le cuivre m'est indifférent, le laiton aussi. Je n'aime pas particulièrement l'argent. J'ai un faible pour l'or, non pas pour sa valeur, mais pour le plaisir de le caresser des yeux et de la main. Enfin, reste la matière qui est ma préférée de toutes : une belle laine, souple, qui sente encore le mouton.

Pendant mon enfance, j'ai porté des vêtements confectionnés avec ce que j'appelais de la laine de chien, une laine au toucher rêche, sans aucun moelleux, aucun chatoiement.

Pas de soie.

Malheureusement, tout ce qui est ainsi travaillé à la main par des artisans coûte cher et entre donc dans le domaine du luxe.

Nombreuses sont les familles qui ont de quoi se nourrir et

s'habiller. A une condition : c'est de se nourrir de plats simples, de ne pas toucher à certaines denrées, comme le caviar, ou même le homard, qui déséquilibreraient leur budget. Dans ce domaine-là, il n'y a pas de limites. Pour qui se contente de satisfaire ses besoins, un moment vient où il n'a plus rien à envier.

Autrement il n'y a plus de frontières, car il existe toujours plus beau.

Je me suis laissé tenter deux ou trois fois. Ce n'était pas pour m'affirmer ou pour, comme on dit, épater la galerie. C'était par goût personnel, un goût dont est peut-être responsable la petite table d'acajou.

Aujourd'hui, cette attitude me paraît incroyable et me gêne, pour ne pas dire qu'elle me fait honte. L'idée du petit Simenon traversant les rues de Lausanne à bord d'une Rolls Royce conduite par un chauffeur en livrée me paraît la plus ridicule du monde.

Suis-je devenu un autre homme ? Je finis par le penser. En tout cas, je n'ai aucune indulgence pour celui que j'ai été.

Une des villes les plus curieuses du monde est Nogales, au sud de l'Arizona, au seuil du désert. La ville est séparée en deux par de hautes grilles. D'un côté, ce sont les États-Unis, une jolie cité proprette, prospère, comme on en trouve dans tout le pays. De l'autre côté, c'est le Nogales mexicain, où, dès la grille franchie, des mendiants vous tendent la main et, au marché, des mouches vertes couvrent les morceaux de viande.

Pour franchir la grille, les Mexicains ont besoin d'un passeport et d'un permis de travail, tous deux presque impossibles à obtenir.

Les voitures américaines, elles, passent la frontière sans même s'arrêter.

Il n'y a pas qu'à Nogales que la richesse et la pauvreté se côtoient. Il en est de même dans tout le Mexique, où, à cause de cela, je ne pourrais pas vivre.

J'y allais souvent, car j'habitais à dix-huit kilomètres de la frontière. J'avais appris que j'étais juste sur la piste que les émigrants clandestins suivaient pour se rendre dans les plantations de coton et de canne à sucre.

Lorsque j'étais chez moi, il leur arrivait de s'avancer prudemment, de me demander un quignon de pain, de quoi boire, car ils devaient cheminer longtemps en plein désert sous une température d'environ quarante à quarante-cinq degrés.

Notre Frigidaire se trouvait sur la véranda qui n'était pas fermée. J'ai pris l'habitude d'y laisser toujours quatre ou cinq boîtes de sardines et autant de bouteilles de bière, ainsi qu'un bon morceau de pain.

Je savais ainsi, en rentrant, si j'avais reçu des visiteurs qui

270

continuaient leur chemin vers ce qui était pour eux la vie de rêve.

Au Congo belge, dans une des régions les moins peuplées, je trouve un poste d'administrateur. Je ne sais pas si c'est le titre exact. C'était un jeune homme blond, avec une assez jolie femme et le mobilier qu'il aurait eu s'il avait vécu à Gand ou à Liège.

Il portait pantalon noir, chemise blanche impeccable et cravate. Le soir, il me présenta son adjoint, plus jeune que lui, qui portait exactement la même tenue et qui était marié, lui aussi.

Les bungalows des deux couples étaient distants d'une centaine de mètres.

— Vous avez de la chance d'avoir de la compagnie, dis-je.

Et mon administrateur de répliquer :

— Je ne peux tout de même pas devenir l'ami de mon employé, n'est-ce pas ? En dehors du bureau, nous ne nous voyons jamais.

— Et vos femmes ?

— Elles ne se connaissent guère que de vue.

Au même administrateur, je devais faire remarquer que le grand jardin qui précédait sa maison était magnifiquement entretenu.

— Ce sont les prisonniers, me dit-il.

— Et quand vous n'avez pas de prisonniers ?

— On en fait. On ramasse les hommes les plus robustes et on les met en tôle. Pendant la journée, ils jardinent.

Nous étions à deux cents kilomètres au moins de tout autre homme blanc.

J'ai failli dire que c'était au siècle dernier. Ce n'était pas au siècle dernier, mais en 1929.

Plus tard, à l'Équateur, j'étais reçu par le président de la République. A un moment de notre entretien, il me lança :

— Je sais qu'on vous a raconté que je suis un homme corrompu et que je n'accorde aucune faveur sans pot-de-vin.

J'étais interloqué. L'homme était beau, d'âge moyen, les tempes argentées, vêtu d'un complet de soie blanche impeccable. Il continua sur un ton badin :

— Vous n'allez peut-être pas comprendre, et pourtant c'est tout simple. Il m'a fallu trente ans pour arriver au poste que j'occupe actuellement. J'ai dû être d'abord député, puis faire partie de commissions plus ou moins importantes, puis ministre, et enfin président.

« Un étudiant qui a passé quelques années à gagner un diplôme le commercialise immédiatement et toute sa vie il vivra de l'effort de ses quelques années d'études.

271

« Pourquoi n'en serait-il pas de même pour un politicien? Les efforts que j'ai faits jadis, la patience que j'ai eue, mon habileté m'ont placé où je suis. Dans six mois, dans trois ans, une révolution me renverra dans mes pénates. Trois ans est une moyenne. Eh bien! il faut qu'en trois ans je sois remboursé de tout mon travail passé auparavant.

« Toutes les faveurs sont donc tarifées et je n'en ai pas honte. »

J'ai été un peu gêné quand il m'a offert un somptueux chapeau de paille de panama, car les panamas sont faits en Équateur.

Si je raconte ces anecdotes, pêle-mêle, c'est que nous n'avons rien à envier aux pays dits sous-développés.

Peut-être est-on plus discret ici? Et encore! Le plus simple est de nous renvoyer aux journaux.

Cela explique l'écœurement que j'éprouve dans certains milieux et mon éloignement d'un monde où l'on doit, à chaque cocktail, à dîner, serrer des mains sales, ce qui constitue, à mon sens, une tacite complicité.

Il y a deux ans, j'ai dû me précipiter à Liège où ma mère se mourait. Elle avait quatre-vingt-douze ans. Elle occupait une chambre à l'hôpital de Bavière où je servais la messe de six heures du matin pendant mon enfance.

Je trouvai sa chambre pleine. A côté d'elle, une bonne sœur était assise et il semblait que rien ne pourrait la déplacer. Je reconnus vaguement un neveu que je n'avais plus vu depuis qu'il avait deux ans. Il y avait d'autres personnes, des voisins, des parents lointains. Je dus me faufiler pour arriver au chevet de ma mère et pour l'embrasser au front. Elle m'a souri, de son sourire que je connaissais si bien, un sourire à la fois un peu ironique, incrédule, qui affirmait la confiance inébranlable qu'elle avait dans son propre jugement.

— Pourquoi es-tu venu, fils?

Elle se savait condamnée. Le médecin ne le lui avait pas caché. D'ailleurs, il a toujours été difficile de cacher quelque chose à ma mère.

Quand, enfant, ou jeune homme, je lui racontais n'importe quoi, elle haussait les épaules en disant :

— Tu sais bien que ce n'est pas vrai, Georges.

Alors que, la plupart du temps, c'était vrai.

Pendant une semaine, je me suis rendu matin et après-midi dans cette chambre d'hôpital. Deux ou trois fois seulement, je me suis trouvé seul avec ma mère et la bonne sœur qui gardait une immobilité de statue.

— Tu souffres?

— Non, sais-tu.

C'était vrai qu'elle ne souffrait pas. Elle restait là, patiente, étendue sur le dos. De temps en temps, elle fermait les yeux et son sourire devenait plus serein, presque jeune. Je suis persuadé qu'elle rentrait en elle-même, qu'elle retrouvait des images de sa vie.

Quand, quelques minutes plus tard, les yeux se rouvraient, c'était pour nous regarder les uns après les autres avec méfiance. Son expression de physionomie disait clairement :

— Qu'est-ce que vous venez faire ici? Qu'est-ce que vous attendez de moi?

Elle avait eu une vie très dure et elle avait appris à n'avoir confiance en personne. Tout le monde guettait ses économies. Si elle ne le disait pas, son regard était assez éloquent pour qu'on le comprenne.

Une fin d'après-midi, elle a fermé les yeux. Son sourire s'est effacé et elle est entrée paisiblement dans la mort.

Il arrive souvent que je reçoive une pipe bizarre, d'un pays plus ou moins lointain, la Pologne, la Bulgarie, la Russie surtout. Il arrive aussi que des gens m'écrivent pour me demander une pipe de ma « collection ».

Je n'ai jamais collectionné les pipes. A l'âge de quatorze ans, quand j'ai commencé à fumer, je choisissais des pipes minces et légères comme mon père les aimait. Plus tard, j'ai pris des pipes d'un calibre supérieur et j'ai découvert les deux principales marques anglaises qui font des pipes parfaites.

Pendant toute ma vie, je me suis fréquemment arrêté devant la vitrine d'un marchand de tabac, de voir une belle pipe à grain droit et de l'acheter.

Il est évident qu'au bout de tant d'années, cela fait un assez grand nombre de pipes, trois cents environ. C'est ce qu'on a appelé ma collection.

Longtemps, il y en a eu en permanence une vingtaine sur mon bureau, sans compter celles qui étaient accrochées à un triple râtelier car, dès qu'une pipe était chaude, j'en choisissais une autre.

Mais, à part la grosseur, toutes ces pipes se ressemblent. Longues et minces dans mon enfance, elles sont devenues plus lourdes, plus massives pendant un assez grand nombre d'années. Puis, depuis deux ou trois ans, je recherche à nouveau les pipes légères au fourneau peu important.

C'est curieux que j'en sois revenu, ou presque, aux pipes de mon enfance. Il n'y en a plus qu'une dizaine étalées sur mon bureau. Les autres sont à la cave, enfermées dans une malle.

N'est-ce pas comme si une partie de ma vie ne comptait plus ? Je le crois. C'est avec plaisir que je regarde maintenant les petites pipes si légères à la bouche.

T... me rappelle comment ça s'est passé. Lorsque j'ai quitté Épalinges, je lui ai dit :

— Débarrassez-moi de toutes ces pipes.

Et, dans la maison encombrée de bagages et de caisses, une nuit, à quatre heures du matin, elle a enveloppé pipe par pipe dans du papier de soie et les a rangées dans une valise.

Elle sentait que je ne voulais plus les voir.

Je crois avoir déjà dit que plus les jours passent et plus je me rapproche de mon enfance et de mon adolescence. C'est seulement aujourd'hui que je découvre que c'est vrai même en ce qui concerne les pipes.

Je devais avoir environ cinq ans et demi. Il est difficile de fixer exactement l'époque d'un souvenir d'enfance à moins qu'il ne s'associe à des faits précis, comme le début ou la fin d'une guerre, la première traversée en avion de la Manche ou de l'Atlantique.

En l'occurrence, il n'en est rien. Nous dormions, mon frère et moi, dans la mansarde éclairée par une petite lampe à huile comme celles qu'on voit trembloter devant les tabernacles. Nous couchions dans le même lit. Une nuit, dans mon demi-sommeil, j'eus conscience que mon sexe touchait la cuisse de mon frère et que je le faisais exprès de le remuer. Mon frère, de son côté, se saisit, l'espace de quelques secondes, de ce sexe dont la présence contre lui l'étonnait.

Je suis obligé d'avouer que j'y ai pris du plaisir. Cela n'a pas duré cinq minutes, probablement même pas trois. Néanmoins, cela devait marquer mon enfance et lui enlever son innocence. J'étais élevé très chrétiennement. Les Petits Frères ne manquaient pas de faire des allusions aux choses sexuelles dans des termes qui donnaient des frissons d'horreur et de dégoût.

Je n'ai rien dit à mon confesseur. Rien dit à mes parents non plus. En réalité, après soixante-cinq ans, c'est la première fois que j'en parle.

La cicatrice a mis longtemps à guérir et je n'étais pas loin, certains jours de cafard, de me considérer comme un être perdu.

L'an dernier, j'avais soixante-neuf ans et je me trouvais à la même date qu'aujourd'hui dans cette clinique de Valmont où je suis à nouveau. J'étais venu pour un check-up de routine et pour passer d'agréables vacances dans les bois.

Je n'étais pas malade. Je ne craignais pas de l'être. Pourquoi une sorte de pressentiment me faisait-il penser que je n'atteindrais pas, en février, mes soixante-dix ans?

Cela ne m'a pas empêché, de retour à Épalinges, de chercher un appartement en ville et de m'y installer joyeusement, courant les magasins comme un jeune marié.

Février est arrivé alors qu'il ne s'était passé rien d'autre qu'une mauvaise bronchite. Je découvrais chaque jour la joie de vivre en appartement, d'aller à l'aventure dans des rues et des parcs que je ne connaissais pas.

Deux journalistes au moins ont insinué que, si j'avais décidé de ne plus écrire de romans, c'était en quelque sorte parce que j'avais vidé mon sac et que j'étais désormais à court d'inspiration.

C'est inexact, comme la plupart des choses qu'on lit dans les journaux.

Il y a dix-sept ans, j'ai eu ce que l'on appelle un ménière, du nom du médecin qui a découvert cette maladie au milieu du siècle dernier. C'est un traumatisme de l'oreille qui a pour résultat de provoquer des vertiges.

Ceux-ci ne sont pas constants, au contraire. Ils vous prennent au moment où vous vous y attendez le moins.

Or, c'est ce ménière qui réapparaissait après m'avoir laissé en

278

paix pendant quinze ans. Il m'empêchait et il m'empêche encore de sortir seul.

Je supporterais mal plusieurs heures en voiture ou en chemin de fer et il est encore moins question de l'avion.

En dehors de cela, je mène une vie normale et j'ai remplacé mes romans par ce petit magnétophone que j'appelle mon jouet et devant lequel, parfois, je bavarde pendant quelques minutes.

J'ai donc passé, malgré ma fausse intuition, le cap de mes soixante-dix ans. Maintenant, plus prudent, j'ai soin de ne pas m'en fixer un autre et, si je devais le faire, je choisirais plutôt le chiffre de quatre-vingts ou même de quatre-vingt-dix.

J'ai vécu mon vieillissement avec attention, noté au fur et à mesure les plaisirs dont il me faudrait désormais me passer. Cela a commencé par le golf, puis par la conduite de la voiture, etc.

Malgré ça, je considère que le troisième âge, comme on dit aujourd'hui, est le plus agréable, le plus savoureux. On ne perd rien des plus menues joies de la vie. On les savoure en paix, sans se presser, sans faire de projets pour le lendemain ou le surlendemain.

En somme, on vit enfin dans un présent voluptueux.

Même jour, après-midi. Depuis ce matin, depuis mon dernier bout de dictée, je me sens léger, léger. Jadis, lorsque je finissais un chapitre de roman et que je sortais de mon bureau bleu de la fumée des pipes, je restais un bon moment comme accablé par le poids de mes personnages, et, cependant, il ne fallait pas que je les quitte.

Jusqu'au lendemain matin, je devais continuer à rester « eux », quelle que soit mon humeur, quels que soient le temps, le soleil, les chants d'oiseaux.

Mes enfants, le personnel me regardaient avec une certaine crainte, comme si tout d'un coup, parce que j'étais « en roman », j'étais devenu quelqu'un d'un peu mystérieux, une sorte de grand malade que l'on doit ménager.

Ouf! Que c'est bon d'être tranquillement soi-même, sans arrière-pensée, sans autre souci que de déguster la vie à petites cuillerées, comme un enfant déguste une crème glacée.

C'est tout. Cela ne valait pas la peine d'être dit, mais moi j'avais besoin de le dire.

Quelques minutes plus tard. Une image me vient à l'esprit qui n'est ni triste ni funèbre. C'est l'image de ma mère sur son lit d'hôpital, avec la bonne sœur figée à sa gauche et des cousins ou des voisines chuchotant dans les coins.

J'ai essayé de définir son sourire. Je n'y suis pas parvenu. C'est pourquoi je veux essayer une fois de plus. Toute sa vie, elle s'était plus ou moins considérée comme une victime. Elle avait perdu son premier mari alors qu'elle n'avait pas quarante ans. Elle s'était remariée quelques années plus tard et, bientôt, avec son second mari, ils faisaient cuisine à part et ne communiquaient entre eux que par des petits billets.

Quant à moi, ne lui avais-je pas dit un jour que je préférais devenir un fesseur qu'un fessé?

Elle avait été une fessée. Et maintenant, du haut de son lit de mort, elle me regardait avec une sorte de triomphe dans les yeux, comme si c'était elle, en fin de compte, qui avait eu raison.

C'était vrai. Nous n'étions autour d'elle que de vulgaires humains, en proie à toutes les difficultés et à toutes les angoisses de la vie. La plupart de ceux qui venaient la voir espéraient quelque chose d'elle, l'un sa maison, d'autres des rideaux, un tapis, les meubles de la salle à manger, que sais-je?

Elle ne les regardait pas avec mépris mais avec une sérénité, avec une joie intérieure.

Parce que, elle, elle n'était déjà plus là.

Et, quand elle fermait les yeux, je suis persuadé que c'était à des images de son enfance qu'elle disait adieu.

Il portait presque toujours des complets à carreaux, des chaussures en lézard étincelant et, à l'occasion, un chapeau vert.

Son visage était rond et rose, avec de grands yeux clairs et toujours un sourire à la fois ironique et satisfait. J'ai rarement vu un homme jouir de la vie autant que lui. Lorsqu'il se présentait à quelqu'un, il lui arrivait de dire le plus sérieusement du monde :

— Eugène Merle, maître chanteur.

C'était vrai. Mais un maître chanteur qui ne se servait jamais de la vie privée des gens.

Ses victimes étaient des banques ou de grosses sociétés qui avaient quelques irrégularités à se reprocher.

Il était né à Marseille, parmi les petites gens. Il avait gardé l'accent et la gouaille de la Canebière. Il était devenu, assez jeune, anarchiste, après quoi, comme il disait en riant, l'armée, pendant la guerre, l'a utilisé à faire sauter les ponts.

Démobilisé, il lança un journal satirique, *le Merle blanc,* qui connut d'emblée un succès considérable.

C'était l'époque de la Chambre bleu horizon, comme on l'appelait, une Chambre d'extrême droite et d'un patriotisme sourcilleux. Lors de la grève des employés du métro, j'ai vu, de mes yeux, les polytechniciens en grande tenue et en gants blancs conduire les rames de wagons pour faire échec aux ouvriers.

Pour Merle, c'était l'époque bénie, puisqu'il était dans l'opposition et qu'il pouvait attaquer presque tout le monde.

Il créa aussi un hebdomadaire : *Frou-Frou,* qui eut presque autant de succès que *le Merle blanc.*

C'est un des journaux galants auxquels je collaborai à mon

arrivée à Paris. On était souvent payé avec des chèques sans provision mais, avec de la patience, on arrivait à toucher son argent. C'est devant la caisse où on faisait la queue que j'ai rencontré pour la première fois Henri Jeanson, Pierre Lazareff, et bien d'autres qui ont eu des carrières brillantes.

Merle avait un flair exceptionnel pour dénicher les collaborateurs de valeur.

Puisqu'il n'existait pas de journal du soir de gauche, il en créa un, qu'il intitula *Paris-Soir* et dont les bureaux, somptueux, étaient situés boulevard Montmartre. Si je ne me trompe, c'est par un roman de Jef Kessel, *Nuits de Princes,* que le journal fut lancé.

Malheureusement pour Merle, la Chambre bleu horizon ne dura pas et quand les radicaux prirent le pouvoir il n'eut plus d'ennemis à pourfendre. Il revendit le *Paris-Soir,* qui est aujourd'hui *France-Soir* et qui n'a pas beaucoup changé sa présentation.

Son grand dada était la cuisine. Dans son petit château d'Avrainville, près d'Arpajon, il recevait chaque dimanche une vingtaine d'hôtes et c'était lui qui, avant le lever du jour, était aux casseroles.

J'ai assisté à la plupart de ces déjeuners. On y reconnaissait généralement trois ou quatre ministres, des banquiers, Ilya Brenbourg qui passait alors pour l'Œil de Moscou et bien d'autres.

J'étais stupéfait d'entendre ces personnages haut placés discuter des affaires du pays et des affaires tout court avec un naturel et un sans-gêne incroyables.

Et je ne parle pas des petites combinaisons qui s'échafaudaient dans les coins, à l'heure du café.

C'était les années 20, qu'on appelle maintenant la Belle Époque, car la Belle Époque se rapproche toujours un peu plus et pour certains ce sont déjà les années 30, et même Saint-Germain-des-Prés.

Merle m'avait pris en affection et me parlait à cœur ouvert.

— Vois-tu, mon petit Sim, une seule chose existe au monde : c'est le fric.

Ce mot me choquait.

— Du fric, il y en a partout, presque toujours du fric mal acquis. Il suffit de savoir où aller le prendre.

Je veux être sincère : ce langage commençait à déteindre sur moi.

C'est d'ailleurs à cause de Merle qu'un jour, à Liège, en marchant dans la rue du Pont-d'Avroy, j'ai dit à ma mère :

282

— Il n'y a que deux sortes de gens au monde : les fesseurs et les fessés. Je ne veux pas être un fessé.

Heureusement que je me suis vite repris. Je me suis mis à regarder Merle avec d'autres yeux, à éviter les déjeuners d'Avrainville.

Ou plutôt cette reprise en main arriva après que Merle eut tenté de fonder un grand journal du matin : *Paris-Matinal!*

C'est de là que date la légende de la cage de verre. Je n'écrivais encore que des romans populaires, sous des pseudonymes variés. Merle me proposa d'en écrire un sous les yeux du public, enfermé dans une cage de verre. La cage de verre fut commandée. Elle ne fut jamais achevée pour la bonne raison que *Paris-Matinal* n'eut que quelques numéros et sombra.

Au fond, je suis reconnaissant à Merle de m'avoir montré de près, au naturel, ceux qui nous gouvernent et dont nous dépendons.

Cela m'a éloigné d'une certaine classe sociale, d'un certain monde, où je me sens aussi mal à l'aise que Maigret.

Sacha Guitry a écrit une pièce : *Mon père avait raison*. De mon côté, je suis bien forcé d'avouer : « Ma mère avait raison. »

Zut! Voilà encore une fois que j'apprends que j'ai déjà raconté cette histoire de Merle, si l'on peut appeler ça raconter une histoire.

Ça arrivera probablement encore. Après tout, je n'ai mené qu'une vie. J'espère n'en avoir mené qu'une partie. Or, combien de souvenirs, dans une vie, s'imposent vraiment à l'homme dès qu'il ferme les yeux? Pas beaucoup. Une petite pincée.

Quand on regarde tourner les manèges, on voit revenir régulièrement les mêmes chevaux de bois, les mêmes balancelles, le même cygne ou le même cochon.

Eh bien, mettons que je ne sois qu'un manège de chevaux de bois.

Je suis un petit, j'ai toujours été un petit, même quand je faisais le brave, et j'ai besoin de redevenir un homme parmi les humbles.

Matinée bien pleine, ce matin, et joyeuse. J'ai dicté mon courrier comme d'habitude, je suis allé en ville faire réparer deux montres, chemin faisant T... et moi avons pensé qu'avec la pénurie annoncée de mazout il serait presque impossible de chauffer la maison d'Épalinges.

J'ai téléphoné à Aitken de descendre avenue de Cour. On a pris, une fois de plus, à l'improviste, une grande décision. On va faire faire une vente publique de tout ce qui reste dans la maison, sauf le bureau d'Aitken et les livres. Au lieu d'attendre de vendre l'immeuble, nous allons faire déménager tout ce qui est bureau à Chailly, où j'ai acheté un appartement qui servira de secrétariat.

Par la même occasion, le transporteur portera au garde-meubles le surplus de livres, les tableaux, etc.

La maison sera enfin vide.

Je n'y ai pas remis les pieds. Je ne les y remettrai pas. Cela n'a plus rien à voir avec moi. J'y ai passé des heures noires. J'y ai passé aussi des heures dont le souvenir me reste doux.

Pour moi, ce qui est fini est bien fini. Vive l'avenue de Cour.

Je comprends maintenant qu'il ait fallu des milliards d'années pour faire l'homme tel qu'il est à présent. En effet, la plus petite vérité est tellement difficile à saisir, se heurte à tant de contradictions, d'hésitations, de retours en arrière !

Hier après-midi, à l'occasion de mon futur déménagement d'Épalinges, j'ai cru trouver l'explication de mon attitude et j'en étais tout fiérot.

284

A peine dans mon lit, dans l'instant qui précède le sommeil, je me rendis compte que c'était faux, en tout cas inexact.

J'ai beaucoup déménagé, y compris d'un continent à l'autre. Or, ce n'était pas pour trouver un autre ciel, un autre climat, un autre paysage. C'est plus complexe et assez difficile à expliquer.

Comme je crois l'avoir déjà dit, un moment vient où, en regardant autour de moi, je me sens un étranger. Dès ce moment-là, je sais qu'il faut partir, que c'est presque une question d'équilibre.

Cette évasion est poussée à un point extrême. Par exemple, lorsque j'ai quitté la Richardière, la petite gentilhommière de Nieul-sur-Mer, je suis parti avant qu'on commence le moindre déménagement.

C'est Tigy qui s'est chargée de celui-là, y compris de l'embarquement de mes cinq chevaux, tandis que j'attendais tranquillement dans notre nouveau domicile du Château de la Cour-Dieu.

Quand j'ai quitté Lakeville, dans le Connecticut, j'ai appelé mon agent immobilier et je lui ai dit :

— Dès que je serai parti, vous ferez une vente publique de tout cela.

Là non plus, je ne voulais pas y assister.

Et il en a été de même de tous mes déménagements. Comme si un fil me reliait quand même à mes anciens domiciles.

Je l'ai dit hier. Je veux bien donner des instructions pour que tout ce qui reste de moi à Épalinges soit déménagé dans le plus bref délai. Je n'ai pas mis les pieds là-bas depuis le jour où j'en suis sorti définitivement. Quand j'y habitais, je ne me posais pas trop de questions, ou plutôt les questions que je me posais n'étaient pas des questions qui me concernaient mais des questions qui concernaient mes personnages.

Maintenant que je me suis libéré d'eux, il m'arrive souvent, sans le vouloir, de chercher à mettre au point une idée qui me concerne.

Je n'irai pas à la vente, bien entendu. Je ne veux pas savoir où iront des choses que j'ai mis des années à rassembler avec amour.

Ai-je vraiment compris pourquoi? C'est l'image d'une plage avec des enfants jouant dans le sable qui m'a éclairé. Ces enfants passent parfois des heures à bâtir un château de sable. Lorsqu'il est terminé, ils le regardent, le montrent parfois à leurs parents et à leurs petits camarades, puis, vigoureusement, presque rageusement, ils le détruisent à grands coups de pelle pour aller en construire un quelques mètres plus loin.

Cette image reflète assez mon état d'esprit. J'aime construire. J'aime transformer. J'aime que chaque chose soit à sa place précise. Il m'arrive de passer des mois à dénicher tel ou tel objet.

Puis, quand tout me semble parfait, je suis comme le petit garçon devant son château de sable. Que peut-il en faire? S'asseoir dessus?

Est-ce un réflexe? Ne répond-il pas à un besoin inconscient de destruction?

Moi aussi, pendant toute ma vie, j'ai bâti des châteaux de sable. Une fois terminés, ils me paraissaient étrangers, ils n'avaient plus rien à voir avec moi.

Je les détruisais rageusement, avec une sorte de volupté.

J'ai hâte aujourd'hui qu'il n'y ait plus rien de moi à Épalinges, pas le moindre livre, pas le moindre bout de tapis, pas le moindre dessin.

Ce sera un trait définitif sur un certain passé. Alors, l'avenue de Cour deviendra la seule réalité.

... Peut-être, si je vis assez longtemps, pour la détruire un jour aussi et reconstruire à nouveau.

Lorsque, en février dernier, j'ai annoncé à un journaliste lausannois, que j'estime et qui est d'une honnêteté scrupuleuse, que je cessais d'écrire des romans, les agences de presse ont répandu la nouvelle dans le monde entier.

J'ai été submergé de lettres, de télégrammes, de demandes de rendez-vous, de demandes d'interviews, etc.

J'ai dit non à tout, même aux propositions les plus flatteuses.

Je venais de couper net avec le roman comme je coupais avec mes maisons.

On m'en a demandé la raison. Est-ce parce que je me sentais vidé? Ou parce que je craignais de faire un travail inférieur?

Ce qui précède explique ma position. Des raisons, certes, j'en ai donné. Il y avait à ce moment-là des raisons de santé, des vertiges qui m'auraient tout à coup empêché de terminer un chapitre, donc un roman. Enfin, il y avait mes soixante-dix ans que j'atteignais quelques jours plus tard.

Voilà six mois de cela. Je me rends compte que toutes ces raisons ne sont pas bonnes, qu'il n'y en a qu'une, une seule:

« Je me suis soudain senti étranger au roman. »

Cette raison ne mijotait-elle pas en moi depuis cinquante ans? Je ne jurerais pas que non. En effet, je me suis toujours refusé à relire un de mes livres. Lorsque j'étais à Cannes, un producteur américain m'a offert une somme assez considérable pour que j'écrive le scénario et les dialogues d'un de mes romans. Il a paru très surpris quand je lui ai répondu:

— A condition que je ne doive pas le relire.

En effet, je ne l'ai pas relu. Je l'ai fait relire par quelqu'un d'autre et je lui ai demandé de me le raconter dans ses grandes lignes.

Ces vérités me paraissent se rejoindre : mes maisons, mes romans, je suis tenté d'ajouter mes pipes car il m'arrive d'écarter une pipe sans qu'elle soit devenue moins bonne qu'une autre, simplement parce qu'elle a fait partie trop longtemps de mon univers.

Si, tout à coup, je m'efforce de m'expliquer mon comportement, mes attitudes, mes manies, c'est que j'ai l'impression, depuis quelques années, d'être devenu un autre homme.

Et cet homme-là n'arrive pas toujours à comprendre les faits et gestes, les pensées, les habitudes de celui qu'il a été.

Le changement n'a pas été brutal, encore que je puisse le fixer à peu près dans le temps. Il a commencé, je pense, lorsque je me suis trouvé dans la chambre d'une clinique avec quelques côtes cassées.

Cela n'avait rien de grave, de dramatique, mais cela mettait fin, une fois pour toutes, à ma seconde union, celle avec D... C'était aussi la consécration d'une nouvelle intimité féminine, et je sentais que le changement deviendrait de plus en plus profond et complet.

Lorsque Bordeaux était assiégé, je l'ai déjà dit, Montaigne décrivait ses ennuis de vessie.

Aujourd'hui que le monde, indécis, inquiet, assiste un peu partout à des explosions et que toutes les vérités jusqu'ici admises sont mises en doute, je regarde mon nombril.

Tant pis ! Je me jette à l'eau. Façon de parler, car je n'ai envie ni de mourir ni de me suicider. La vie est trop savoureuse.

Il y a toute une partie de ma vie dont, depuis que j'ai commencé ces dictées, j'ai hésité à parler. Or, j'ai l'impression que ce serait une lâcheté de ne pas le faire.

Il y a un sentiment que j'ai, depuis mon enfance : c'est la crainte de peiner qui que ce soit, et maintes fois, lorsque j'habitais Paris, lorsque je côtoyais le milieu de ce qu'on appelle les dirigeants, il m'est arrivé de serrer des mains, que je savais sales, tout en ayant mauvaise conscience.

Je crois que ce qui peut le plus toucher l'homme, c'est une sensation d'amoindrissement, de sorte qu'il est toujours cruel d'humilier qui que ce soit.

L'homme supporte tout, les deuils, les maladies, les échecs. Il ne supporte pas l'humiliation, qui lui enlève en quelque sorte sa dignité.

C'est si vrai que les gouvernements y ont paré. Pour les gens dont ils ont besoin, hommes politiques, industriels, grands avocats, grands médecins, etc., et qui pourraient, un jour, découvrir qu'ils ne sont pas si grands que ça, ils ont créé toute une quincaillerie qui va de la Légion d'honneur à l'ordre du Mérite, de l'Académie française à l'Académie de Médecine et à une chaire à la Sorbonne.

J'ai un souvenir, à ce sujet, que je n'ai jamais oublié. Un homme très riche, qui avait fait une guerre fort honorable en 1914-1918, se retrouvait, cette guerre finie, sans le ruban de la Légion d'honneur.

Il avait toutes les satisfactions que l'existence peut donner.

Malgré tout, il lui manquait quelque chose : un bout de ruban rouge.

Pour l'obtenir, il finança de nombreuses sociétés patriotiques qui pullulaient alors. Cela lui coûta très cher. Ce fut long. Mais enfin, on lui annonça qu'il avait le ruban.

Hélas, ce n'était pas le ruban pour faits de guerre mais le ruban... au titre des pensions.

Je suis persuadé — et je l'ai bien connu — que cette humiliation a été l'épreuve la plus douloureuse de sa vie.

J'essaierai donc de n'humilier personne, de ne pas faire mal, et si à un moment donné je sens que c'est impossible en restant fidèle à la vérité, je changerai de sujet.

Déjà dans *Quand j'étais vieux* j'ai eu le même problème. Si je n'ai rien écrit de faux, j'ai souvent péché par omission et seulement quelques intimes peuvent s'en apercevoir.

Au cours des années 30, j'étais allé à New York en passant, car je faisais le tour du monde et je me dirigeais d'abord vers l'Amérique du Sud. New York m'a enthousiasmé et je me suis promis, dès que j'en aurais l'occasion, de vivre aux États-Unis pendant un certain nombre d'années, car il manquait quelque chose à ma culture.

Je n'ai pas pu partir tout au début de la guerre parce que Marc n'avait que deux ou trois mois et que l'aventure, par le Portugal, pouvait se révéler pénible.

Je suis donc parti en 1945, aussitôt après la Libération.

A cette époque-là, j'étais pratiquement séparé de Tigy.

Nous avions décidé en effet que nous vivrions séparés de corps, que chacun reprenait sa liberté mais que, à cause de Marc, qui avait alors quatre ans, nous continuerions à habiter sous le même toit.

Elle m'a suivi en Amérique, ainsi que Marc. Quant à Boule, j'ai obtenu, non sans mal, qu'elle puisse nous y rejoindre un an plus tard.

Nous avons fait une traversée épouvantable à bord d'un cargo scandinave qui était à vide et qui roulait et tanguait frénétiquement par une tempête de force dix.

Mon idée était d'installer Tigy et Marc au Canada, qui est à quarante-cinq minutes d'avion de New York, et de vivre moi-même le plus souvent ma vie personnelle aux États-Unis.

A Montréal, un garçon bien gentil et bossu — je n'ai pas osé toucher sa bosse et c'est pourquoi il ne m'a pas porté bonheur — m'a dit :

— Vous cherchez une secrétaire ?

Je répondis affirmativement. Il me fallait deux choses, ou plutôt trois : une maison, une voiture et une secrétaire.

— J'ai exactement ce qu'il vous faut. Elle travaille aux États-Unis mais elle pourrait vous donner rendez-vous à New York.

Comme j'allais quand même à New York, je dis oui et je fixai le rendez-vous pour une heure dans un restaurant qui s'appelait le *Bruxelles*.

Ce matin-là, je me trouvais, avec Paul Gilson, au chevet d'un de mes meilleurs amis, le peintre Kisling. Le temps passait vite. Nous avions beaucoup de choses à nous raconter. Enfin, vers une heure moins le quart, nous sommes partis de l'atelier, Gilson et moi.

Je demandai si le *Bruxelles* était loin.

— Dix minutes en taxi.

Et nous voilà cherchant partout un taxi, un taxi libre. A cette époque-là, il était quasi impossible de trouver un taxi au milieu de la journée. En fin de compte, je fis tout le chemin à pied, levant parfois le bras dans le vain espoir de voir une voiture s'arrêter.

Lorsque j'arrivai au *Bruxelles*, il était une heure et demie. La tenancière du vestiaire, qui m'avait reconnu, me dit :

— Une jeune fille vous attend avec impatience.

C'est une des rarissimes fois que, de ma vie, je suis arrivé en retard à un rendez-vous.

Jolie? Peut-être. Belle, non. On lui avait déjà servi d'office deux apéritifs. J'en pris un, peut-être deux, moi aussi, et nous nous mîmes à manger.

Question secrétariat, elle ne paraissait pas emballée. Contrairement à ce qui se passe lorsqu'un patron embauche du personnel, c'est elle qui me posait question sur question, à savoir entre autres si j'étais gaulliste. Nous avons descendu Park Avenue, sommes arrivés à Central Park et nous avons tourné en rond autour de l'étang aux canards.

Je revois cet étang. Je revois les canards. Je revois les frondaisons de Central Park et la silhouette de l'hôtel *Plazza* où j'allais habiter si longtemps.

Elle m'apprit qu'elle avait un rendez-vous à quatre heures avec le directeur d'une entreprise importante.

— Si vous me voyez revenir, c'est que j'ai refusé afin d'accepter votre offre. Si vous ne me voyez pas revenir, c'est que je suis embauchée.

Je regagnai mon hôtel, fis monter une bouteille de bordeaux et me mis à lire les journaux du matin.

Une demi-heure après, le réceptionniste me téléphonait que D... m'attendait et demandait si elle pouvait monter.

Un beau dimanche matin, tout astiqué de soleil. Iole, dès mon réveil, vient m'annoncer que Pierre, qui a quatorze ans et qui est allé danser hier soir, est au lit avec une jeune fille.

Il s'est passé à Valmont un tout petit événement mais qui m'a fort frappé et qui m'a enchanté. L'après-midi, nous descendions, T... et moi, un chemin étroit dans le bois. Devant nous, au milieu du chemin, était un tout petit oiseau qui semblait tombé du nid. Nous étions à trois mètres de lui qu'il ne s'envolait pas. Nous devions passer plus près encore pour continuer notre route et il ne bougeait toujours pas, sinon qu'il nous jetait de petits coups d'œil, puis regardait quelque chose d'autre sur le gravier.

Nous sommes passés presque à le toucher. Nous avons encore parcouru deux ou trois mètres et alors, rapidement, il a sautillé vers une énorme chenille qu'il devait surveiller depuis longtemps et il l'a emportée dans le bois.

C'est tout. C'est rafraîchissant.

La nuit dernière, j'ai rêvé pour la première fois que j'écrivais un roman Maigret. Mais pas un Maigret comme les autres. J'étais assis à ma table de machine, non pas à sa place habituelle, mais à côté d'une fenêtre grande ouverte et qui inondait de soleil. Tous les bruits de la rue montaient vers moi. Cela ne me gênait pas.

Mes doigts voletaient sur les touches de la machine allègrement, les phrases s'enchaînaient sans que j'aie besoin d'y réfléchir ni d'y penser, exactement comme lorsque j'écrivais, à mes débuts, mes romans populaires.

Drôle de rêve!

J'étais tout surpris d'être là, de taper avec une facilité éblouissante, en me moquant, au fond, de ce que j'écrivais.

En 1945, il était presque impossible de trouver une chambre d'hôtel à New York. C'est par des amis que je pus avoir un magnifique appartement, avec un grand salon, dans un hôtel de Park Avenue.

A quatre heures, ce jour-là, j'attendais de savoir si D... viendrait ou si je n'en entendrais plus parler. Hélas, elle est venue. Elle est même devenue plus tard ma seconde femme dont je suis séparé depuis une dizaine d'années.

. . . .

(Je supprime, à regret, une quinzaine de pages.)

« Ça court, ça court, la maladie d'amour... »

J'entends ça du matin au soir. Non seulement Pierre le joue à gogo mais on ne peut pas entrer dans un bar sans l'entendre.

Je crois avoir déjà parlé d'amour dans ce micro. J'ai l'impression qu'il y a encore des choses à dire.

Je ne suis ni psychologue, ni philosophe, ni médecin, ni psychiatre. Ce n'est donc pas savamment que je peux aborder un sujet qui a joué un grand rôle depuis le début de l'humanité.

Il y a amour et amour. Comme la langue d'Ésope, cela peut être la meilleure et la plus mauvaise chose. Cela déclenche des drames mais aussi, de temps en temps, cela donne ce que nous appelons le bonheur.

Tout ce que je peux faire ici, c'est parler d'après mon expérience personnelle, expérience que des milliards d'hommes et de femmes ont faite.

Ce fameux premier amour, qui a donné lieu à tant de romances attendrissantes, n'existe à mon avis pas. C'est la première période de ma vie adulte. C'est Tigy. Et je me rends compte, je me suis rendu compte depuis longtemps, que j'avais aimé, non une femme déterminée, mais la femme sur qui je projetais mes rêves d'enfant et d'adolescent.

La religion catholique, dans laquelle j'ai été élevé, y est pour quelque chose. D'une part, avec la Vierge Marie, elle a littéralement déifié la femme et, pendant des générations, celle-ci a été un être évanescent fait de toutes les vertus, au point qu'on osait à peine imaginer qu'elle possédait un sexe.

Le catéchisme nous apprenait le péché de la chair, nous montrait l'horreur des relations sexuelles en dehors du mariage, et, il n'y a pas si longtemps, des relations sexuelles n'ayant pas pour but quasi immédiat de faire un enfant.

J'ai vécu près de vingt-deux ans, je ne dirai pas victime, mais en fonction de cet amour-là que, personnellement, je n'inscris pas sous la rubrique amour.

Il y a une sorte d'attraction différente de l'homme vers la femme et sans doute réciproquement : la passion.

Cette passion-là est plus difficile à définir. Est-ce une maladie? Est-ce un reste de nos instincts tribaux?

Des deux, jusqu'ici, c'est le plus dévastateur des sentiments. Ce n'est pas un sentiment. C'est une fièvre, le besoin lancinant de rapports, sexuels ou non, avec un être donné, sans que notre intelligence y soit pour quoi que ce soit.

La passion n'a pas d'âge. Historiquement non plus. Aussi loin que l'on remonte on la découvre et, sans exception, elle s'est révélée néfaste. D'amour, de ce que j'appelle amour, je parlerai plus tard.

Avec D..., c'était de la passion, une passion capable d'enlever à un homme son bon sens. Il ne voit plus rien chez le partenaire ou s'il voit quelque chose il le déforme.

Avec D..., je n'ai pas voulu jouer les Pygmalion, ce qui est encore une forme d'attachement.

Certes, je la sentais faible, et, selon l'expression qu'elle a employée elle-même, elle était à cette époque un oiseau pour le chat.

J'ai essayé de sauver l'oiseau. Je l'ai essayé pendant à peu près vingt ans.

J'ai de la peine, aujourd'hui, à m'expliquer les années passées ensemble.

Et pourtant je continuais à écrire. C'est à Sainte-Marguerite que j'ai écrit *Maigret à New York* ainsi que *Trois Chambres à Manhattan.*
. . . .

C'est une période de ma vie dont je ne suis pas fier et dont je ne parle qu'à contrecœur mais ces bavardages que j'ai promis sincères ne le seraient pas si je cachais certains épisodes. (En révisant, j'ai supprimé tout ce qui concerne D...)

Tigy est allée à Reno la première pour y établir sa résidence. Puis je m'y suis rendu le jour du divorce et le lendemain matin nous étions mariés par un juge botté et coiffé à la cow-boy à qui je glissais ensuite dix dollars dans la main comme me l'avait recommandé mon avocat.

J'allais dire :

— C'est tout pour cette partie de ma vie.

Hélas, ce n'est pas tout.

Le faux amour d'adolescent avait duré vingt ans. La passion de l'homme de quarante-deux ans allait le tenir lié longtemps dans des conditions plus pénibles.

Hier, 6 septembre, Johnny s'est envolé pour Boston et il entre dans trois ou quatre jours à l'Université de Harvard. Auparavant, il a pris sa licence à Menlo, une petite université de Californie, où il a raflé tous les prix.

Johnny, c'est mon fils de vingt-quatre ans, celui-là qui est né à la maternité de Tucson et qui, sans le vouloir, le pauvre, a tellement compliqué ma vie. Au fond, il valait mieux qu'il en soit ainsi, car je ne me vois pas finir mes jours avec Tigy.

J'ai quatre enfants, je l'ai déjà dit, un de Tigy, Marc; les trois autres de D... J'ai eu vis-à-vis des trois exactement la même attitude. Je leur ai donné la même éducation, les mêmes exemples.

Marc a toujours été rêveur. Il a fait la plus grande partie de ses études aux États-Unis, à *Hotchkiss School,* où il était obligé à chaques vacances de suivre des cours de rattrapage. Son principal professeur me disait :

— Il est intelligent. Il comprend facilement. Mais la moitié du temps il n'est pas dans la classe. Je l'observe. Son regard devient flou, fixé sur la fenêtre ou sur n'importe quel objet et, si je le questionne, il ne sait de quoi je parle.

A dix-sept ans, Marc a été plagiste à Cannes et il avait les plus belles filles. Il s'est amouraché d'une jeune fille assez jolie et, trois ans plus tard, s'est marié.

Je le sentais tracassé, hanté par quelque chose qu'il n'osait pas me dire. Je l'ai envoyé chez un ami neurologue et celui-ci m'a téléphoné peu après :

— Marc n'a qu'une idée en tête, qu'une profession en vue, celle de metteur en scène, mais il n'ose pas vous l'avouer. Je crois que votre acceptation lui rendrait son équilibre.

J'ai accepté, bien entendu. J'ai téléphoné à mon vieil ami Jean Renoir pour lui demander ce qu'il en pensait et s'il fallait lui faire prendre des cours de cinéma. Jean m'a répondu :

— Je commence après-demain un film à Cagnes-sur-Mer, l'ancienne maison de mon père. Si Marc veut être demain matin à Paris pour se faire inscrire sur le rôle, je l'engage comme stagiaire.

Il y a longtemps de cela. Marc a eu le temps de faire deux enfants à sa première femme, de divorcer, d'épouser Mylène Demongeot. Il tourne quelque part en Lozère. Ma fille est là aussi, car il lui a donné un tout petit bout de rôle. Johnny est allé le rejoindre pendant une bonne partie de ses vacances.

En somme, je fais jour après jour des expériences de père. Mes quatre enfants ont été élevés librement sans que jamais j'essaie de les influencer, soit en ce qui concerne le présent, soit en ce qui concerne l'avenir.

Pour Marc, c'était joué.

Avec Johnny, j'ai eu la surprise de ma vie. C'était un enfant colérique et tendre. Il m'injuriait volontiers et, une demi-heure plus tard, j'entendais quelque chose glisser sous la porte de ma chambre : une longue lettre d'excuses et d'explications.

A dix ans, à douze ans, son plaisir était de venir s'asseoir sur mes genoux pendant que je prenais les nouvelles à la télévision.

— Tu ne veux pas fumer un cigare?

Il adorait l'odeur du cigare. J'en fumais un, contre mon habitude, contre mes goûts, mais il y en avait toujours à la maison pour les invités.

De temps en temps, il me demandait :

— Je ne te pèse pas trop?

Je répondais que non. Comme il ne comprenait pas toujours les actualités politiques, il m'interrogeait à brûle-pourpoint. Alors, je lui ai donné un bloc-notes afin qu'il y inscrive ses questions et me les pose à la fin de l'émission.

Si je rapporte ce petit fait, c'est qu'il explique beaucoup du caractère de Johnny.

Je ne l'ai influencé qu'une fois, une seule, dans sa vie et dans la mienne, et ni l'un ni l'autre ne le regrettons. Quand, au collège, il a eu à choisir entre le grec et les langues vivantes, je lui ai conseillé le grec, puis, quand il est entré au gymnase, qui correspond aux deux dernières années du lycée français, je lui ai suggéré de donner un coup de collier et de suivre à la fois le grec et les mathématiques.

Il l'a fait, durement, car, à Lausanne, il n'y a que trois ou quatre élèves chaque année pour décrocher à la fois leurs deux bachots.

Si je lui ai donné ce conseil, c'est qu'il n'avait aucune idée de ce qu'il voudrait faire par la suite.

Je l'ai envoyé à Paris où, pendant un an, je n'ai rien demandé de lui. Il a suivi des cours d'édition et de librairie. Il a quelque peu travaillé chez mon éditeur, puis il est venu m'annoncer qu'il désirait aller en Amérique suivre des cours de business et d'économie dans une université.

Avant son aventure américaine, il avait suivi des cours perfectionnés d'anglais à Cambridge.

Maintenant, il approche du sommet de ses études. Il n'en est pas moins resté très enfant d'un certain point de vue, mais mes observations ne serviraient à rien.

Marie-Jo, qui a vingt ans, veut devenir comédienne et suit les Cours Simon à Paris. Elle m'a téléphoné avant-hier pour m'annoncer qu'elle suivrait en même temps, dans une autre école, des cours de mime.

Quant à Pierre, à quatorze ans, il vit avec moi. Il est le plus calme, celui aussi qui possède le plus d'humour.

Ce n'est pas une généalogie que j'essaie d'esquisser. Où je veux en arriver, c'est à la vie d'un père.

Marc, par exemple, a lu les premières lignes de mon œuvre à *Hotchkiss School* où j'étais au programme.

Johnny en a peut-être lu deux ou trois.

C'est Marie-Jo qui en a lu le plus, très jeune, et à qui il est arrivé de les discuter avec moi.

Quant à Pierre, il n'a rien lu de son père.

Je n'en suis pas affecté. Une chose m'étonne. Ils ont tous vécu un certain nombre d'années dans mon intimité quotidienne et ils m'ont vu m'enfermer farouchement pour écrire des romans, puis sortir, épuisé, de mon bureau.

Cela ne les a frappés ni l'un ni l'autre.

Que j'aie écrit 214 romans dans ma vie ne les étonne pas, ne les intéresse pas. Et, jusqu'à ce que je prenne ma retraite, ils s'étonnaient plutôt de voir des journalistes, des photographes, des équipes de télévision envahir la maison.

La question effort, la question fatigue ne les a jamais effleurés quand ils me demandaient :

— Quand auras-tu fini ton roman ?

C'est qu'ils avaient un projet en tête pour ce moment-là.

L'hiver dernier, j'étais à Valmont pour y subir un certain nombre de tests médicaux. Je leur avais offert à tous, petits-enfants compris, des vacances à Crans-sur-Sierre. Je leur avais dit :

— Venez me voir quand vous voudrez, mais téléphonez-moi à l'avance.

Comme Valmont est plus ou moins sur le chemin de Crans, ils se sont arrêtés tous à l'aller et ma chambre était pleine.

Ils se sont tous arrêtés au retour aussi. Aucun n'a éprouvé le besoin de venir me voir entre-temps et, éventuellement, me faire des confidences.

Si je m'attarde sur ce sujet, c'est sans rancœur, sans nostalgie, sans regrets.

Il arrive un âge, en effet, où les enfants en savent plus que nous ou croient en savoir plus que nous, et où le maximum qu'on peut leur demander est un peu d'affection et un peu d'indulgence.

Pierre, déjà, a commencé à suivre ce chemin-là. Il est rare qu'à table ou dans mon bureau j'aborde un sujet sans qu'il me contredise.

Il faut s'y habituer. Dans dix ans, dans vingt ans, ils comprendront et commenceront à m'aimer vraiment.

Pour le moment, je suis plutôt un personnage encombrant.

Si je n'avais peur d'exagérer, je dirais que c'est entre eux qu'ils forment une famille. C'est entre eux qu'ils se voient. C'est entre eux qu'ils s'écrivent et qu'ils échangent des projets que je n'apprends souvent que plusieurs mois plus tard.

Je suis heureux d'une telle entente, pour ne pas dire d'une telle franc-maçonnerie.

Je me contente de rester en bordure. Je ne peux m'empêcher de rêver parfois à la cuisine enfumée de la rue Puits-en-Sock où tous les Simenon, non mariés, mariés, pères de famille, se retrouvaient chaque dimanche.

Samedi. 10 heures du matin. Pourquoi samedi, puisque les jours se ressemblent, heureusement. Il n'y a pas, il n'y a plus de bons et de mauvais jours. Nous venons de faire notre promenade matinale. A deux cents mètres de notre appartement commence ce que nous appelons le village. Car ce petit quartier commerçant accroché à Lausanne a les mêmes boutiques, les mêmes clients, le même rythme que celui d'un village.

Depuis quelque temps, nous entrons dans un café et nous buvons un verre de bière, le seul de la journée.

J'ai toujours hâte de rentrer pour retrouver mon jouet. Aujourd'hui, j'ai fait promettre à T..., plus tard, quand je ne serai plus là, de raconter les années qu'elle a passées avec moi. Elle est la seule, en effet, qui puisse dire toute la vérité, sans être tentée d'édulcorer ou de mentir.

Et maintenant, j'en reviens à l'Amérique dont, malgré les tracas que m'ont donnés mes deux femmes, j'ai gardé un merveilleux souvenir.

Dès mon débarquement à New York, je me suis senti chez moi. Aucun dépaysement. Je dirais même aucune curiosité. Tout me paraissait logique, naturel, et les gratte-ciel eux-mêmes étaient tout simplement à leur place. Par la suite, j'ai parcouru le pays du Nord au Sud, de l'Est à l'Ouest, vivant tantôt trois mois ici, tantôt six mois là, tantôt trois ans ailleurs et enfin cinq ans à *Shadow Rock Farm*. Un peu plus de dix ans en tout. Presque onze ans.

Au cours de ces onze ans, comme dans la plupart des existences, il y a eu du bon et du mauvais.

J'ai parlé de ma passion pour D... Cette passion était-elle partagée? Je n'oserais pas répondre à cette question. Peut-être a-t-elle été partagée pendant un certain temps. En tout cas, elle s'est éteinte longtemps avant la mienne et, à mesure que s'accumulaient les années, je crois qu'elle s'est transformée en haine.

C'est presque amusant, avec le recul du temps, d'évoquer notre mariage. Tigy avait passé six semaines à Reno, indispensables pour obtenir un divorce. Je suis arrivé le dernier jour de ces six semaines avec D... et Johnny.

Dans la journée, je suis passé chez le notaire signer les papiers de divorce. (Peut-être chez le juge? Je ne m'en souviens pas.)

Le soir, je suis sorti seul et on a assez décrit ces immenses usines à machines à sous et à jeux de toutes sortes. J'ai commencé à mettre un dollar en argent dans une machine à sous, puis dans une autre. A chaque coup je gagnais et j'avais les poches lourdes.

302

A un moment donné, la machine a eu l'air d'éclater, des lampes rouges se sont allumées tout autour tandis que des pièces et des pièces lui sortaient du ventre et s'éparpillaient sur le plancher. Le directeur accourait pour me féliciter, un photographe pour me photographier et l'on me remettait solennellement une machine à sous modèle réduit.

Quand je suis rentré à l'hôtel, il y avait une panne d'électricité et j'ai dû monter trente-deux ou trente-trois étages à pied avec mon chargement. Le lendemain, nous avons demandé l'aide d'une gardienne d'enfants pour rester avec Johnny pendant que nous allions nous marier. J'ai essayé par la suite les machines à sous. J'y ai perdu tout ce que je voulais.

Était-ce un signe?

Ce qui m'entourait ne me semblait pas particulièrement pittoresque. Cela faisait partie d'une vie dans laquelle j'aurais toujours vécu. Mon anglais se bornait à celui des grands paquebots et du *Savoy* de Londres, autrement dit, il était plutôt rudimentaire, mais les gens mettaient une telle bonne volonté pour me comprendre que tout finissait par s'arranger.

Dimanche. Rues vides. Cloches et soleil. Celui-ci est pâle et peut-être pleuvra-t-il.

Je ne vais pas dicter aujourd'hui, bien que ce soit devenu pour moi un besoin. En effet, je suis arrivé à un point, dans mes souvenirs, où je suis bien obligé de parler d'autrui et j'ai des scrupules.

A côté des images agréables, il y a des images pénibles et je ne voudrais pas me laisser aller à l'aigreur, encore moins à la vengeance.

Je ne déteste personne. Je n'en veux à personne. J'ai assez appris de l'homme pour ça.

Demain sera un autre jour et peut-être pourrai-je en toute sérénité continuer à parler du passé.

Dimanche fin d'après-midi. Une sorte de post-scriptum. Johnny vient de me téléphoner de Boston.

C'est une chose merveilleuse d'avoir des enfants. Mais chacun d'eux est pour nous une histoire dont nous ne saurons pas la fin.
· ·

J'ai beaucoup souffert. Par bonheur, T... m'a suivi pas à pas, comme un ange gardien, comprenant les risques que je courais.

Il y a près de dix ans de cela. Je suis encore en vie et, grâce à T... toujours, je suis un homme apaisé et heureux.

En outre, elle m'a aidé à retrouver ma sérénité.

J'ai atteint et dépassé mes soixante-dix ans. Les nuits de New York sont loin et je n'arrive plus à les comprendre.

La convalescence a été longue et je me demande comment T... a eu la patience, si longtemps, de veiller sur moi, parfois minute par minute.

304

Hier à midi, j'en ai terminé avec la période noire. Même si dans ce noir il y a eu du gris et même du soleil.

Cela a été une dictée pénible, car j'aurais voulu tout dire et, humainement, je ne m'en suis pas reconnu le droit.

Mais que je suis heureux que ce soit fini!

Pour me récompenser, car je me donne comme ça certaines écompenses (après mes romans j'allais presque toujours me faire un petit cadeau), pour me récompenser, dis-je, je suis allé à Lausanne acheter un autre magnétophone, non pour dicter, car le mien me suffit, mais pour emplir l'appartement de musique. J'en étais passionné, avant la guerre. J'ai recommencé hier soir avec la *Sonate pour deux violons*, de Jean-Sébastien Bach, et *April in Paris* de Gershwin.

Maintenant, il ne me reste que l'époque rose. Je ne vais pas commencer tout de suite. Je veux attendre quelques jours afin que l'amertume qui me reste à la bouche ait eu le temps de disparaître.

Entracte.

Interlude.

Je viens de recevoir le livre qui avait été préparé pour mon soixante-dixième anniversaire, le 13 février. J'en suis heureux. En même temps j'hésite à l'ouvrir. Comme j'hésite toujours à lire les critiques sur l'une ou l'autre de mes œuvres.

Des écrivains, des médecins, des psychiatres ont collaboré à cette sorte d'hommage. (Je m'excuse du mot mais je n'en trouve pas d'autre.)

Chaque fois que l'on me parle de moi, surtout si c'est en termes flatteurs, j'ai une tendance à me replier, car l'idée que j'ai de moi est toujours beaucoup moins favorable que celle des autres. Je m'y mettrai cependant, à petites doses, reconnaissant à tous ceux qui ont bien voulu me consacrer quelques heures.

Interlude n° 2.

Avant d'aborder la troisième partie de ma vie conjugale, de mes vies conjugales plutôt, je voudrais, dès maintenant, noter une pensée qui m'est venue ce matin en me rasant.

Ma première femme, Tigy, avait un grand-père chantre à l'église, et son père, orphelin, a été élevé dans cette famille. Il a débuté dans la vie comme apprenti menuisier. Il est arrivé à être le meilleur et le principal ensemblier de Liège, habitant un énorme hôtel particulier, s'habillant chez les meilleurs tailleurs comme sa femme s'habillait dans les meilleures maisons de couture. Son fils aîné, architecte, portait la jaquette traditionnelle à cette époque dans certaines professions libérales. Tita, sa fille, prenait des leçons de piano très coûteuses avec Casadesus et Rubinstein.

C'était, en apparence, l'image de la grosse bourgeoisie, bien qu'il n'y eût aucune fortune.

Mon premier beau-père était fier, à juste droit, de son ascension dans l'échelle sociale et il voulait faire de ses enfants un architecte, une femme peintre (Tigy), et enfin une grande pianiste, Tita.

Ma seconde femme venait d'une famille différente. Ses grands-parents avaient été riches. Ils avaient mené grande vie à Montréal jusqu'au moment où ils s'étaient ruinés.

Ma troisième femme, illégitime soi-disant, puisque certains croient encore au mariage, avait pour grand-père un forgeron aux idées plus ou moins anarchistes et son père était contremaître dans une petite usine.

Trois catégories sociales, mais aussi trois mentalités. Car ces antécédents ont marqué profondément les enfants.

Avec Tigy, nous n'avons jamais été tout à fait sous le même pied et elle regardait avec une certaine pitié la maison de ma mère.

D... a passé des journées entières à me parler de ses origines, des somptuosités qu'elle n'avait pas connues, des relations de sa famille et des bals de l'ambassade de France où elle avait assisté dans sa jeunesse.

T... parle des siens simplement et, au fond, sa famille ressemble à la mienne. J'ai déjà dit ma nostalgie de l'humble chapellerie de la rue Puits-en-Sock, de mes oncles ouvriers ou sacristains, sauf un qui avait fait fortune.

Je crois que si mes deux premières expériences conjugales n'ont pas été heureuses, c'est que chacune de mes deux premières femmes m'a toujours regardé d'un peu haut et a plus ou moins tenté de me dominer.

Avec T..., nous sommes de plain-pied et c'est dans la joie que nous confrontons nos souvenirs.

Je me trompe peut-être, mais je crois que c'est ce qui distingue les trois périodes de ma vie. Je crois aussi, fermement, toute question de caractère mise à part, que c'est en grande partie le secret de notre bonheur.

Les mêmes mots, pour nous deux, ont le même sens, évoquent les mêmes images et, lorsque nous parlons de notre enfance, nous le faisons joyeusement comme deux êtres qui se retrouvent.

Ce ne sont pas les questions d'argent ou du luxe des habitations qui comptent en réalité. C'est ce qui fait le plus intimement partie de nous-mêmes : nos origines et nos souvenirs d'enfance.

T... et moi avons vécu les mêmes problèmes, parfois les mêmes humiliations; j'allais dire que nous avons mangé la même soupe.

Nous appartenons, quoi que nous fassions, quoi qu'il me soit arrivé par la suite, à la grande famille des petites gens.

J'en suis arrivé, cahin-caha, au mieux de mes souvenirs et des sensations qui m'en sont restées, à ce qu'il me faut bien appeler ma troisième époque. La plus agréable à évoquer, certes, mais aussi, peut-être, la plus difficile. Je le saurai par la suite.

Peut-être, si, il y a douze ans, quand j'habitais encore le château d'Échandens, on m'avait demandé si j'aimais T..., j'aurais répondu que non. Et, pourtant, la mécanique était enclenchée. Dès ce moment-là, nos destins étaient liés.

Dans une atmosphère quasi dramatique, nous avons emménagé dans la maison que j'avais fait construire à Épalinges.

Je passe sur cette période trouble, angoissante.

D... n'ignorait nullement mes relations avec T... puisque celle-ci, dès le premier jour, lui en avait parlé, en lui proposant de partir.

Je ne sais pas si, dans le fond d'elle-même, D... était jalouse, ou si elle voulait prendre le contrepied de Tigy. Toujours est-il qu'à New York, déjà, elle m'a littéralement jeté dans les bras d'un certain nombre d'autres femmes.

Elle est partie.

Mais ce n'est pas d'elle que je veux parler aujourd'hui, c'est de T... qui m'entourait de soins attentifs comme je n'en connaissais plus depuis longtemps.

Je l'avoue sans honte, je m'étais mis à boire. Je me sentais seul, dans une maison immense, avec beaucoup de personnel, des enfants qui posaient des questions.

Dès mon enfance, j'ai été somnambule. Je le suis resté toute ma vie. Il m'est arrivé, la nuit, de me retrouver, saignant du front, sous une table.

Nous avons acheté un lit de camp et T... a dormi dans le boudoir voisin.

C'est alors que je me suis rendu compte qu'elle était le premier être au monde, non pas à m'avoir « pris » quelque chose, mais à m'avoir « donné ».

Ce n'était peut-être pas encore l'amour tel que je le conçois, mais il n'était pas loin.

Un jour, nous avons fêté le premier court métrage de mon fils Marc, *Tabarly*, et c'est ce jour-là aussi que je lui ai donné les droits cinématographiques des *Dossiers de l'Agence O*, qu'il a d'ailleurs réalisés.

Nous avons beaucoup bu. J'ai surtout beaucoup bu car mes

enfants, malgré leur affection, ne m'enlevaient pas le sentiment de solitude.

Je suis entré dans la salle de bains dont j'ai fermé la porte à clef. Un peu plus tard, j'ai glissé sur le marbre et je me suis trouvé sur le sol incapable de bouger.

J'ai crié. La maison, dans laquelle tout le monde était dispersé, était trop grande pour qu'on m'entende. Avec des efforts désespérés, je tentais d'atteindre la serrure. C'est T... qui est venue, car elle avait pris l'habitude, qu'elle a conservée, d'être toujours à proximité de moi et je l'appelais mon ange gardien.

On m'a transporté sur un canapé. J'ai annoncé que j'avais sept côtes cassées. Quand mon médecin habituel est arrivé, il m'a contredit en réduisant le chiffre à cinq. Puis cela a été le tour du chirurgien qui a cité le chiffre six.

On m'a fait une piqûre de morphine et on m'a mis au lit en attendant que, le lendemain matin, l'ambulance vienne me prendre pour me conduire à la clinique. T... y est venue avec moi. Là aussi, elle a eu droit à un lit de camp. Nous vivions toute la journée ensemble. Dans mon esprit, c'est là le vrai commencement.

Lorsque nous sommes rentrés, deux semaines plus tard, à Épalinges, son lit a passé du boudoir à ma chambre. Il était étroit et dur comme tous les lits de camp. Elle ne s'est jamais plainte. Et, au moindre gémissement, je la trouvais debout à côté de moi.

Je ne lui ai jamais demandé quand elle avait commencé à m'aimer.

Moi, je l'aimais et tout le passé était devenu pour moi un cauchemar.

Ce matin, je crois que je reprends un sujet que j'avais déjà esquissé. J'ai reçu, il y a trois jours, un livre qui m'est consacré avec des articles des principaux critiques et des études. Ce livre était destiné, en principe, à mon anniversaire, le 13 février. Pour des raisons mystérieuses il m'arrive seulement.

Il me fait un peu peur. Hier, j'ai lu trois des articles, tous les trois extrêmement élogieux, et chaque fois j'ai ressenti la même gêne.

A quoi cela tient-il? C'est la question que je me suis posée ce matin en me rasant. Je me posais la même question quand la télévision venait m'interviewer, sauf que j'y attachais moins d'importance, car il s'agissait le plus souvent de répondre à des questions banales.

Ici, au contraire, ce sont des analyses serrées de mon œuvre. Certes, je pense que celle-ci a une certaine valeur, puisque je l'ai poursuivie pendant plus de quarante ans, je dirais à la sueur de mon front.

Mais de voir, noir sur blanc, certains éloges, crée chez moi du désarroi.

On me traite en homme important. Or, à aucun moment, je ne me sens un homme important. Au contraire. Quand, dans la rue ou ailleurs, quelqu'un s'approche pour me demander un autographe, je commence par balbutier, par retirer mon chapeau, et, la signature donnée, je m'en vais d'un air confus.

Je retrouve en cela la théorie dont j'ai parlé au début de ces bavardages : notre enfance nous poursuit toute notre vie.

Je suis né humble, chez des humbles, qui m'ont enseigné l'humilité. Cette humilité, je l'ai gardée envers et contre tout.

Je ne sais pas comment remercier ceux qui ont écrit ces textes. Leur dire que je m'y reconnais ressemble à un signe d'orgueil. Leur dire que je ne m'y reconnais pas serait presque une injure.

Je reçois beaucoup d'analyses de ce genre, en particulier de médecins, de psychiatres, de psychologues. J'avoue qu'il en est que je n'ai pas lues pour éviter ce malaise contre lequel je ne peux rien.

J'ai été élevé à dire :

— Merci, monsieur.

En tendant *la belle main*.

A dire, si je bousculais quelqu'un dans la rue :

— Excusez-moi.

ou :

— Pardonnez-moi.

Combien de fois ai-je demandé pardon dans ma vie et me suis-je excusé! Parce que tous les hommes sont des hommes comme moi et qu'ils ont droit au respect, parce que, si j'ai plus ou moins réussi dans mon métier, des centaines de milliers d'autres en ont fait autant.

Je retire mon chapeau pour saluer mon concierge. Je ne trouve pas ça extraordinaire puisque, s'il avait un chapeau, il le retirerait aussi à mon passage.

Au fond — et je ne considère pas nécessairement cela comme une qualité — je suis un humble et humble je resterai.

T... me fait observer que ceux qui écrivent ainsi sur moi m'ont enlevé peau par peau afin de découvrir ma vraie personnalité. Ils me regardent vivre comme à travers une glace sans tain.

C'est probablement vrai. Serait-il impossible à un homme de se connaître lui-même? Je commence à le croire. Ce que je refuse, c'est qu'on me change l'idée très simple, très modeste, que j'ai de moi-même.

J'en ai besoin.

Amour... amour... amour...

Dans la bouche de D..., avec son léger accent canadien, cela devenait amourr avec deux *r* à la fin. Et je serais bien en peine de dire à quel sentiment cela correspondait.

Avec Tigy, dans nos lettres, l'amour était presque littéraire. Une abstraction qui correspondait au rêve des adolescents puis, peu à peu, qui ne correspondait à rien du tout.

Avec T..., nous avons mis à peu près huit ans à prononcer ce mot-là. C'est moi qui l'ai fait et elle m'a mis un doigt sur les lèvres, comme si elle craignait trop de solennité.

Notre mot, maintenant encore, la plupart du temps, est « copain ». Et pourtant...

Je me demande si l'on peut connaître cet amour-là très jeune. Il s'y mêle alors trop de passion. On s'émerveille de découvrir, non sa partenaire, mais la femme.

Jusqu'à ce qu'on ait envie d'en découvrir une autre.

Pour moi, qui suis devenu un vieil homme, et qui ai eu le temps de réfléchir, l'amour, c'est d'abord le silence. Pouvoir rester dans une même pièce, sans parler, chacun conscient des pensées de l'autre.

Combien de fois, alors que nous ouvrons la bouche ensemble, est-ce pour dire les mêmes mots ? Pas seulement des mots d'amour mais, n'importe où, dans la rue, dans un café, le long du lac, des mots qui reflètent nos impressions du moment.

L'amour, c'est aussi, pendant le sommeil, une main inconsciente qui cherche le corps de l'autre, non pour des raisons sexuelles, mais pour le contact.

312

Je viens peut-être de trouver le mot clé. L'amour, c'est le contact, en tout, physiquement, spirituellement. C'est de penser ensemble aux mêmes choses, de ressentir les mêmes émotions devant un spectacle, c'est chercher dans les yeux de l'autre le reflet de cette émotion.

Si je devais en quelques mots résumer cet amour-là, je dirais :

— Tendresse, paix de l'âme et de l'esprit, communion.

Nous revenons, T... et moi, d'Ouchy, où nous sommes allés au pas de gymnastique. Il y a du soleil. C'est ce que l'on appelle un bel après-midi.

Je voudrais encore parler d'amour, mais je ne peux plus, pour la simple raison que je le vis. Il est difficile de parler de ce que l'on est en train de vivre.

Je ne suis pas superstitieux et c'est pourquoi je me contente de dire, après ces longs bavardages de vieillard :

— Je suis heureux.

Je suis heureux et je me tais.

Non sans arrière-pensées. Je soupçonne qu'un jour ou l'autre mon jouet m'attirera à nouveau. Les hommes de mon âge éprouvent le besoin de parler, de se raconter, quitte à ennuyer les autres en se répétant.

OUVRAGES DE GEORGES SIMENON

AUX PRESSES DE LA CITÉ

COLLECTION MAIGRET

Mon ami Maigret
Maigret chez le coroner
Maigret et la vieille dame
L'amie de Mme Maigret
Maigret et les petits co-
chons sans queue
Un Noël de Maigret
Maigret au « Picratt's »
Maigret en meublé
Maigret, Lognon et les
gangsters
Le révolver de Maigret
Maigret et l'homme du
banc
Maigret a peur
Maigret se trompe
Maigret à l'école
Maigret et la jeune morte
Maigret chez le ministre
Maigret et le corps sans
tête
Maigret tend un piège
Un échec de Maigret
Maigret s'amuse
Maigret à New York

La pipe de Maigret et
Maigret se fâche
Maigret et l'inspecteur
Malgracieux
Maigret et son mort
Les vacances de Maigret
Les Mémoires de Maigret
Maigret et la Grande
Perche
La première enquête de
Maigret
Maigret voyage
Les scrupules de Maigret
Maigret et les témoins
récalcitrants
Maigret aux Assises
Une confidence de Mai-
gret
Maigret et les vieillards
Maigret et le voleur pa-
resseux
Maigret et les braves
gens
Maigret et le client du
samedi

Maigret et le clochard
La colère de Maigret
Maigret et le fantôme
Maigret se défend
La patience de Maigret
Maigret et l'affaire Na-
hour
Le voleur de Maigret
Maigret à Vichy
Maigret hésite
L'ami d'enfance de Mai-
gret
Maigret et le tueur
Maigret et le marchand
de vin
La folie de Maigret
Maigret et l'homme tout
seul
Maigret et l'indicateur
Maigret et Monsieur
Charles
Les enquêtes du commis-
saire Maigret (2 vo-
lumes)

ROMANS

Je me souviens
Trois chambres à Man-
hattan
Au bout du rouleau
Lettre à mon juge
Pedigree
La neige était sale
Le fond de la bouteille
Le destin des Malou
Les fantômes du cha-
pelier
La jument perdue
Les quatre jours du
pauvre homme
Un nouveau dans la ville
L'enterrement de Mon-
sieur Bouvet
Les volets verts
Tante Jeanne
Le temps d'Anaïs
Une vie comme neuve
Marie qui louche
La mort de Belle
La fenêtre des Rouet

Le petit homme d'Ar-
khangelsk
La fuite de Monsieur
Monde
Le passager clandestin
Les frères Rio
Antoine et Julie
L'escalier de fer
Feux rouges
Crime impuni
L'horloger d'Everton
Le grand Bob
Les témoins
La boule noire
Les complices
En cas de malheur
Le fils
Le nègre
Strip-tease
Le président
Dimanche
La vieille
Le passage de la ligne
Le veuf
L'ours en peluche

Betty
Le train
La porte
Les autres
Les anneaux de Bicêtre
La rue aux trois poussins
La chambre bleue
L'homme au petit chien
Le petit saint
Le train de Venise
Le confessionnal
La mort d'Auguste
Le chat
Le déménagement
La main
La prison
Il y a encore des noise-
tiers
Novembre
Quand j'étais vieux
Le riche homme
La disparition d'Odile
La cage de verre
Les innocents
Lettre à ma mère

OUVRAGES DE GEORGES SIMENON

AUX PRESSES DE LA CITÉ (suite)

« TRIO »

I. — La neige était sale – Le destin des Malou – Au bout du rouleau
II. — Trois chambres à Manhattan – Lettre à mon juge – Tante Jeanne
III. — Une vie comme neuve – Le temps d'A-naïs – La fuite de Monsieur Monde
IV. — Un nouveau dans la ville – Le passager clandestin – La fenêtre des Rouet
V. — Pedigree
VI. — Marie qui louche – Les fantômes du cha-pelier – Les 4 jours du pauvre homme
VII. — Les frères Rico – La jument perdue – Le fond de la bouteille
VIII. — L'enterrement de M. Bouvet – Le grand Bob – Antoine et Julie

AUX ÉDITIONS FAYARD

Monsieur Gallet, décédé
Le pendu de Saint-Pholien
Le charretier de la Providence
Le chien jaune
Pietr-le-Letton
La nuit du carrefour
Un crime en Hollande
Au rendez-vous des Terre-Neuvas
La tête d'un homme

La danseuse du gai moulin
Le relais d'Alsace
La guinguette à deux sous
L'ombre chinoise
Chez les Flamands
L'affaire Saint-Fiacre
Maigret
Le fou de Bergerac
Le port des brumes
Le passager du « Polarlys »

Liberty Bar
Les 13 coupables
Les 13 énigmes
Les 13 mystères
Les fiançailles de M. Hire
Le coup de lune
La maison du canal
L'écluse nº 1
Les gens d'en face
L'âne rouge
Le haut mal
L'homme de Londres

A LA N. R. F.

Les Pitard
L'homme qui regardait passer les trains
Le bourgmestre de Furnes
Le petit docteur

Maigret revient
La vérité sur Bébé Donge
Les dossiers de l'Agence O
Le bateau d'Émile
Signé Picpus

Les nouvelles enquêtes de Maigret
Les sept minutes
Le cercle des Mahé
Le bilan Malétras

ÉDITION COLLECTIVE SOUS COUVERTURE VERTE

I. — La veuve Couderc – Les demoiselles de Concarneau – Le coup de vague – Le fils Cardinaud
II. — L'Outlaw – Cour d'assises – Il pleut, bergère... – Bergelon
III. — Les clients d'Avrenos – Quartier nègre – 45º à l'ombre
IV. — Le voyageur de la Toussaint – L'assassin – Malempin
V. — Long cours – L'évadé
VI. — Chez Krull – Le suspect – Faubourg
VII. — L'aîné des Ferchaux – Les trois crimes de mes amis
VIII. — Le blanc à lunette – La maison des sept jeunes filles – Oncle Charles s'est enfermé
IX. — Ceux de la soif – Le cheval blanc – Les inconnus dans la maison
X. — Les noces de Poi-tiers – Le rapport du gendarme G. 7
XI. — Chemin sans issue – Les rescapés du « Télémaque » – Touristes de bananes
XII. — Les sœurs Lacroix – La mauvaise étoile – Les suicidés
XIII. — Le locataire – Monsieur La Souris – La Marie du Port
XIV. — Le testament Donadieu – Le châle de Marie Dudon – Le clan des Ostendais

SÉRIE POURPRE

Le voyageur de la Toussaint   La maison du Canal   La Marie du Port

ACHEVÉ D'IMPRIMER LE
17 MARS 1975 SUR LES
PRESSES DE L'IMPRIMERIE
BUSSIÈRE, SAINT-AMAND (CHER)